Clive Cussler

met Dirk Cussler

De pijl van Poseidon

the house of books

Oorspronkelijke titel
Poseidon's Arrow
Uitgave
G.P. Putnam's Sons, New York
Copyright © 2012 by Sandecker RLLLP
By arrangement with Peter Lampack Agency, Inc. 350 Fifth Avenue, Suite 5300,
New York, NY 10118 USA
Copyright voor het Nederlandse taalgebied © 2013 by The House of Books,
Vianen/Antwerpen

Vertaling
Pieter Verhulst
Omslagontwerp
Jan Weijman
Omslagillustratie
Larry Rostant/Artist Partners Ltd
Foto auteur
© Rob Greer
Opmaak binnenwerk
ZetSpiegel, Best

ISBN 978 90 443 3945 1
ISBN 978 90 443 3946 8 (e-book)
D/2013/8899/97
NUR 332

www.thehouseofbooks.com

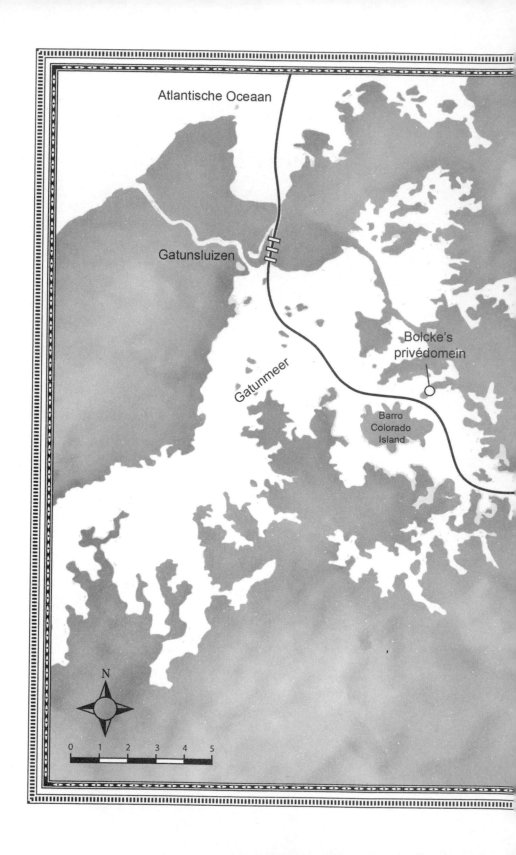

PROLOOG

Barbarigo

OKTOBER 1943
INDISCHE OCEAAN

Het schijnsel van de halvemaan weerkaatste op de rusteloze zee als blinkend kwikzilver. De oplichtende golven deden luitenant Alberto Conti denken aan een zeegezicht van Monet in een verduisterde kamer. Het zilverige schuim weerkaatste het maanlicht naar de hemel en bescheen een wolkenbank ver naar het noorden: de rand van een stormdepressie die de vruchtbare kust van Zuid-Afrika doorweekte, zo'n vijftig zeemijl verder.

Conti trok zijn kin in tegen de klamme wind die hem belaagde en hij keek naar de jonge matroos die naast hem de wacht hield in de commandotoren van de Italiaanse onderzeeboot Barbarigo.

'Het is wel een romantische avond, nietwaar, Catalano?'

De matroos keek hem vragend aan. 'Het weer is best redelijk, als u dat bedoelt.' Hoewel hij evenals de overige bemanning erg moe was bleef de matroos formeel in aanwezigheid van een officier. Conti besefte dat het jeugdige onderdanigheid was die ooit zou verdwijnen.

'Nee, ik bedoel dat maanlicht,' zei Conti. 'En ik wil wedden dat deze maan ook de straten in Napels beschijnt. Het zou mij niet verbazen als een knappe officier van de Wehrmacht nu met jouw verloofde over de Piazza del Plebiscito flaneert.'

De matroos spuwde over de reling en keek de officier met felle ogen aan. 'Mijn Lisetta springt eerder van de Gaiolabrug dan dat ze zich inlaat met een Duits zwijn. Ik maak mij geen zorgen, want ze heeft een kleine revolver verborgen in een boek als ik op zee ben, en ze weet ook hoe ze die moet gebruiken.'

Conti lachte schamper. 'Als wij al onze vrouwen bewapenen, dan

11

zou geen Duitser en geen geallieerde soldaat ooit een stap op ons grondgebied wagen.'

Omdat Catalano al weken op zee was en al maanden van huis vond hij de opmerking niet erg geestig. Hij tuurde naar de horizon en knikte naar de donkere boeg van de onderzeeboot die door de golven sneed.

'Luitenant, waarom zijn wij gedegradeerd tot vrachtboot voor de Duitsers, hoewel de Barbarigo gebouwd is om koopvaardijschepen aan te vallen?'

'Ik vrees dat we nu alleen maar marionetten van de Führer zijn,' antwoordde Conti hoofdschuddend. Zoals de meeste van zijn landgenoten besefte hij niet welke politieke krachten in Rome binnen enkele dagen Mussolini zouden afzetten om meteen daarna een wapenstilstand met de geallieerden aan te kondigen. 'En dan te bedenken dat wij in 1939 een grotere onderzeebootvloot hadden dan de Duitsers. Maar nu moeten we de bevelen van de Kriegsmarine gehoorzamen,' voegde hij eraan toe. 'Wat er in de wereld gebeurt, is niet zo gemakkelijk te begrijpen.'

'Het is niet eerlijk.'

Conto staarde naar het dek van de grote onderzeeboot. 'Ik denk dat de Barbarigo te groot en te traag is voor de bewapende konvooien. Daarom zijn we nu weinig meer dan een vrachtschuit. Maar we kunnen wel trots zijn op de wapenfeiten van onze Barbarigo, voor de verbouwing.'

De Barbarigo was in 1938 te water gelaten en had in de eerste oorlogsdagen op de Atlantische Oceaan een half dozijn geallieerde schepen tot zinken gebracht. Met een waterverplaatsing van duizend ton was de onderzeeboot veel groter dan de gevreesde VII U-Boote van de Duitse marine. Maar toen de verliezen van Duitse vrachtschepen groter werden, had admiraal Dönitz voorgesteld een aantal Italiaanse *sommergibili* om te bouwen tot transportschepen. Ontdaan van de torpedo's en het dekgeschut was de Barbarigo als vrachtboot naar Singapore gestuurd, geladen met kwik, staal en 20 mm-geschut voor het Japanse leger.

'Onze lading op de terugweg is van kritiek belang voor de oorlogvoering, en iemand moet toch de pakezel zijn,' veronderstelde Conti. Maar diep in zijn hart was hij verontwaardigd over deze opdracht als transportschip te dienen. Zoals elke zeeman aan boord van een onderzeeboot was hij een jager die er naar verlangde ongezien de vijand te achtervolgen. Maar een confrontatie met de vijand zou nu het einde betekenen voor de Barbarigo. Ontdaan van alle wapens en varend met een snelheid van twaalf knopen was de onderzeeboot eerder een gemakkelijke prooi dan een gevreesde aanvaller. Een witgekuifde golf sloeg tegen de boeg en Conti keek naar de oplichtende wijzerplaat van zijn horloge.

'Minder dan een uur voor de zon opkomt.'

Al was de opdracht niet gegeven, Catalano bracht de verrekijker voor zijn ogen en tuurde naar de horizon, speurend naar andere schepen. De luitenant volgde zijn voorbeeld en keek om zich heen naar de zee en de lucht. Zijn gedachten dwaalden af naar Casoria, een stadje ten noorden van Napels, waar zijn vrouw en zoontje op hem wachtten. Achter hun eenvoudige boerenwoning was een wijngaard en opeens verlangde hij naar de lome zomermiddagen, stoeiend met zijn zoontje tussen de druivenranken.

Toen hoorde hij het.

Boven het ronken van de beide dieselmotoren van de onderzeeboot hoorde hij een ander geluid: een hoge zoemtoon. Hij kwam meteen in actie.

'Sluit het luik!' schreeuwde hij.

Snel klauterde hij langs de ladder naar beneden. Het duikalarm begon te loeien en een ogenblik later haastten de matrozen zich naar hun post. In de machinekamer verstomde het geraas van de dieselmotoren en werd overgeschakeld op de door accu's aangedreven elektromotoren. Zeewater spoelde al over het voordek toen Catalano het luik in de toren hermetisch afsloot, voordat hij naar de controlekamer ging.

Onder normale omstandigheden kon een goed getrainde bemanning binnen een minuut de boot versneld laten duiken, maar omdat de ruimen volgeladen waren met legermateriaal, zakte de Italiaanse boot veel trager onder water. Pas twee minuten nadat Conti het naderende vliegtuig had gehoord verdween de duikboot onder de golven. Catalano's laarzen bonkten op de stalen ladder toen hij naar de controlekamer afdaalde en haastig liep hij naar zijn post benedendeks. Het geraas van de dieselmotoren was verstomd nu de boot werd voortgestuwd door stille elektromotoren en de matrozen spraken op gedempte toon met elkaar.

De commandant van de Barbarigo, De Julio, een man met een rond

13

gezicht, wreef de slaap uit zijn ogen en vroeg aan Conti of ze gezien waren vanuit het naderende vliegtuig. 'Dat weet ik niet. Ik heb het toestel niet gezien. Maar de maan schijnt helder en de zee is kalm, dus we waren wel zichtbaar.'

'Dat zullen we snel genoeg weten.'

De commandant liep naar de stuurstand en keek naar de dieptemeter. 'Duiken tot twintig meter diepte en dan scherp naar rechts sturen.'

De roerganger knikte en herhaalde de instructies. Hij keek strak naar het instrumentenpaneel voor hem en zijn handen klemden het grote metalen stuurwiel steviger vast. Het werd stil in de controlekamer, terwijl de mannen hun lot afwachtten.

Driehonderd meter boven hen loste een trage Britse PBY Catalina-vliegboot twee dieptebommen die tollend naar beneden raasden. Het vliegtuig was nog niet uitgerust met radar, maar de boordschutter achterin had het melkwitte kielzog van de Barbarigo gezien als een schuine streep op de rimpelende zee. Opgewonden over de gevonden prooi drukte hij zijn neus tegen de plexiglas koepel en met wijd opengesperde ogen zag hij de twee projectielen in zee plonzen. Enkele seconden later schoten twee grauwe waterfonteinen omhoog.

'Een beetje te laat, volgens mij,' merkte de copiloot op.

'Dat vermoedde ik al,' zei de gezagvoerder, een rijzige Londenaar met een verzorgde snor. Hij liet de Catalina een scherpe bocht maken, beheerst alsof hij een kop thee inschonk. De bommen afwerpen moest op de gok gebeuren, want de onderzeeboot was niet te zien, al was het kielzog nog niet verdwenen. De tweede aanval moest ook snel uitgevoerd worden, want de bommen waren afgesteld om acht meter onder water automatisch te exploderen. Dan kon de onderzeeboot al buiten bereik zijn, als er genoeg tijd was om dieper in zee af te dalen.

De piloot stuurde zijn toestel naar een markeerboei die eerder was uitgeworpen, op koers voor de aanval, en tuurde naar het vervagende kielzog van de onderzeeboot. Hij schatte de afstand die het vaartuig had afgelegd en de Catalina scheerde laag over de markeerboei. 'We zijn er bijna,' waarschuwde hij de bombardier. 'Bommen los, als je het doelwit ziet.'

De man richtte op de onderzeeboot en haalde een hendel over, waardoor het tweede paar dieptebommen gelost werd onder de vleugels van de Catalina.

'Dieptebommen gelost. En precies op tijd, denk ik, luitenant.'

'We zullen voor de zekerheid nog een run maken, en dan kijken of hier ergens een schip in de buurt is,' antwoordde de piloot en hij stuurde het vliegtuig weer in scherpe bocht.

In de Barbarigo sidderden de wanden heftig door de twee explosies. De lampen flikkerden en de hele romp kraakte, maar nergens spoot water naar binnen. Even leek het oorverdovende geraas van de explosies het ergste resultaat van de aanval, dat nagonsde in de oren van alle bemanningsleden alsof ze naast de klokken van de Sint-Pietersbasiliek hadden gestaan. Maar dat geluid werd overstemd door een metalig kabaal uit het achterschip, gevolgd door een hoog schril geraas.

De commandant voelde dat de trim van de onderzeeboot iets veranderde. 'Schade rapporteren uit het voorschip en achterschip!' schreeuwde hij. 'Hoe diep zijn we?'

'Twaalf meter, chef,' klonk het antwoord.

Niemand in de controlekamer zei iets. Een kakofonie van sissende en krakende geluiden weergalmde door de ruimte, terwijl de onderzeeboot steeds dieper zonk. Maar iedereen spitste zijn oren naar een geluid dat niet kwam: de plons en de klik van een dieptebom die dicht naast de romp zou exploderen. De Catalina bleef ver uit de buurt bij de laatste aanval, want de piloot gokte meer naar het noorden terwijl de Barbarigo naar het zuiden was gedraaid. De laatste twee gedempte explosies hadden nauwelijks effect en de onderzeeboot was al buiten het bereik van de dieptebommen. De bemanning slaakte een zucht van opluchting toen duidelijk werd dat ze voorlopig veilig waren. De enige angst was nu dat een geallieerd marineschip zou opstomen om de aanval te hervatten.

Maar de opluchting verdween door een kreet van de roerganger. 'Kapitein, we verliezen snelheid.'

De Julio kwam naast de roerganger staan en tuurde naar het instrumentenpaneel.

'De elektromotoren zijn ingeschakeld en gekoppeld aan de schroef,' zei de jonge matroos fronsend. 'Maar ik zie geen omwentelingen van de schroefas.'

'Vraag Sala meteen bij mij te rapporteren.'

Een matroos bij de periscoop liep weg om de hoofdwerktuigkundige van de Barbarigo te gaan halen. Maar de matroos had amper twee stappen gezet toen de werktuigkundige al in de deuropening verscheen.

Eduarde Sala, de hoofdmachinist, leek wel een bulldozer zoals hij

15

met zijn hoekige gestalte aan kwam lopen. Hij stapte meteen naar de commandant en keek hem met zijn felle zwarte ogen aan.

'Sala, jou moet ik hebben,' zei de commandant. 'Wat is onze operationele status?'

'De romp is intact, maar we hebben wel een grote lekkage bij de schroefas. Die proberen we nu te repareren. En ik moet nog een gewonde rapporteren: machinist Parma heeft zijn pols gebroken tijdens de aanval.'

'Ja, maar hoe staat het met de voortstuwing? Zijn de elektromotoren uitgeschakeld?'

'Nee, commandant. Ik heb de hoofdmotoren ontkoppeld.'

'Ben je gek geworden, Sala? Wij worden aangevallen en jij stopt de aandrijving?'

Sala keek misprijzend naar de commandant. 'De motoren zijn nu nutteloos,' zei hij kalm.

'Wat bedoel je?' vroeg De Julio, die niet begreep waarom de werktuigkundige geen duidelijke uitleg gaf.

'Het is de schroef,' zei Sala. 'Een schroefblad is door de explosie van een dieptebom verbogen en tegen de romp gedrukt. Daardoor is het blad afgescheurd.'

'Een van de schroefbladen?' vroeg De Julio.

'Nee... de hele schroef is weg.'

De woorden bleven onheilspellend in de commandokamer hangen. Zonder de scheepsschroef zou de Barbarigo onbestuurbaar overgeleverd zijn aan de golven. De thuishaven Bordeaux leek nu opeens even ver weg als de maan.

'Wat kunnen we doen?' vroeg de commandant.

De hoofdwerktuigkundige schudde meewarig zijn hoofd. 'Niets. Alleen bidden,' zei hij zacht. 'En de zee om genade smeken.'

DEEL I

De pijl van Poseidon

1

Het was een mythe, gewoon een bakerpraatje, dacht de man. Vaak had hij gehoord dat de zinderend hete temperaturen in de woestijn tijdens de nacht daalden tot ijzige vrieskou. Maar nu in juli, in de woestijn van Zuid-Californië, kon hij zelf ervaren dat het niet waar was. Zweet vormde donkere plekken in de mouwen van zijn dunne, zwarte sweater en droop langs zijn rug. De temperatuur was nog altijd minstens 32 graden. Hij keek naar de oplichtende wijzerplaat van zijn horloge en zag dat het inderdaad twee uur 's nachts was.

De hitte was voor hem niet ondraaglijk, want hij was geboren in Centraal-Amerika en had daar in de jungle geleefd en jarenlang guerrillastrijd geleverd. Maar de woestijn was onbekend gebied en hij had niet verwacht dat het daar 's nachts zo warm kon zijn.

Hij staarde over het stoffige terrein naar een aantal brandende straatlantaarns. De lichten markeerden de ingang van een groot en open mijnencomplex dat zich uitstrekte over de heuvels voor hem.

'Eduardo moet nu bijna op zijn positie tegenover het wachthuis zijn,' zei hij tegen de bebaarde man die naast hem in een zanderige kuil lag.

De liggende man droeg ook zwarte kleding, legerlaarzen en hij had een nauwsluitende muts tot diep over zijn ogen getrokken. Zweetdruppels glinsterden op zijn gezicht terwijl hij kleine slokjes water uit een fles dronk.

'Als hij maar opschiet. Er zitten hier overal ratelslangen.'

Zijn maat grinnikte. 'Juan, dat is dan nog wel ons kleinste probleem.'

Een minuut later kraakte de walkietalkie aan zijn gordel twee keer. 'Dat is het sein. Kom op, we gaan.'

Ze kwamen overeind en raapten de kleine rugzakken op. De helling van de heuvel voor hen was bezaaid met lichten van het mijnencomplex, zodat het woestijnlandschap vaag zichtbaar was. Ze liepen naar de omheining van het terrein. De langste van het tweetal zocht in zijn rugzak naar een nijptang.

'Pablo, ik denk dat we zonder een gat te maken op het terrein kunnen komen,' fluisterde zijn maat, en hij wees naar een drooggevallen waterloop onder de afrastering.

De zandgrond was zacht in het midden van de bedding en met zijn schoen schoof hij wat aarde opzij. Pablo volgde zijn voorbeeld en ze schraapten de grond weg tot de opening groot genoeg was. Ze schoven de rugzakken onder de afrastering door en kropen snel door de opening. Het gebrom van verschillende motoren en machines zweefde door de lucht omdat er dag en nacht gewerkt werd in de open mijngroeve. De twee mannen bleven uit de buurt van het wachthuis rechts van hen en ze liepen langs de flauwe helling omhoog naar de mijn. Tien minuten later kwamen ze bij enkele oude loodsen met daartussen lange transportbanden. In de verte werd met een bulldozer erts op een lopende band geschoven en naar een kraan op hoge poten vervoerd.

De beide mannen wilden naar een tweede groep gebouwen, hoger op de helling, maar de open mijnput was een obstakel. Ze waren gedwongen langs het gebied waar gewerkt werd te lopen. Daar werd de erts in kleine brokken gemalen. Ze slopen vlug langs de omtrek tot ze achter een grote opslagloods kwamen, waarbij ze probeerden zo veel mogelijk in de schaduw te blijven. Tussen twee gebouwen was een open terrein en ze renden langs een bunker aan de linkerkant die half onder de grond lag.

Opeens zwaaide een deur open in het gebouw recht voor hen. De twee mannen renden allebei in een andere richting, Juan dook naar de achterkant van de bunker en Pablo rende naar de zijkant van het gebouw.

Maar hij was te laat. Iemand richtte een helder gele lichtbundel op hem en hij raakte verblind.

'Staan blijven! Waag het niet nog een stap te verzetten!' klonk een zware, schorre stem.

Pablo liet duidelijk blijken dat hij gehoorzaamde, maar trok ongezien een klein automatisch pistool uit zijn heupholster en hield het wapen verborgen in zijn gehandschoende hand.

De zwaarlijvige bewaker kwam langzaam naar hem toe lopen, zijn zaklantaarn strak op Pablo's ogen gericht. De bewaker zag dat de indringer een lange man was met een atletisch uiterlijk en een koffiebruine, zachte huid die contrasteerde met de felle en kwaadaardige blik in zijn zwarte ogen. Over zijn linkerkaak en kin liep een lichtere streep huid, een souvenir van een steekpartij lang geleden.

De bewaker had genoeg gezien om te begrijpen dat dit geen verdwaalde wandelaar was en hij bleef op veilige afstand, met een .357 Magnum in de aanslag. 'Handen op je hoofd en vertel dan eerst waar jouw maat naartoe is.'

Het geraas van een transportband overstemde Juans voetstappen toen hij van achter de bunker naar de bewaker stormde en een mes in een nier van de man priemde. Even verscheen er een verschrikte trek op het gezicht van de bewaker en daarna verstarde zijn hele lichaam. Een ongericht schot werd afgevuurd met de Magnum, en de kogel floot hoog over Pablo's hoofd. Toen viel de bewaker op de grond en zijn zware lijf liet een stofwolk opdwarrelen. Pablo hield zijn wapen voor zich in de aanslag, in de verwachting dat meer bewakers naar buiten zouden komen, maar dat gebeurde niet. De knal van het schot was verloren gegaan in het geraas van de transportbanden en de herrie van de ertskraker. Een snelle radioboodschap naar Eduardo maakte duidelijk dat er bij de ingang van het mijnencomplex ook geen onrust was ontstaan. Niemand had hun aanwezigheid op het terrein opgemerkt.

Juan veegde zijn mes schoon met het shirt van de dode bewaker. 'Hoe kon hij weten dat wij hier zijn?'

Pablo keek naar de bunker en hij zag aan het rood-witte gevarenbord bij de ingang dat er explosieven waren opgeslagen. 'In die bunker ligt dynamiet, dus er zal wel bewaking zijn.'

'Stom toeval,' mompelde hij hoofdschuddend. De bunker met explosieven stond niet aangegeven op zijn plattegrond. De geplande actie dreigde te mislukken.

'Zullen we die bunker opblazen?' vroeg Juan.

Ze hadden opdracht de mijn te saboteren, maar dat moest wel op een toevallig ongeluk lijken. Opeens was dat een onmogelijke taak. De explosieven in de bunker konden ze gebruiken, maar het depot was te ver verwijderd van hun uiteindelijke doelwit.

'Laten we die bewaker hier achter?' vroeg Juan.

Pablo schudde zijn hoofd. Hij maakte de gesp van de holster los en trok de schoenen van de man uit. Daarna doorzocht hij de zakken en haalde een portemonnee en een halfleeg pakje sigaretten te voorschijn. Met de Magnum .357 stopte hij alles in zijn rugzak. Een groter wordende plas bloed doorweekte de grond bij zijn voeten. Hij schopte wat los zand over het bloed en pakte een arm van de dode bewaker. Juan greep de andere arm van de man en samen sleepten ze het lijk de duisternis in.

Dertig meter verder kwamen ze bij een transportband waarop brokken erts ter grootte van een meloen voorbij schoven. Met gezamenlijke inspanning tilden ze het lichaam van de bewaker op de bewegende transportband. Pablo zag hoe de dode via de lopende band in een grote metalen bak werd gedumpt.

Het erts, een mengsel van fluorcarbonaat met de naam bastnasiet, was de eerste kraker al gepasseerd. Het lijk van de bewaker zou de tweede fase ondergaan waar het erts tot brokken zo groot als een honkbal werd gekraakt. Daarna volgde een derde bewerking die de stukken erts tot grof gruis verkleinde. Als iemand het bruine gruis aan het einde van de laatste transportband bekeek dan zou de ongewone rode tint opvallen, het laatste restant van de gedode bewaker.

Hoewel het kraken en malen van erts een belangrijke fase in de verwerking was, was dit toch minder belangrijk dan het complex hoger op de helling. Pablo keek naar de lichten bij de gebouwen in de verte, waar het gemalen erts werd gescheiden in verschillende mineralen. Omdat hij daar geen bewegende voertuigen zag, begonnen hij en Juan snel de helling te beklimmen.

Ze moesten de oostelijke rand van de open mijnput volgen en wegduiken in een greppel toen een grote truck ronkend voorbij reed. Even later waarschuwde Eduardo hen dat een bewaker zijn ronde maakte met een pick-uptruck. Ze zochten dekking achter een berg stenen en bleven bijna twintig minuten doodstil liggen tot de truck weer naar de hoofdingang van het complex terugreed.

Ze liepen verder naar de twee grootste gebouwen op de helling en daarna naar rechts waar een schuurtje voor een enorme propaantank stond. Juan knipte met de nijptang een opening in de afrastering. Pablo kroop door het gat en knielde aan de achterkant van de gastank waar de vulopening was. Uit zijn rugzak haalde hij de kneedbare explosieve lading en activeerde de ontsteking voordat hij haastig terugkeerde naar de afrastering.

Een paar meter verder verspreidde Pablo de schoenen, het wapen en de holster van de dode bewaker op de grond. Daarna de portemonnee, met het geld erin, en het aangebroken pakje sigaretten. De kans op succes was klein, maar bij een oppervlakkig onderzoek kon de indruk bestaan dat de bewaker met een sigaret per ongeluk de explosie had veroorzaakt omdat de gastank lekte, en dat de man door de kracht van de ontploffing verbrand en dus spoorloos was.

De twee mannen haastten zich naar het volgende gebouw, een grote golfplaten loods waarin tientallen kuipen stonden die gevuld waren met loogvloeistof. Een klein team werkers hield de kuipen in de gaten.

De beide indringers deden geen poging de loods binnen te gaan, maar liepen in plaats daarvan naar een voorraad chemicaliën in jerry-cans die langs een wand was opgestapeld. Binnen een minuut had Pablo een tweede tijdontsteker vastgemaakt aan een pallet vol zwavelzuur en daarna verdween hij in de duisternis. Samen liepen ze naar een tweede werkplaats, ongeveer honderd meter verder, terwijl de tijdklokken de seconden aftikten. Achter het gebouw vond Pablo de hoofdkraan van de watertoevoer. Hij keek op zijn horloge en een paar seconden voor de explosies draaide hij de hoofdkraan dicht, zodat er geen stromend water was in het gebouw.

Een ogenblik later explodeerde de propaantank met een daverende knal die weerkaatste tegen de omringende heuvels. De nacht veranderde in dag door de blauwige gloed die zich over het landschap uitspreidde. Het bovenste deel van de gastank schoot als een raket omhoog om daarna met een gierend geluid als een vuurbal in de open mijnput neer te storten. Brandend schroot vloog in alle richtingen en veroorzaakte tot honderd meter in de omtrek schade aan gevels, auto's en machines.

Het puin viel nog steeds toen door de volgende explosie bij de eerste loods een stapel vaten gevuld met zwavelzuur werd opgeblazen. Schreeuwende arbeiders vluchtten naar buiten, belaagd door de flarden van jerrycans en vaten en een verstikkende damp van giftige chemicaliën. Rook wolkte naar buiten zodra de deuren open werden gesmeten en de mannen wankelend naar adem hapten.

Juan en Pablo lagen in een greppel naast het tweede gebouw. Ze doken weg voor de regen brokstukken en hielden de deur in de gaten. Gewaarschuwd door de daverende explosies keken enkele nieuwsgierige mijnwerkers naar buiten. Zodra ze de rook en de vlammen bij de extractie zagen, alarmeerden ze hun collega's om daarna te gaan helpen bij het brandende gebouw. Pablo zag zes mannen door de deuropening naar buiten komen en daarna kwam hij overeind en maakte aanstalten om naar de deur te lopen.

'Blijf hier en geef mij dekking.'

Net toen hij de deurkruk wilde grijpen werd die van binnen omlaag geduwd. Pablo sprong achteruit en zag een vrouw in een laboratoriumjas naar buiten vluchten. Haar blik was strak gericht op de rookwolken in de buurt en ze merkte hem niet op toen ze nerveus haar collega's volgde.

Pablo glipte door de deuropening en kwam in een helverlichte ruimte waar tientallen grote extractietanks stonden opgesteld. Hij liep naar links en kwam bij de grote voorraadvaten. Hij las de etiketten van de tanks en bleef staan. Kerosine. Hij trok een aftapslang naar voren en opende de messing afsluiter. Meteen stroomde er kerosine over de vloer die een scherpe geur verspreidde. Pablo griste een paar laboratoriumjassen van een kapstok en propte de kledingstukken in de afvoerputten. De dunne vloeistof verspreidde zich snel en bedekte bijna overal de betonnen vloer. Toen draafde hij terug naar de ingang van de loods en haalde een aansteker uit zijn zak. Hij bukte en stak de kerosine aan, om meteen daarna naar buiten te springen.

De kerosine vatte vlam zonder te exploderen, en er ontstond een vurige rivier op de vloer. Brandmelders reageerden meteen en de sprinklerinstallatie werd ingeschakeld, maar omdat de hoofdwaterleiding was afgesloten kwam er geen bluswater uit de sproeiers. Ongehinderd kon het vuur zich verder verspreiden.

Pablo keek niet om toen hij naar zijn maat in de greppel draafde. Juan keek op en schudde zijn hoofd. 'Eduardo zegt dat de bewakers van de hoofdingang hierheen komen.'

Overal op het terrein loeiden sirenes en rinkelden alarmbellen. Maar niemand had de opkringelende rook boven het andere gebouw opgemerkt. Om drie uur 's nachts was niemand bij het complex voorbereid op verschillende brandhaarden en de dichtstbijzijnde lokale brandweerkazerne was vijftig kilometer verder.

Pablo verspilde geen tijd met naar het vuur kijken. Hij knikte naar zijn maat en sprintte weg. Juan had moeite hem bij te houden. Ze staken de onverharde toegangsweg naar het mijnencomplex over, vlak voordat er een auto naderde. Aan de andere kant van de weg strekte de glooiende woestijn zich uit en een eindje verder was weer een afrastering. Ze knipten een opening aan de onderkant van het hekwerk en kropen erdoorheen. Na veertig minuten stevig doorlopen hadden ze drie kilometer afgelegd en ze kwamen bij de hoofdweg. Hun waterflessen waren inmiddels leeg.

Ze volgden de hoofdweg in oostelijke richting tot ze de zwarte pick-up met dubbele cabine zagen, naast een duiker om niet op te vallen. Eduardo, de derde man, was gekleed in een versleten poloshirt en hij rookte achter het stuur een sigaret.

De twee mannen deden hun rugzak af, trokken de zwarte sweaters uit en de mutsen van hun hoofd. Even later hadden ze witte T-shirts aangetrokken en baseballcaps opgezet.

'Gefeliciteerd,' zei Eduardo. 'Zo te zien is jullie actie geslaagd.'

Nu pas keek Pablo om naar het mijnencomplex. Grote rookwolken hingen boven het terrein en op verschillende plaatsen schoten oranje vlammen omhoog. Kennelijk werd het inferno nog steeds groter. Pablo grinnikte. Afgezien van de bewaker die onverwacht opdook was alles volgens plan verlopen. De twee grote extractielokaties, het hart van het mijnencomplex, zouden spoedig veranderd zijn in verkoolde ruïnes. En als er geen erts verwerkt kon worden, kwam de hele productie een jaar of zelfs twee jaar stil te liggen. Met wat geluk zou de brand beschouwd worden als een groot bedrijfsongeval.

Juan volgde zijn blik en keek voldaan naar de vuurgloed. 'Het lijkt wel of we de hele staat in brand hebben gestoken.'

De rossige vlammen in de verte weerkaatsten in de ogen van de grote man toen hij zich naar Juan keerde. 'Nee, vriend,' zei hij met een sluwe grijns, 'we hebben de hele wereld in de fik gestoken.'

2

Zweet drupte langs de nek van de president en maakte de boord van zijn gesteven witte overhemd vochtig. Het kwik steeg tot grote hoogte, wat in de maand juni ongebruikelijk was in Connecticut. Een lichte zeebries over de Block Island Sound kon de drukkend klamme hitte niet verdrijven, zodat de scheepswerf langs de rivieroever wel een oven leek. In een grote assemblageloods, Gebouw 260, vocht de air-conditioning vergeefs tegen de middaghitte.

De Electric Boat Corporation was in 1910 langs de oevers van de Thames begonnen met het maken van scheepsdieselmotoren, maar later werd de bouw van onderzeeboten de belangrijkste taak van het bedrijf. In 1934 leverde de Groton-scheepswerf de eerste onderzeeboot aan de marine en sindsdien waren in alle belangrijke Amerikaanse klassen oorlogsbodems voor onder water geleverd. In de groen ge-schilderde loods werd de laatste hand gelegd aan de imposante romp van de North Dakota, de modernste snelle offensieve onderzeeboot in de Virginia-klasse.

Langs ladders in een steiger die tot de commandotoren van de North Dakota oprees, daalde de president af en hij stapte zuchtend op de be-tonnen vloer. Hij was een forse man en had een hekel aan benauwde ruimten. Hij was opgelucht dat de rondleiding voorbij was, al was het in de onderzeeboot wel koeler. De economische situatie was een chaos en in het Congres was geen overeenstemming, dus een bezoek aan een scheepswerf leek wel de laatste prioriteit op zijn agenda. Maar hij had de minister van Defensie beloofd dat hij de arbeiders op de werf een hart onder de riem zou steken. Een groepje vormde zich rond de president en hij verborg zijn ergernis door bewonderend naar de afmetingen van de onderzeeboot te kijken.

'Het is een indrukwekkend gevaarte.'

'Inderdaad, meneer,' antwoordde een blonde man in een maatkostuum, naast de president, alsof hij een marionet was. 'Dit is het toppunt van technologie.' Tom Cerny, de assistent Chief of Staff had zich gespecialiseerd in defensieaangelegenheden op Capitol Hill, voordat hij zijn functie bij de overheid aanvaardde.

'Deze boot is iets langer dan de schepen in de Seawolf-klasse, maar daarentegen erg klein in vergelijking met de Trident,' verduidelijkte de gids bij de rondleiding, een manager van de Electric Boat Corporation. 'Meestal liggen deze boten in het water, en dan is tweederde van de romp onzichtbaar.'

De president knikte. De honderdtwintig meter lange romp lag op blokken en rees hoog boven hen uit.

'Deze onderzeeboot is een welkome aanvulling op onze vloot. En bedankt dat ik de kans kreeg alles van dichtbij te zien.'

Winters, een admiraal met een granieten gezicht, deed een stap naar voren. 'Meneer de president, we zijn vereerd dat u de North Dakota komt bekijken, maar het is niet de reden waarom we u uitgenodigd hebben.' De president nam de witte veiligheidshelm met het presidentiële embleem van zijn hoofd en wiste het zweet van zijn voorhoofd.

'Als ik een ijskoud drankje in een koelere omgeving krijg, dan hoor ik het graag.'

Hij werd geëscorteerd naar een kleine deur die bewaakt werd door een geüniformeerde veiligheidsbeambte. De deur werd geopend en de leden van het presidentiële gezelschap stapten een voor een naar binnen, gefilmd door een videocamera die op hun gezicht was gericht.

De admiraal knipte de verlichting aan en een smal water met een lengte van bijna honderddertig meter werd zichtbaar. De president zag nog een onderzeeboot, in het laatste stadium van de bouw, maar nooit eerder had hij een vaartuig als dit gezien. De boot.was ongeveer half zo groot als de North Dakota, en had een heel andere vorm. De ongewoon smalle, gitzwarte romp liep heel spits toe bij de boeg. Een lage, eivormige commandotoren rees amper een meter boven het dek uit. Twee grote gestroomlijnde vinnen waren bij de achtersteven aangebracht, ongeveer in de vorm van een dolfijnenstaart. Maar het meest opmerkelijk was een paar intrekbare stabilisatoren aan weerszijden van de romp. Vier grote buizen waren aan de onderkant bevestigd. Het geheel deed de president denken aan een reuzenmanta, de grootste bekende rog, die hij ooit had gezien tijdens het vissen in de Baja California.

'Wat is dit voor schuit?' vroeg hij. 'Ik wist niet dat we andere modellen dan de Virginia Klasse bouwden?'

'Meneer de president, dit is de Sea Arrow,' antwoordde de admiraal. 'Het is een prototype en ontwikkeld met een geheim defensieprogramma om geavanceerde technieken te testen.'

Cerny wendde zich naar de admiraal. 'Waarom is de president niet geïnformeerd over dit programma? Ik wil weten hoe de financiering is geregeld.'

De admiraal keek hem aan met de blik van een hongerige pitbull. 'De Sea Arrow is gebouwd in opdracht van het Defense Advanced Research Projects Agency en met geld van het Naval Research Office. Op dit moment wordt de president daarover geïnformeerd.'

De president negeerde de opmerking, maar beende langs het vaartuig en bekeek de vreemde uitsteeksels aan de romp. Hij keek aandachtig naar een cirkel met kleine buisopeningen bij de boeg en toen hij bij de achtersteven kwam, zag hij dat een scheepsschroef ontbrak. Hij keek Winters vragend aan. 'Admiraal, mijn nieuwsgierigheid is gewekt. Vertel mij meer over deze Sea Arrow.'

'Dat laat ik graag over aan Joe Eberson, die de leiding heeft over dit project. U hebt Joe al eerder ontmoet. Hij is directeur van DARPA's Sea Platform Technology.'

Een bebaarde man met onderzoekende ogen werkte zich vanuit de groep naar voren. Hij sprak afgemeten en had een licht accent uit Tennessee.

'Mijnheer, de Sea Arrow werd, of beter gezegd wordt gebouwd als een grote sprong voorwaarts in de onderzeese techniek. We vermijden het gebruikelijke ontwerpproces door een aantal geavanceerde technieken te integreren en theorieën toe te passen. We zijn begonnen met een aantal technische eisen die nog niet in de praktijk getest waren. Door gezamenlijke inspanning van een groot aantal ingenieursteams overal in het land zijn we nu dicht bij de presentatie van de meest geavanceerde offensieve onderzeeboot in de maritieme geschiedenis.'

De president knikte. 'En waar dienen die vreemde uitsteeksels voor? Het doet me denken aan een prehistorisch vliegend reptiel.'

'Laten we eerst naar de achtersteven kijken. U ziet dat er geen scheeps-schroef is.' Eberson wees naar de afgeronde vinnen. 'Daar dienen die twee uitstulpingen voor. De Sea Arrow wordt aangedreven met een voortstuwing zonder schroefas. De North Dakota die u gezien heeft, wordt met een kernreactor en een traditionele stoomturbine voortge-stuwd via een scheepsschroef aan een as. Maar de Sea Arrow heeft een extern aandrijfsysteem dat direct door de reactor wordt bediend. In elk van deze vinnen zit een motor met permanente magneten die een straalstroom veroorzaken.' Eberson glimlachte. 'Niet alleen maakt deze aandrijving veel minder geluid, maar het hele systeem is ook veel com-pacter. Daardoor konden we de romp veel kleiner ontwerpen.'

'Wat zijn permanente magneetmotoren?'

'Een revolutionaire verbetering van de gewone elektromotor. Dit is mogelijk dankzij een doorbraak in materiaalkunde. Met een mengsel van zeldzame mineralen worden extreem krachtige magneten gemaakt en die worden aangebracht in de motoren. We hebben research gedaan om deze motoren te perfectioneren en wij denken dat met dit systeem onze oorlogsbodems in de toekomst veel efficiënter worden voortge-stuwd.'

De president tuurde door een opening in een van de vinnen en zag dat licht van boven naar binnen drong.

'Dat lijkt wel een holle ruimte.'

'We hebben de motoren nog niet geïnstalleerd. De eerste motor ver-wachten we volgende week uit het marinelaboratorium in Chesapeake, Maryland.'

'En weet u zeker dat het systeem werkt?'

'We hebben nog geen ervaring met motoren van dit formaat, maar uit laboratoriumtesten blijkt dat de gestelde doelen worden gehaald.'

De president bukte om onder een van de uitstekende stabilisatoren door te lopen en keek toen omhoog naar wat kanonslopen leken, voor en achter de commandotoren.

Eberson volgde hem en gaf weer uitleg.

'Deze vleugelvormige uitsteeksels zijn stabilisatoren voor hoge snel-heden. Bij een snelheid van minder dan tien knopen worden deze vin-nen automatisch ingetrokken. En onder de stabilisatoren zijn torpedo-buizen aangebracht. Deze buizen kunnen snel geladen worden met vier torpedo's als de stabilisatoren in de romp zitten.'

Eberson wees naar de twee lopen boven hen. 'Dat zijn Gatling-snel-

vuurkanonnen voor onder water. De werking is hetzelfde als de opper-
vlaktewapens waarmee patronen van verarmd uranium worden afgevuurd als antiraketgeschut. De Gatlings op deze boot zijn aangepast
voor gebruik onder water, met perslucht. Ze dienen om naderende torpedo's te vernietigen. Maar we verwachten uiteraard niet dat vijandelijke torpedo's dicht bij ons in de buurt komen.'

Hij volgde de president die dichter naar de romp liep.

'Zoals u ziet heeft de commandotoren een aerodynamische vorm,
voor de hoge topsnelheid.'

'Daar zit toch geen lange periscoop in?'

'De Sea Arrow heeft geen gewone periscoop,' legde Eberson uit. 'Er
wordt een ROV-videocamera gebruikt die met een glasvezelkabel is verbonden. De camera kan op een diepte van ruim tweehonderdvijftig
meter gelanceerd worden en dan heeft de bemanning een haarscherp
beeld van wat er aan de oppervlakte gebeurt.'

De president liep verder naar de slanke voorsteven en klopte op een
van de buizen die als een lans naar voren stak. 'En wat is dit?'

'Dat is de belangrijke schakel voor de voortstuwing,' begon Eberson.
'Het is de tweede grote verbetering die we toepassen en afgeleid van een
technische vinding van een van onze toeleveranciers in Californië...'

Admiraal Winters onderbrak hem. 'Meneer de president, laten we
even aan boord gaan voor een korte rondleiding. Daarna krijgt u een
presentatie die antwoord op al uw vragen geeft.'

'Prima, admiraal. Al wacht ik nog steeds op een koel drankje.'

De admiraal nam het groepje mee voor een korte rondleiding door
het inwendige van de onderzeeboot. Het interieur was strak en modern, met veel geautomatiseerde systemen, een groot contrast met de
North Dakota. De president bekeek zwijgend het hightech commando-
centrum, de gerieflijke bemanningsverblijven en de gecapitonneerde stoelen, voorzien van veiligheidsgordels, die verspreid in het schip stonden.

Na de rondleiding werd de president naar een beveiligde vergaderzaal
geleid, waar hij eindelijk zijn koele drankje kreeg aangereikt. Zijn gewoonlijk joviale houding was veranderd in norsheid, en zijn assistent
Cerny had ook een barse trek op zijn gezicht.

'Zo, heren,' brieste de president. 'En wat gebeurt hier nu precies? Ik
zie hier veel meer dan een testlocatie voor nieuwe technologie. Dat is
een zeewaardig vaartuig en bijna klaar voor de tewaterlating.'

De admiraal schraapte zijn keel. 'Met de Sea Arrow kunnen wij een heel andere rol spelen. U weet dat onze marineschepen de laatste tijd meer bedreigd worden. De Iraniërs hebben veel nieuwe onderwater-technieken van de Russen overgenomen en er wordt hard gewerkt aan de uitbreiding van hun vloot met onderzeeboten uit de Kilo-klasse. En de Russen hebben hun scheepsbouw enorm uitgebreid, dankzij de in-komsten uit olie, en daar wordt de verouderde vloot in hoog tempo vernieuwd. Uiteraard zijn de Chinezen er ook nog. China beweert dat de militaire expansie alleen defensief is, maar het is geen geheim dat hun onderzeese vloot snel groeit. Volgens sommige bronnen kan de Chinese kernonderzeeër Type 097 elk moment operationeel worden. Daardoor is de dreiging in de Grote Oceaan, de Atlantische Oceaan en in de Perzische Golf groter geworden.'

De admiraal keek de president strak aan met een grimmig lachje. 'Maar aan onze kant krimpt de vloot steeds verder in, omdat de kos-ten van elke nieuwe oorlogsbodem hemelhoog stijgen. Bij een steeds kleiner defensiebudget kan er maar een beperkt aantal onderzeeboten van de Virginia-klasse gebouwd worden, omdat de kosten per schip tot twee miljard dollar zijn gestegen.'

'De nationale schuld is nog steeds niet onder controle,' zei de presi-dent, 'en dus hebben de marine en alle andere overheidsdiensten een bittere pil te slikken.'

'Precies, en dat brengt ons bij de Sea Arrow. Door het langdurige traject van research tot productie te vermijden en door met het Virginia-programma samen te werken, konden we deze bodem bouwen voor een fractie van de kosten van de North Dakota. En zoals u ziet is het schip in het diepste geheim gebouwd. We hebben de Sea Arrow met opzet naast de Dakota op stapel gezet, om geen argwaan te wekken bij het aanvoeren van materialen. We hopen het schip onopgemerkt te water te laten voor proefvaarten als de North Dakota met veel publiciteit wordt opgeleverd.'

De president fronste zijn wenkbrauwen. 'Jullie hebben dit hele pro-ject tot nu toe uitstekend geheim gehouden.'

'Dank u. Zoals dr. Eberson al opmerkte hebben we hier de tech-nisch meest geavanceerde onderzeeboot die ooit gebouwd is. De voort-stuwing zonder schroefas, de externe torpedobuizen, en het afweer-systeem tegen vijandelijke projectielen, het is allemaal hypermodern. Maar er is nog een aspect dat dit ontwerp heel bijzonder maakt.'

Eberson had al een dvd in de speler gedaan. Op een groot scherm verscheen het beeld van een modelbootje, dobberend op een bergmeer. Twee mannen tilden een lichtgeel gekleurd torpedovormig voorwerp van het dek en lieten het in het water zakken. De president zag dat het een imitatie van de Sea Arrow was, kennelijk op afstand bestuurbaar.

'Dat is een schaalmodel,' verduidelijkte Eberson. 'Het is een exacte kopie, met een identieke voortstuwing.'

Toen het model in beweging kwam veranderde het camerabeeld. Een reeks instrumenten werd zichtbaar onder aan het scherm, met de snelheid, diepte en helling van het model.

Even later zonk het miniatuur onder water en begon sneller te varen, zodat zand van de bodem langs de miniatuurboot op wolkte. Opeens vertroebelden luchtbellen het beeld, en dat bleef zo naarmate de modelboot meer vaart maakte.

De mond van de president viel open toen hij zag dat de snelheid boven de honderd mijl kwam. Na een tijdje minderde de modelboot vaart en kwam weer aan de oppervlakte, om uit het water getild te worden voordat de video eindigde.

Het bleef even stil, en toen vroeg de president: 'Heb ik goed gezien dat dit model onder water een snelheid van honderdvijftig mijl had?'

'Nee, het model had een snelheid van honderdvijftig knopen,' antwoordde Eberson met een glimlach. 'Dat is dus ongeveer honderdtweeënzeventig mijl per uur.'

'Maar dat is onmogelijk. Ik heb gehoord dat schepen niet sneller kunnen varen dan zeventig of hoogstens tachtig knopen. Zelfs de North Dakota heeft een topsnelheid van hoogstens vijfendertig knopen.'

'De Russen hebben toch een torpedo gemaakt die sneller dan honderd knopen door het water gaat?' vroeg Cerny.

'Ja, dat is de Shikval,' beaamde Eberson. 'Een raketaangedreven snelle torpedo. Hetzelfde principe wordt toegepast bij de Sea Arrow. Het gaat niet om de voortstuwing, maar om de supercavitatie.'

'Neem me niet kwalijk, want mijn technische kennis is beperkt,' zei de president, 'maar supercavitatie heeft toch te maken met verstoringen in het water?'

'Ja, en in dit geval wordt een gasbel gevormd rond het voorwerp dat door het water beweegt. Daardoor wordt de wrijving met het langsstromende water opgeheven en zijn er veel hogere snelheden mogelijk. De openingen in de boeg van de Sea Arrow zijn een deel van het supercavitatiesysteem dat we gebruiken. Gecombineerd met de sterke magneetmotoren verwachten wij zulke hoge snelheden te halen, en dat zonder de beperkingen die de Russen hebben met hun rakettorpedo's.'

'Misschien,' zei Cerny, 'maar er is toch een groot verschil tussen een torpedo en een zeventig meter lange onderzeeboot.'

'Het belangrijkste verschil is de besturing bij hoge snelheid,' zei Eberson. 'De prehistorische vleugels, zoals meneer de president ze noemde, verbeteren de stabiliteit. Het supercavitatiesysteem zelf heeft meer invloed op de vorm en de grootte van de gasbel. De theorie is nog niet in de praktijk getest met een vaartuig van deze omvang, maar de leverancier is overtuigd van de goede werking. Volgende week zal ik nog een test uitvoeren met het model.'

De president streek peinzend over zijn kin. Hij keek op naar de admiraal. 'Als dit werkt zoals verwacht, wat is dan het gevolg?'

'De Sea Arrow zal ons een voorsprong van twintig jaar geven op onze tegenstanders. De Chinese, Russische en Iraanse uitbreiding van de vloot zal daardoor geneutraliseerd worden. We hebben een wapen tot onze beschikking dat vrijwel onkwetsbaar is. En met enkele Sea Arrows kunnen we elke uithoek van de wereld verdedigen en ook heel snel. Wij hoeven ons dan geen zorgen meer te maken over de veiligheid op zee.'

De president knikte. Het leek of in de vergaderzaal de hitte en de benauwdheid verdwenen en er verscheen een glimlach op zijn gezicht.

3

Zoals meestal vroeg in de ochtend hing er een Zuid-Californische nevel boven de jachthaven. De lucht was vochtig en het miezerde bijna. Joe Eberson stapte uit zijn gehuurde auto en keek uit over het parkeerterrein. Hij opende de kofferbak en haalde een hengel en een kist met visgerei tevoorschijn. Beide had hij de vorige avond gekocht, kort nadat hij geland was op de luchthaven Lindbergh bij San Diego na zijn vliegreis vanaf de oostkust. Hij zette een versleten vissershoedje op en wandelde naar de marina van Shelter Island.

Eberson negeerde het geronk van een E-2 Hawkeye-verkenningsvliegtuig dat opsteeg vanaf de marinebasis Coronado aan de andere kant van het water terwijl hij langs de tientallen kleine zeiljachten en motorboten liep. Eberson vermoedde terecht dat met het merendeel van deze pleziervloot maar zelden gevaren werd. Hij zag een vijftien meter lang motorjacht met een groot open achterdek en liep naar de steiger. De boot was zeker vijftig jaar oud, maar de glanzend witte romp en het gepoetste koperwerk toonden dat de eigenaar zijn boot met liefde verzorgde. Een gorgelend geluid bij de achtersteven maakte duidelijk dat de motor al warm draaide.

'Joe, ben je daar eindelijk!' zei een man die uit de kajuit naar buiten kwam. 'We wilden al bijna zonder jou vertrekken.'

Met zijn slanke gestalte, dikke brillenglazen en kort geknipte witte haar leek dr. Carl Heiland in elk opzicht op een elektrotechnicus. Zijn ogen waren levendig en hij grinnikte veel, waardoor hij een energieke indruk maakte, ook al was het zes uur 's ochtends.

Eberson maakte een tegenovergestelde indruk, door slaapgebrek en de vermoeiend lange vliegreis. Hij klom behendig aan boord en beide mannen schudden elkaar de hand.

'Het spijt me dat ik zo laat ben,' zei Eberson, een geeuw onderdrukkend. 'Ik reed verkeerd en dat merkte ik pas toen ik bij Sea World kwam. Die orka Shamu sliep volgens mij nog.'

'Daardoor had ik tijd om alles aan boord te brengen.' Heiland knikte naar de kratten die in het gangboord vastgesjord waren.

'Zo, berg je visgerei naast onze spullen.' Hij strekte zijn hand uit om Ebersons hengel te pakken en zag toen de hoed. Hij barstte in lachen uit.

'Ga je vandaag op zoetwaterforel vissen?'

Eberson zette zijn hoed af en keek naar de sleetse bovenkant, waaraan een band met kleurige kunstvliegen was bevestigd.

'Ik denk dat niemand anders het opgemerkt heeft,' grijnsde Heiland. Hij riep in de cabine: 'Manny, we kunnen vertrekken!'

Een donkere man in een bermuda met afgeknipte broekspijpen verscheen aan dek en hij maakte de landvasten los. Even later stond hij aan het roer en manoeuvreerde de boot naar de hoefijzervormige haven van San Diego. Ze moesten uitwijken voor een naderend amfibievaartuig van de marine en kwamen even later op open zee. Manny duwde de gashendel naar voren en zette koers naar het zuidwesten. De boot rolde op de lange deining die veroorzaakt werd door een lichte zeebries. Eberson voelde zich al spoedig zeeziek en hij dook langs Manny de cabine in. Heiland schonk voor hem een beker koffie in en ging ook aan de kombuistafel zitten.

'Vertel eens, Joe, hoe is het in Arlington?'

'Zoals je weet hebben we de president ons geheim verklapt. Maar verder moeten we steeds meer doen met een steeds kleiner budget. We hebben geluk als er volgend jaar niet weer een grote bezuiniging komt.'

'Ik dacht al dat het alleen een kwestie van tijd is voordat ook bij ons in het budget gesneden wordt. Gelukkig hebben we voor vijf jaar opdrachten in portefeuille.'

'Jij hoeft je geen zorgen te maken, Carl. Wat jouw bedrijf doet is uiterst belangrijk. Trouwens, ik heb de goedkeuring om door te gaan met de Block Two-fase, als jij me kan laten zien dat het werkt. En ik vermoed dat je mij daarom zo overhaast hierheen liet komen?'

Heiland keek hem veelbetekenend aan. 'Dat is een gok van jouw kant. Je hebt het Block One-systeem nog niet eens in de praktijk getest.'

Eberson probeerde zijn misselijkheid te bedwingen met een glimlach. 'Carl, wij weten allebei dat het systeem werkt.'

'Heb je de onderdelen van de voortstuwing getest?'

'Ja, maar er moeten nog wat problemen met het materiaal opgelost worden.' Hij keek Heiland vragend aan. 'Maar we zijn meer geïnteresseerd in de werking van Block Two.'

'We hebben daar ook materiaalproblemen gehad. Maar ik denk dat we weer een hindernis hebben genomen.'

Eberson grijnsde breed. 'En daarom ben ik in het eerste vliegtuig hierheen gestapt. Ik weet dat jij de zaken graag snel en goed regelt.'

'Omdat het project zo topgeheim is wil ik niet dat onze tests de aandacht trekken. Dat is gelukt bij Block One, en daarom gaan we nu een dagje vissen.' Hij keek weer naar Ebersons hoed en glimlachte.

'Wij hebben ons best gedaan ons aandeel stil te houden. Maar je hebt ons weinig informatie gegeven.'

'Hoe minder nieuwsgierige ogen er in de buurt zijn, hoe beter.'

Eberson nam een slok van zijn koffie en leunde naar voren over de tafel. 'Denk jij dat we de theoretisch mogelijke niveaus halen?'

Heiland knikte en zijn ogen straalden. 'Dat zullen we spoedig zeker weten.'

Een paar minuten later stopte Manny de motor en hij maakte duidelijk dat ze op de testlocatie waren gearriveerd. Ze voeren in Mexicaanse wateren, ongeveer twintig mijl uit de kust en ver uit de buurt van de weekendzeilers bij San Diego. De zee was hier te diep om te ankeren en dus bleef de boot drijven terwijl Heiland aan het werk ging.

Hij opende enkele kleine kisten waarin laptops, kabels en stekkers waren opgeborgen. Hij zette de computers op een lage bank en knielde om de apparatuur aan te sluiten.

Manny keek vanaf de stuurstand in de cabine. 'Doc, er komt een vrachtboot in onze richting.'

Heiland keek over zijn schouder. 'Die schuit is allang voorbij als wij hier beginnen.' Hij richtte zijn aandacht weer op de computers.

Eberson ging op een groot krat zitten en keek naar het naderende vrachtschip dat middelgroot was en tamelijk recent gebouwd leek, te oordelen aan de gestroomlijnde romp en het ontbreken van roest. Ebersons aandacht werd getrokken door de vensters in de brug: het glas was donker getint en dat maakte het schip sinister.

Een paar matrozen op het hoofddek waren bij een grote container bezig. Toen het schip dichterbij kwam kon Eberson zien dat de mannen een schotelvormig voorwerp op een platform midscheeps verstelden. De schotel was matgroen geschilderd en gericht op de zee, zodat het ding op een stug zeil leek. De matrozen waren even later verdwenen en Eberson zag dat het vrachtschip vaart minderde.

'Carl, ik weet niet wat ik van die boot moet denken.' Eberson kwam wankelend overeind.

'Voor hen is hier niets te zien,' zei Heiland. 'Pak toch een hengel, en doe of je op tonijn vist.'

Eberson pakte een van de vishengels uit een rek en hij wierp de verzwaarde haak uit, zonder er eerst aas aan te doen. Toen het vrachtschip op korte afstand langszij kwam wuifde hij vriendelijk naar de geblindeerde brug.

Door zijn hand schoot een brandende pijn via zijn arm naar zijn romp. Hij liet zijn arm zakken en schudde heftig, maar de akelige sensatie verspreidde zich over zijn hele lichaam. Het was een gevoel alsof wel duizend rode mieren hem overal beten. De brandende pijn bereikte zijn hoofd en zijn ogen in de kassen leken te koken.

'Carl!' schreeuwde hij. Het klonk raspend en gorgelend uit zijn keel. Heiland kreeg hetzelfde brandende gevoel in zijn rug. Toen hij zich omdraaide zag hij dat Joe Eberson met de hengel nog in zijn hand geklemd en zijn huid paars verkleurd stervend op het dek viel. En tegelijkertijd zag hij dat het schotelvormige voorwerp op de vrachtboot vanaf enkele tientallen meters op hem gericht werd. Hij negeerde de verzengende pijn die door zijn lichaam trok en hij wankelde naar de kajuit. Manny lag op het dek en blies zijn laatste adem uit terwijl het bloed uit zijn oren en neus sijpelde. Heiland passeerde zijn trouwe maat en voelde dat de pijn nog veel heviger werd. Zijn hele lijf leek in brand te staan. Bijna bewusteloos vroeg hij zich af waarom zijn schroeiende huid niet in flarden losraakte. Gedreven door een doel dook hij naar de stuurstand en de stoel van de roerganger. Het was alsof zijn hoofd elk moment kon exploderen, zijn gloeiende vingers tastten onder het bedieningspaneel naar een paar verborgen schakelaars. Hij drukte beide schakelaars in en stierf.

4

'En, wil jij ook nat worden?'

Loren Smith-Pitt keek haar echtgenoot aan. Het leek maar een paar tellen geleden dat hij uit de stuurmansstoel was opgestaan om het anker van de gehuurde speedboot uit te gooien. Maar nu zat hij in een wetsuit en voorzien van een duikfles klaar om onder water op verkenning te gaan. Loren was verbaasd dat de zee als een magneet op haar man werkte en hem extra krachten leek te geven. 'Ik blijf liever hier, genieten van de zon en de heldere Chileense hemel,' zei ze. 'Maandag beginnen de vergaderingen weer in het Congres en daarvoor kan ik wel een dosis frisse buitenlucht gebruiken.'

'Op Capitol Hill heb je meer aan oordoppen.'

Loren negeerde de opmerking. Ze was afgevaardigde van Colorado en blij dat ze een paar dagen kon ontsnappen aan de partijpolitieke besognes in Washington. Bevrijd van de werkdruk en opdringerige media voelde ze zich ontspannen in een ander land. Ze had een minuscule bikini aan die ze thuis nooit zou dragen. Ze was trots op haar vrouwelijke maar toch stevige lichaam en bleef in vorm door yoga en door dagelijks te trainen op een loopband.

Ze strekte zich uit op de bank in de boot en hing een been over de rand, zodat haar tenen het water raakten. 'Brr! Het water is ijskoud. Ik blijf liever warm en droog, zwemmen is niets voor mij.'

'Ik blijf niet lang weg.' Hij klemde een regulator tussen zijn tanden en keek even bewonderend naar zijn vrouw. Toen liet hij zich achterover in de blauwe zee vallen. Speels spetterde hij met een zwemvlies water naar zijn vrouw en verdween onder water.

Loren droogde de spetters af met een handdoek, keek even naar het spoor luchtbellen op het water en richtte haar blik toen op de horizon. De lucht was deze middag kristalhelder, de kleur van de hemel was bijna gelijk aan die van de oceaan. Ze hadden de speedboot voor anker gelegd op een kilometer afstand van de Chileense kust, tegenover een strandje met de naam Playa Caleta Abarca.

Een hoog oprijzend Sheraton Hotel verrees op een rotsige klif naast het strand en het buitenzwembad krioelde van de zonaanbiddende toeristen. Verder naar het zuiden lag Valparaiso, de kleurige en historische Chileense havenstad, bij zeelieden vanouds bekend als het 'Juweel van de Pacific'. Op de steile hellingen rond het centrum stonden oude gebouwen en Loren moest aan San Francisco denken. Ze zag een groot, wit cruiseschip, de Sea Splendour, in de baai voor anker liggen en met sloepen werden voortdurend passagiers naar de kust gebracht, naar de stranden van Vina del Mar of voor een excursie naar de Chileense hoofdstad Santiago, honderd kilometer verder naar het zuidoosten.

Een kalme deining deed de speedboot schommelen en Loren keek naar de zee. Een kleine, gele zeilboot passeerde en ging overstag om de koers te verleggen naar een naderend vrachtschip. De fok klapperde even tijdens de manoeuvre. Loren leunde weer achterover en sloot haar ogen, genietend van de warme zon.

Twintig meter onder haar was Dirk Pitt gewend aan het kille oceaanwater, een gevolg van de Humboldtstroom die langs de kust trok. Zijn ademhaling werd trager toen hij langzamer afdaalde. Het zicht onderwater was goed: ongeveer vijftien meter, zodat hij de rotsige bodem, dicht begroeid met zeewier, kon zien. Hij bewoog zijn zwemvliezen traag en zweefde over een richel met koraal waar veel felgekleurde zee-egels lagen en kleine vissen zwommen. Een kleine school makreel hield hem enige tijd in de gaten, om vervolgens opeens weg te schieten. In zee kon Pitt zich beter ontspannen dan waar ook. Andere mensen vonden het benauwend onder water, maar hij kreeg in de diepte juist een vreemd gevoel van bevrijding dat zijn zintuigen nog scherper maakte. Die ervaring had hij vele jaren geleden voor het eerst opgedaan toen hij in zijn jeugd de spelonken en baaien langs de kust van Californië verkende, duikend en surfend. Het was even aantrekkelijk als vliegen en daarom had hij zich later aangemeld bij de Air Force Academy, als jonge officier bij de pilotenopleiding.

39

Maar de zee trok hem toch meer en hij brak zijn veelbelovende carrière als militair vlieger af om te gaan werken bij een nieuw gevormde federale organisatie: de National Underwater and Marine Agency. Deze organisatie was opgericht om de wereldzeeën te bestuderen en te beschermen. NUMA was de ideale werkgever voor Pitt, en hij kreeg overal ter wereld de kans op zee en onder water te werken. Nadat hij jarenlang Special Projects Director was, stond hij op dat moment aan het hoofd van de organisatie en dat versterkte nog zijn streven een goede rentmeester te zijn van de oceanen. Loren grapte vaak dat ze nog steeds moest concurreren met Pitts eerste liefde: zijn geliefde zee.

Pitts zucht naar onderzeese ontdekkingen, gevoegd bij zijn belangstelling voor geschiedenis, had als resultaat dat hij tientallen scheepswrakken had gelokaliseerd. Maar deze middag zocht hij naar iets veel kleiners. Hij zag een rif met rotsige punten dat zich naar dieper water uitstrekte. Hij zwom dichterbij en bekeek de spleten. Na een paar minuten vond hij wat hij zocht. Hij strekte zijn arm tussen twee grote keien en haalde een grote, bruine kreeft te voorschijn. Het schaaldier woog zeker anderhalve kilo. Pitt bekeek de lange wuivende voelsprieten en stopte de kreeft in een duiknet, om daarna een tweede exemplaar te zoeken.

Behalve het gorgelende ritme van zijn ademhaling hoorde hij opeens een vaag getik in het water.

Hij hield zijn adem in om beter te kunnen luisteren. Het metalige tikken had een bekend patroon: twee korte tikken, twee keer lang, en dan weer twee keer kort. Het was niet exact het SOS noodsignaal in morse, want dat bestaat uit drie keer kort, drie keer lang en drie keer kort, maar Pitt vermoedde dat de betekenis hetzelfde was. Hij kon de richting van het geluid niet bepalen, al was wel duidelijk dat de bron van het geluid dichtbij was. Het moest Loren zijn.

Snel zwom hij naar de oppervlakte en oriënteerde zich op de ankerlijn. Met krachtige slagen kwam hij enkele meters achter de speedboot aan de oppervlakte. Loren bonkte met een duikgewicht op de achtersteven. Ze was zo verdiept in het seinen dat ze hem niet boven water zag komen.

'Wat is er?' schreeuwde Pitt.

Ze keek op en Pitt zag de doodsangst in haar ogen. Zonder een woord uit te brengen wees ze achter hem. Hij draaide zijn hoofd en zag een enorme schaduw opdoemen.

Het was een schip, een groot vrachtschip dat recht op hen af koerste, nog amper dertig meter van hen verwijderd. De speedboot dobberde midden voor de brede, hoge boeg die een dreigende berg schuimend water voor zich uit duwde.

Pitt vervloekte de sukkels op de brug van het grote schip, die ofwel blind waren of in slaap gevallen. Zonder aarzelen zwom hij met krachtige slagen naar de speedboot tot hij zich kon vastgrijpen.

'Zal ik de motor starten?' vroeg Loren met een asgrauw gezicht. 'Dat durfde ik niet toen je nog onder water was.'

Pitt zag dat de ankerlijn nog strak stond. Achter hem hoorde hij het zware gedreun van de scheepsmotoren en het enorme gevaarte kwam steeds dichterbij. Het was al te dichtbij. Als het niet lukte de ankerlijn te kappen of als de motor niet meteen aansloeg, zou de speedboot aan stukken worden geslagen, met hen aan boord. Pitt klemde de regulator weer tussen zijn tanden, schudde zijn hoofd en wenkte dat Loren naar hem moest komen.

Ze kwam meteen en wilde hem helpen aan boord te klauteren. Maar in plaats daarvan sloeg hij zijn arm om haar middel. Nog voor ze het besefte werd ze al in het water getrokken. Ze hapte naar adem in het koude water. Watertrappend en hijgend haalde ze diep adem. De muur van staal was nog enkele meters van hen verwijderd.

Toen werd ze als een lappenpop meegesleurd en verdween onder het rimpelende wateroppervlak.

5

Het vrachtschip minderde geen vaart en veranderde niet van koers. De brede boeg klapte tegen de speedboot, de ankerlijn brak en het kleine vaartuig werd ondergedompeld door de boeggolf. De speedboot bonkte langs de romp van het vrachtschip maar bleef wel drijven in het kielzog. Alleen de bakboordzijde was hier en daar beschadigd.

Ergens onder water klemde Loren zich vast aan haar man, die wanhopig probeerde naar de diepte te zwemmen. Loren was geschrokken door de onverwachte onderdompeling in het koude water en ze raakte bijna in paniek toen ze voelde dat Pitt haar zonder zuurstoffles mee trok naar de diepte. Opeens drukte Pitt de regulator in haar mond. Ondanks de kou kalmeerde ze. Ze begon mee te werken en herinnerde zich dat ze haar trommelvliezen druk moest geven naarmate ze dieper kwamen. Het schemerige licht aan de oppervlakte verdween toen de donkere romp boven hen voorbij kwam. Loren keek omhoog en ze kon de aangegroeide staalplaten bijna aanraken.

Hoewel ze aan de grote romp waren ontsnapt dook Pitt steeds dieper, met krachtige bewegingen van zijn zwemvliezen. Zijn longen dreigden te barsten, maar dat spoorde hem aan nog sneller te zwemmen, tot ze eindelijk de zeebodem bereikten. Hij zag een koraalrif en trok Loren naar de zijkant. Toen hun knieën de harde zeebodem raakten pakte hij een kei om niet naar boven te drijven.

Loren besefte dat haar man tijdens de hele afdaling geen adem had gehaald. Snel duwde ze de regulator snel tussen zijn lippen. Met bonkend hart en wijd opengesperde ogen tuurde ze naar het duikmasker van Pitt. Hij keek haar geruststellend aan en knipoogde, alsof dit flirten met de dood heel gewoon was.

Pitt haalde een paar keer dankbaar adem en gaf de regulator weer terug aan Loren. Hij keek omhoog. De onderkant van de romp schoof nog steeds voorbij en het gevaar van de malende bronzen scheepsschroef kwam dichterbij. Pitt sloeg zijn armen om Loren en greep met zijn gehandschoende handen het koraal vast toen de achtersteven boven hen passeerde. Al was de afstand tot de schroef tien meter, Pitt voelde de zuiging van de enorme bladen in het water. Zand warrelde overal op en toen het schip voorbij was daalde een wolk sediment op ze neer. Pitt liet het koraal los en zwom zo snel mogelijk naar de oppervlakte, terwijl Loren zich aan hem vastklemde. Hun hoofden doken op in het felle zonlicht en ze zogen de frisse lucht dankbaar in hun longen.

'Ik dacht even...' hijgde Loren, 'dat je mij wilde vermoorden voordat ik door dat schip gedood zou worden.'

'Naar de bodem duiken leek me de beste keus,' zei Pitt, en hij tuurde naar de achtersteven van het wegvarende vrachtschip. Hij las de naam: Tasmanian Star.

Loren draaide zich watertrappend om en tuurde over de zee. 'Die vrachtboot heeft ook een zeiljacht overvaren,' zei ze, speurend naar drenkelingen. 'Het leek een ouder echtpaar aan boord. Daarom wist ik dat ons hetzelfde lot wachtte.'

'We zijn gered omdat je me waarschuwde, maar jouw kennis van morsetekens is voor verbetering vatbaar.' Pitt keek ook uit naar overlevenden in het water, maar er waren zelfs geen wrakstukken te zien.

'We kunnen dit rapporteren aan de politie, als we weer aan land zijn,' zei Loren. 'Dan zullen ze de bemanning wel ondervragen in Valparaiso.'

Pitt keek naar de kustlijn en zag tot zijn verbazing dat hun rode speedboot niet ver weg op de golven dobberde. Een deel van de romp aan bakboord was losgeraakt en de boot lag diep in het water, maar bleef wel drijven. Pitt zwom naar de speedboot, gevolgd door Loren. Hij werkte zich aan boord en trok Loren uit het water.

'Onze kleren en onze lunch zijn verdwenen,' merkte Loren op. Ze huiverde even, hoewel haar huid door de zonnestralen werd gedroogd.

'En mijn kreeft is ook weg,' voegde Pitt eraan toe.

Hij deed zijn duikfles af en trok zijn wetsuit uit. Daarna liep hij naar de stuurstand. De contactsleutel zat nog in het dashboard en hij probeerde de motor te starten. Na enig gesputter sloeg de motor aan, omdat het interieur voor het grootste deel droog was gebleven toen de boot even werd ondergedompeld. Pitt duwde de gashendel naar voren en hij keek naar het vrachtschip in de verte. De Tasmanian Star lag nog steeds op dezelfde koers en had ook geen vaart geminderd. Een paar mijl verder was de haven van Valparaiso, zich uitstrekkend naar het westen. De koopvaardijhaven was aan de westkant maar het vrachtschip voer naar het oosten. Pitt verstrakte toen hij de koers van het grote schip zag en hij duwde de gashendel zo ver mogelijk naar voren. Door het vele water onderin begon de speedboot hevig te rollen maar langzaam nam de snelheid steeds meer toe.

Loren staakte haar pogingen het water naar buiten te hozen door een zitkussen als grote spons te gebruiken en ze liep naar haar echtgenoot. Ze zag de felle blik in zijn diepgroene ogen.

'Waarom varen we niet naar de kust?'

Pitt wees naar de vrachtboot. 'Kijk eens wat er voor die schuit ligt.'

Loren tuurde langs de boot. Het grote, witte cruiseschip lag nog steeds voor anker in de haven en dwars voor de boeg van de naderende vrachtboot. Als de Tasmanian Star niet van koers veranderde zou de Sea Splendour midscheeps geramd worden.

'Dirk, er zijn misschien wel duizend mensen aan boord van dat cruiseschip.'

'Als hier meer aan de hand is dan een bijziende roerganger aan het stuurwiel van de Tasmanian Star, dan kunnen er honderden mensen omkomen.'

Loren greep de schouder van Pitt toen de speedboot over een hoge golf schoot. De beschadigde kleine boot rolde en stampte om daarna weer stabieler te worden. De bilgepomp sloeg aan door het klotsende water aan boord en naarmate de romp hoger dreef nam de snelheid toe. De beschadiging was boven de waterlijn, dus had Pitt geen moeite de boot onder controle te houden, al was de snelheid nu meer dan twintig knopen. De afstand tot het vrachtschip werd snel kleiner.

'Kunnen we dat cruiseschip waarschuwen?' riep Loren boven het geraas van de motor uit.

Pitt schudde zijn hoofd. 'We hebben geen marifoon. En dat schip ligt voor anker. Het kan nooit op tijd wegvaren.'

'Maar we kunnen de passagiers toch alarmeren?'

Pitt schudde zwijgend zijn hoofd. Het leek onmogelijk dat in zo korte tijd te doen.

Naarmate ze dichter bij de hoge achtersteven kwamen, overwoog hij de mogelijkheden. Er waren geen andere schepen in de buurt, dus een noodsein via de radio was zinloos. Pitt wilde proberen aan boord te klauteren van het varende schip. Maar toen hij dichterbij kwam besefte hij dat het onmogelijk was. Er was nergens een manier om aan boord te komen en als dat wel kon zou hij waarschijnlijk te laat het stuurhuis bereiken. Het fraaie, witte cruiseschip lag op ramkoers, amper een kilometer verder.

Pitt drukte telkens op de knop van de luchthoorn toen ze langs de bakboordzijde stoven en hij zwenkte voor de boeg langs. Loren sprong en zwaaide om de aandacht te trekken, maar er kwam geen reactie. De Tasmanian Star veranderde niet van koers en minderde evenmin vaart. Het grote gevaarte bleef opstomen naar een catastrofe. Pitt keek naar de brug maar hij zag niemand bewegen achter de ramen. Het leek wel een spookschip dat op drift was geraakt.

Hij speurde de omgeving af en zocht tevergeefs naar hulp. In de handelshaven lagen enkele schepen afgemeerd, maar in de buurt was nergens op zee een ander vaartuig te bekennen. Alleen de voor anker liggende indrukwekkend hoge Sea Splendour. Op het bovendek stonden groepjes passagiers, wijzend en gebarend naar de naderende vrachtboot. Kennelijk had de uitkijk op de brug gerapporteerd dat een schip gevaarlijk dicht naderde. De gezagvoerder van het passagiersschip probeerde via de marifoon waarschijnlijk wanhopig contact te krijgen met de Tasmanian Star. Maar er kwam geen antwoord.

Vanuit de speedboot keek Pitt langs de romp van het vrachtschip. De achtersteven was merkwaardig hoog boven het water. Pitt kreeg een vastberaden trek op zijn magere, gegroefde gezicht. In een crisissituatie werkte zijn geest in een hogere versnelling en hij liet dan alle mogelijkheden in gedachten passeren voordat hij een plan uitvoerde. Omdat er weinig mogelijkheden waren wist Pitt al snel wat hij zou doen.

Hij draaide als een razende aan het stuurwiel, zodat de speedboot een scherpe bocht voor de boeg van het vrachtschip beschreef, tot het kleine vaartuig aan stuurboord langszij voer.

'Loren, trek mijn wetsuit aan!'

'Wat ga je doen?'

'Proberen dat gevaarte opzij te duwen.'

'Met zo'n klein bootje? Dat is onmogelijk!'

Pitt tuurde met samengeknepen ogen vastbesloten naar het schip. 'Niet als we de juiste plek raken.'

6

Op de Sea Splendour brak paniek uit, toen schreeuwende passagiers elkaar waarschuwden voor de naderende aanvaring. Ouders grepen hun kinderen en renden naar de andere kant van het schip, mensen draafden langs de trappen naar de hoogste dekken. Ook bemanningsleden vluchtten weg van de plek waar de schepen elkaar zouden raken.

Door toeval of met opzet bleef de Tasmanian Star recht naar het midden van de romp van het cruiseschip koersen. En het vrachtschip met de stompe boeg had zo veel vaart dat het passagiersschip door de hevige botsing in twee stukken kon breken.

Op de brug van de Sea Splendour had kapitein Alphonse Franco weinig keus. Hij probeerde wanhopig zijn schip te manoeuvreren, maar kon alleen de boegschroef gebruiken omdat de hoofdmotoren uitgeschakeld waren. Hij liet de ankerketting vieren en probeerde het schip te draaien met vol vermogen van de boegschroef, in de hoop een aanvaring te voorkomen.

Maar terwijl hij naar het naderende vrachtschip keek wist Franco dat het al te laat was. 'Draai toch weg! In godsnaam, draai weg!' mompelde hij vertwijfeld.

Weinig officieren op de brug hadden aandacht voor de kapitein, want in paniek werden allerlei instructies gegeven voor noodprocedures. De kapitein bleef roerloos staan, zijn blik gefixeerd op de naderende boot, alsof hij het onheil met zijn ogen kon afwenden. Zijn aandacht werd getrokken door een kleine, rode speedboot, dansend over de golven in de richting van de achtersteven van de vrachtboot. Een lange, slanke man met zwart haar stond aan het roer en naast hem stond een vrouw, gekleed in een te grote wetsuit. De speedboot koerste met hoge snelheid recht naar de Tasmanian Star en die actie leek een doelbewuste poging tot zelfmoord.

'Waanzin,' zei Franco hoofdschuddend. 'Dat is pure waanzin.'

Pitt trok de gashendel naar zich toe en de boot minderde vaart. Hij keek naar Loren en beval: 'Springen!' Loren kneep in zijn arm, ze deed een stap naar het gangboord en sprong overboord. Nog voor ze het water raakte gaf Pitt alweer vol gas en de speedboot schoot vooruit. Loren keek de boot na en bad dat haar man niet zou omkomen terwijl hij anderen probeerde te redden.

Pitt wist dat hij maar één kans had om een wonder te verrichten. De vrachtboot was nog maar een paar honderd meter van de Sea Splendour verwijderd en er mocht niets fout gaan. Hij stuurde naar de achtersteven van het grote schip en zette zich schrap voor de klap.

De achtersteven van de Tasmanian Star lag hoog boven het water en gebogen naar de waterlijn. Daar stuurde Pitt de speedboot naartoe. Dichterbij gekomen zag hij het bovenste scharnier van het roerblad boven het water uit steken. Hij stuurde bij om nog beter te mikken. Onder het scharnier zat de draaiende scheepsschroef die hem en de boot kon vermalen.

Als de vrachtboot geladen was kon Pitt zijn plan niet uitvoeren. Maar het schip lag hoog op het water en dat gaf hem een kans. De speedboot voer op topsnelheid naar het roer van de vrachtboot.

Met een geweldige dreun klapte de speedboot tegen het roerblad van de vrachtboot en daardoor kwam de achtersteven omhoog tot het kleine vaartuig bijna verticaal stond. Pitt werd opgeheven maar hij klemde het stuurwiel stevig vast tot de boot terug viel. Weer sloeg de speedboot tegen het roerblad maar nu van boven, waardoor het scharnier en het roerblad verbogen werden.

Met een gebroken romp gleed de speedboot van het roer en de binnenboordmotor viel gorgelend stil. Door het kolkende kielzog van de vrachtboot werd het kleine vaartuig opzij gesmeten, en de grote boot bleef doorvaren.

Pitt greep naar zijn scheenbeen en hij voelde dat hij een snijwond had opgelopen door het gebarsten windscherm, maar verder was hij ongedeerd. Even later kwam Loren naast de boot zwemmen en ze hees zich aan boord van het langzaam zinkende scheepje.

'Alles goed met jou?' vroeg ze bezorgd. 'Dat was wel een geweldige klap.'

'Met mij is alles in orde,' antwoordde Pitt en hij trok zijn T-shirt uit om het om zijn bloedende been te wikkelen. 'Ik weet alleen niet of mijn actie gelukt is.'

Hij keek naar de imposante romp van de vrachtboot die het cruiseschip steeds dichter naderde. Maar bijna onwaarneembaar begon de boeg van de Tasmanian Star iets naar links te bewegen.

Toen Pitt het roerblad ramde en de stand twintig graden veranderde, had de automatische piloot op de brug getracht het schip weer op de oude koers te brengen. Maar na de tweede aanvaring was het roerblad zoveel verbogen dat het systeem de afwijking niet meer kon corrigeren. Pitt had de koers van het vrachtschip verlegd. Maar was dat wel genoeg?

Aan boord van de Sea Splendour zag kapitein Franco de verandering van koers. 'Ze draait!' Franco keek strak naar de ruimte tussen beide grote schepen. 'Ja, ze draait!'

Centimeter na centimeter, meter na meter draaide de boeg van het grote vrachtschip steeds meer in de richting van de kust. En aan boord van de Sea Splendour prevelden passagiers de wens dat het vrachtschip voorbij zou varen. Maar de ruimte tussen beide gevaartes was al te klein. Een aanvaring was onvermijdelijk.

De scheepshoorn loeide en de passagiers en bemanning zetten zich schrap voor de botsing. De Tasmanian Star kwam snel dichterbij en dreigde de stuurboordzijde van het schip te rammen. Maar op het laatste moment zwenkte de boeg verder, zodat er geen vernietigende aanvaring volgde en het schip schraapte met knarsend en krakend kabaal langs de achtersteven van het cruiseschip. Het vrachtschip sidderde toen het tegen het achterste deel van de Sea Splendour bonkte. De vaart werd geremd en flarden afgescheurd staal vlogen door de lucht.

Door de botsing zwenkte het vrachtschip verder in de richting van de kust, met een snelheid van nog altijd meer dan twaalf knopen en met op het voordek een zeven meter lang afgebroken deel van de Sea Splendour.

Het cruiseschip had zwaar slagzij gemaakt door de kracht van de aanvaring, maar kwam toch traag weer overeind. De kapitein keek ongelovig naar wat er gebeurde. Op de brug kwamen berichten dat er geen gevaarlijke schade aan de romp was aangericht. Het achterdek was op tijd ontruimd, zodat daar niemand gewond was geraakt. Op het nippertje was het cruiseschip aan een grote ramp ontsnapt. Toen het besef bij de kapitein doordrong dat zijn schip niet zou zinken en dat er geen gewonden waren, sloeg zijn opluchting om in woede.

'Maak mijn sloep gereed om te strijken,' zei hij tegen een matroos naast hem. 'Als ik de schade aan mijn schip heb opgenomen dan sla ik die clown tegen de vlakte, zodra hij een voet aan wal zet.' De kapitein had de Tasmanian Star niet meer nagekeken, omdat hij veronderstelde dat de vrachtboot naar de haven van Valparaiso zou stomen. Maar de vrachtboot bleef dezelfde koers volgen, recht naar een klein zandstrand buiten de stad.

Een Canadees echtpaar van middelbare leeftijd dat tijdens de lunch iets te enthousiast chardonnay had gedronken, hield siësta op het strand toen de Tasmanian Star op enkele meters achter de branding aan de grond raakte. Een luid knarsend geluid, als van een enorme koffiemolen, zwol aan toen de romp over de zeebodem schraapte. De boeg sneed door het rulle zand en remde de vaart, maar het schip schoof verder het strand op en verpletterde een ijskraam, al kon de eigenaar net op tijd wegvluchten. Het spookschip kwam krakend tot stilstand, aangestaard door verblufte toeschouwers. De draaiende scheepsschroef en het geronk van de motor waren de enige levenstekens aan boord van het vastgelopen schip.

De dommelende Canadees hoorde het geluid en hij voelde een schaduw over zijn lichaam schuiven. Hij stootte zijn vrouw aan, zijn ogen nog gesloten. 'Schat, wat was dat?'

De vrouw opende slaperig haar ogen en ging met een ruk rechtop zitten. Drie meter voor haar rees de stalen scheepsromp op. Het had niets gescheeld of ze waren verpletterd.

'Harold...' Ze knipperde met haar ogen en keek nog eens. 'Ik geloof dat het een schip is.'

7

Kapitein Franco's gezicht was rood van woede toen hij vanuit een sloep de schade aan de achtersteven van de Sea Splendour inspecteerde. Toch bleek het minder ernstig dan hij gevreesd had: de gehavende achterkant had vooral oppervlakkige schade. Duikers zouden het onderwaterschip bekijken, maar alles wees erop dat de bemanning zelf maatregelen kon nemen. Het achterdek zou afgesloten worden en het cruiseschip kon de reis vervolgen, met maar weinig vertraging. Franco wist dat hij een uitbrander zou krijgen van de rederij als de passagiers aan land moesten gaan en hun reisgeld terug zouden eisen. Gelukkig hoefde dat niet te gebeuren. Maar voor de kapitein was het schip als een familielid, en hij kookte van woede bij de aanblik van de schade.

'Breng ons naar die vrachtschuit,' beval hij de jonge stuurman van de sloep.

Een officier trok de aandacht van de kapitein. 'Daar aan stuurboord is een klein scheepje kennelijk in problemen.'

Kapitein Franco leunde naar voren. Hij zag een rode speedboot half gezonken ronddobberen. Op de voorplecht zaten een man en een vrouw heftig naar hem te zwaaien.

'Dat is de gek die met zijn boot tegen de vrachtboot knalde.' Franco schudde zijn hoofd. 'Vaar erheen, om die lui op te pikken.'

De sloep was even later langszij de half gezonken speedboot. Pitt hielp Loren in de sloep over te stappen en sprong daarna zelf aan boord. Hij keek om en zag de gehavende speedboot langzaam onder water verdwijnen.

Pitt wendde zich naar de fronsende kapitein. 'Ik geloof dat ik een nieuwe boot moet kopen.'

Franco keek de man voor hem onderzoekend aan. Dit was geen jeugdige gek of een dronkenlap. Deze man was lang en gespierd. Ondanks de bloedende snee op zijn scheenbeen stond hij kaarsrecht en zelfverzekerd in de sloep. Zijn gezicht was gehard en het was duidelijk dat de man al jaren veel in de buitenlucht vertoefde. Hij grinnikte geamuseerd. En dan waren er zijn ogen, merkwaardig groen en intelligent.

'Bedankt dat u ons gered hebt,' zei Pitt. 'Dat bespaart ons een fikse zwemtocht naar de kust.'

'Ik zag dat u uw eigen boot vernietigde door met opzet tegen dat vrachtschip te botsen,' zei Franco. 'Waarom deed u zo levensgevaarlijk?'

'Om het roerblad te verdraaien.' Pitt keek naar de beschadigde achterkant van het cruiseschip. 'Maar zo te zien was ik iets te laat.'

Het gezicht van de kapitein werd bleek. 'Ach hemel, nu begrijp ik het. U liet dat vrachtschip op het laatste moment van koers veranderen.' Hij greep Pitts hand en schudde die zo krachtig dat de arm bijna los raakte. 'U hebt mijn schip en het leven van honderden passagiers gered. Wij hadden geen tijd om te manoeuvreren en we zouden midscheeps geraakt zijn.'

'Die boot heeft ook een zeiljacht overvaren en dat was ons ook bijna overkomen.'

'Het zijn gekken daar aan boord! Ze negeerden al onze radioberichten en bleven recht op ons af koersen. Kijk, die schuit is aan de grond gelopen.'

'De bemanning op de brug is kennelijk uitgeschakeld,' opperde Pitt.

'Dat zal zeker het geval zijn als ik klaar ben met die heren.'

De sloep meerdere vaart en raasde naar het gestrande vrachtschip, op veilige afstand van de nog steeds draaiende scheepsschroef. Op het strand had zich een menigte gevormd en in de verte klonken sirenes van de naderende politie uit Valparaiso.

Het vrachtschip maakte licht slagzij naar rechts. Aan dek was geen teken van leven. Een lange transportband hing als een verlamde ledemaat dwars naast de romp, bijna tot in het water. De transportband diende voor het laden en lossen en was door de aanvaring met de Sea Splendour losgeslagen. Franco zag dat ze daarlangs aan boord konden gaan en hij gaf de stuurman van de sloep opdracht langszij te varen. Toen de sloep naast de transportband lag kreeg een matroos opdracht naar boven te klimmen, om te controleren of de constructie stevig genoeg was. De man deed een paar voorzichtige stappen en stak toen zijn duim op naar de kapitein. De matroos klauterde naar boven en hij sprong over de reling aan dek. Kapitein Franco volgde hem als eerste en klom nerveus langs de transportband omhoog. Hij had alle aandacht bij zijn voeten en merkte niet dat Pitt hem op enkele meters volgde. Franco kwam bij de reling en werd aan boord geholpen door de wachtende matroos. Hij schrok toen Pitt een seconde later naast hem op het dek sprong. Franco wilde protesteren maar Pitt was hem voor.

'We moeten eerst de motoren uitschakelen,' zei hij en hij liep langs de kapitein naar de brug.

Franco wendde zich naar de matroos. 'Doorzoek het dek en de hutten van de bemanning. En kom daarna ook naar de brug.' Hij draaide zich om en haastte zich achter Pitt aan.

De brug was op de bovenste verdieping van de opbouw op het achterdek. Pitt keek naar de grote luiken die de vijf ruimen afdekten. Een luik was half geopend. Elke opening had een deksel met scharnieren die hydraulisch bediend werden. Pitt boog zich voorover en tuurde in het donkere ruim. Het ruim was leeg, afgezien van een kleine bulldozer die bedekt was met een laag zilvergrijs stof. Pitt vermoedde dat de voorste ruimen wel geladen waren, en dat kon de hoog oprijzende achtersteven verklaren. Hij zag zilverkleurige brokjes steen op het dek liggen en raapte een ervan op om het in de zak van zijn zwembroek te stoppen.

'Is er niemand aan boord?' vroeg Franco toen Pitt de trap naar boven beklom.

'Ik heb nog geen welkomstcomité gezien.'

Ze beklommen een paar trappen en kwamen via een openstaande deur op de brug. De grote controleruimte was verlaten, zoals de rest van het schip. De akelige stilte werd verbroken door de marifoon, waaruit de stem van een Chileense kustwacht kraakte. De stem riep telkens dat het schip zich moest melden. Franco schakelde de marifoon uit en liep daarna naar de stuurstand om de motoren te stoppen. Pitt keek naar de besturing. 'De automatische piloot staat ingesteld op koers 142 graden,' merkte hij op.

'Het is toch onzinnig dat de bemanning een varend schip verlaat?'

'Piraterij lijkt mij eerder de verklaring,' meende Pitt. 'Zo te zien is dat vijfde ruim leeggehaald nadat het schip uit de haven was vertrokken.'

'De bemanning gijzelen om losgeld te krijgen kan ik mij nog voorstellen,' zei Franco en hij wreef over zijn kin. 'Maar een lading erts stelen op volle zee? Dat heb ik nog nooit gehoord.'

De kapitein zag opeens een donkere vlek op de wand van het stuurhuis en meer vlekken op de vloer. Zijn gezicht vertrok. 'Kijk.' Pitt begreep meteen dat het opgedroogd bloed was. Hij streek met zijn vinger over de vlek op de wand en schilfers dwarrelden weg.

'Dit bloed is niet onlangs opgedroogd. Kunnen we in het navigatiesysteem zien waar deze boot vandaan komt?'

Franco stapte naar het stuurwiel, opgelucht dat hij bij de bloedvlek weg kon. Hij keek naar de navigatiemonitor, met op het scherm een icoon van de Tasmanian Star op een digitale zeekaart van de havens bij Valparaiso. Hij drukte een knop op het toetsenbord in om een groter gebied te zien. Een gele lijn gaf de route van het vrachtschip aan vanaf de bovenkant van het scherm. Valparaiso werd steeds kleiner op de kust van Chili en op de monitor was heel Zuid-Amerika te zien. De koerslijn kwam uit het noorden, om dan opeens scherp naar links te buigen bij de westkust van Centraal-Amerika. Franco volgde de lijn terug over de Grote Oceaan en zag dat de route begon in Australië.

'Dit schip komt uit Perth.' Hij zoomde weer in naar het punt waar de koers veranderde. Hij keek op naar Pitt en knikte.

'Uw vermoeden van piraterij lijkt plausibel. Deze boot vaart niet met een leeg ruim over de oceaan.'

'Laten we eens kijken waar precies van koers werd veranderd,' zei Pitt.

Franco stelde het beeld op de monitor bij. 'Ongeveer zeventienhonderd mijl ten westen van Costa Rica.'

'Dat is wel een afgelegen plek op de oceaan om een overval te plegen.'

Franco keek hoofdschuddend naar de monitor. 'Als de bemanning daar van boord is gegaan, heeft de Tasmanian Star onbemand meer dan vijfendertighonderd mijl in de richting van Valparaiso gevaren.'

'Dan was de kaping meer dan een week geleden. Het spoor is dan niet bepaald vers meer.'

Franco's matroos stormde de brug in door de zijdeur. Zijn gezicht was verhit en hij hijgde van het trappen lopen. Pitt zag dat de hand van de matroos beefde tegen de deurpost. 'De hutten van de bemanning zijn leeg, kapitein. Kennelijk is er niemand aan boord.' Hij aarzelde even. 'Maar ik heb wel iemand gevonden.'

'Dood?' vroeg de kapitein.

De matroos knikte. 'Ik vond hem vanwege de stank. Hij ligt op het dek, bij het voorste dekluik.'

'Breng me erheen.'

De matroos draaide zich langzaam om en daalde voor Franco en Pitt de trap af. Ze liepen over het dek naar bakboord en langs de gesloten dekluiken. De zeeman vertraagde zijn pas toen ze bij het voorste luik kwamen. Hij bleef staan en wees.

'Hij ligt onder de steunen,' zei de matroos, zonder dichterbij te komen. 'Hij moet gevallen zijn, of daarheen gerold.' Pitt en Franco deden een paar passen vooruit. Toen zagen ze iets blauws liggen tussen de hydraulische scharnieren van het dekluik en een steun. Ze kwamen voorzichtig dichterbij en zagen het ontzielde lichaam van een man, gekleed in een blauwe overall. De geur van ontbinding was akelig, maar wat ze zagen was nog erger. De kleren van de man waren helemaal schoon. Te oordelen aan de zware werkschoenen en een paar handschoenen aan de riem vermoedde Pitt dat de dode een gewone zeeman was. Meer kon hij niet zien. De huid was opgezwollen en had de kleur van Franse mosterd. Bij de oren en mond van de man waren verdroogde bloeddruppels te zien. Een zwerm vliegen zoemde boven het gezicht van de dode en op de uitpuilende, opengesperde ogen. Maar het akeligst was dat elke uitstulping van het dode lichaam verkoold was. De oren, neus en vingertoppen van de zeeman waren zwart, al was de huid intact gebleven. Pitt herinnerde zich foto's van poolreizigers met ernstige bevriezingsverschijnselen: zwarte blaren verspreid op de dode huid. Maar de Tasmanian Star was op deze reis niet in de poolstreken geweest.

Franco liep langzaam achteruit van liggende gestalte.

'Santa Maria!' hijgde hij. 'Die man is door de duivel zelf gegrepen!'

8

Toen Pitt op kantoor kwam in Washington, vond hij een gehavende en bekraste veiligheidshelm midden op zijn bureau. En een korte getypte boodschap op het vizier verwelkomde hem:

Pa,

Je moet echt voorzichtiger zijn!

Pitt grinnikte en schoof de helm opzij. Hij vroeg zich af of zijn zoon of zijn dochter het briefje had geschreven. Zijn beide kinderen werkten bij NUMA en ze waren onlangs naar Madagaskar vertrokken om daar een onderzoeksproject uit te voeren over onderzeese aardplaten.

Er werd op de deur geklopt en een weelderig gevormde dame, perfect opgemaakt en gekapt, kwam binnen. Zerri Pochinsky was de veertig jaar allang gepasseerd, maar dat was aan haar uiterlijk niet te zien. Ze was al vele jaren de vertrouwde secretaresse van Pitt en ze had nog veel belangrijker in zijn leven kunnen zijn als hij Loren niet had ontmoet.

'Welkom terug in het hol van de leeuw.' Ze glimlachte en zette een kop koffie op zijn bureau. 'Ik weet echt niet hoe die helm hier gekomen is.'

Pitt beantwoordde haar glimlach. 'Er is ook niets veilig in mijn heiligdom.'

'Ik werd gebeld door de secretaresse van de vicepresident,' zei Pochinsky, en haar lichtbruine ogen werden serieus. 'Je wordt om half-drie verwacht in zijn kantoor, voor een bespreking.'

'En werd ook gezegd waar het over gaat?'

'Nee, alleen dat het een veiligheidskwestie betreft.'

'Wat is in Washington geen veiligheidskwestie?' Pitt schudde geërgerd zijn hoofd. 'Oké, zeg maar dat ik aanwezig zal zijn.'

'En dan is Hiram hier. Hij zei dat je hem wilde spreken.'

'Laat hem binnenkomen.'

Pochinsky verdween door de deur en even later kwam een bebaarde man binnen met haar tot op zijn schouders. Hij droeg jeans, cowboylaarzen en een zwart T-shirt van de Allman Brothers. Hiram Yeager leek op weg naar een clubhuis van motorrijders. Alleen zijn intens blauwe ogen achter een klein brilletje verraadden dat hij meer intellectuele diepgang had. Yeager was geen biker maar een computergenie, en zijn grootste liefde was software programmeren. Hij leidde het hypermoderne computercentrum van NUMA en had een omvangrijk netwerk opgebouwd dat gedetailleerde gegevens verzamelde over de oceanen via duizenden locaties overal ter wereld.

'Dus de redder van het zeekasteel Sea Splendour is weer terug,' zei hij en hij plofte in een stoel tegenover Pitt. 'Heeft de rederij jou als dank dan geen wereldcruise heeft aangeboden, omdat je het kostbaarste schip van hun vloot heb gered?'

'Dat deden ze wel, maar Loren volgt een dieet, dus dat zou zonde zijn van de buffetten aan boord. En ik ben niet meer zo goed in sjoelen op het dek, dus gaan we maar niet mee op reis.'

'Ik zou maar wat graag zo'n cruise maken, in jouw plaats.'

'En riskeren dat ons hele bedrijf inzakt zonder jouw onmisbare aanwezigheid?'

'Dat is waar. Ik kan hier eigenlijk niet gemist worden.' Yaeger keek gespeeld verwaand. 'Herinner me eraan dat ik dat bij mijn volgende beoordelingsgesprek ook aankaart.'

'Doe ik,' grijnsde Pitt. 'Heb je iets gevonden over de Tasmanian Star?'

'Ja, de hoofdzaken. Het schip is gebouwd in 2005, in Korea. Met een lengte van 175 meter en 54000 ton is die boot geklasseerd als een Handymax-bulkcarrier. Er zijn vijf laadruimen aan boord, twee kranen aan dek en het heeft een eigen transportbandsysteem.'

'Die transportband is ook goed bruikbaar als buitentrap,' merkte Pitt op.

'Het schip is eigendom van Sendai, een Japanse rederij, en het vaart op de Stille Oceaan, vooral geladen met erts. Bij de laatste reis was er een contract met een Amerikaanse petrochemische industrie. Drieënhalve week geleden uit Perth vertrokken, geladen met bauxiet en het reisdoel was Los Angeles.'

'Bauxiet,' mompelde Pitt en hij trok een plastic hoesje uit zijn zak. Hij haalde het zilverige brok te voorschijn dat hij had opgeraapt van het dek van de Tasmanian Star en legde het op zijn bureau. 'Heb je enig idee hoeveel die lading bauxiet waard is?'

'Ik kon de verzekerde waarde van het schip niet achterhalen, maar afhankelijk van de kwaliteit wordt bauxiet voor dertig tot zestig dollar per ton op termijnmarkt aangeboden.'

'Daarvoor zal toch niemand een schip overvallen?'

'Ik zou liever een vrachtboot vol iPads kapen.'

'En heb je enig idee in welke richting de dieven gevlucht zijn?'

'Nee, niet echt. Ik heb gezocht met de coördinaten van de plek waar die koersverandering was, maar dat leverde niets op. De NRO-satellietbeelden waren al een week oud. Het is een verlaten deel van de Pacific, en er gebeurt weinig wat de aandacht trekt van de spionnen in de lucht.'

'Je hebt het National Reconnaissance Office afgetapt? Dan mag ik hopen dat je geen sporen hebt achtergelaten.'

Als het nodig was kon Yeager een behendige hacker zijn, en hij veinsde verontwaardiging. 'Sporen achterlaten? Ik? Als iemand de hack ooit ontdekt dan leidt het spoor naar mijn favoriete roddelrubriek over filmsterren in Hollywood.'

'En het zou zonde zijn als de regering die site laat afsluiten,' grapte Pitt.

'Zo denk ik er ook over. Maar ik heb wel een theorie over de aanwezigheid van de Tasmanian Star in de omgeving van Valparaiso.'

'Dat wil ik graag horen.'

'Het vrachtschip maakte negen dagen geleden een scherpe bocht naar het zuiden, ongeveer 1700 mijl ten westen van Costa Rica. Een van onze weerboeien raakte rond die dag defect in de Pacific. En er raasde toen een behoorlijk zware tropische storm in die omgeving die later bij Mexico afzwakte. We hebben windkracht 9 gemeten voordat we de weerboei kwijtraakten.'

'Dus de piraten waren door het weer misschien gedwongen hun buit in de steek te laten?'

'Dat vermoed ik. Misschien is het grootste deel van de lading daarom aan boord gebleven, en bleven de motoren draaien.'

Pitt dacht even na. 'Zijn daar eilanden in de buurt?'

Yaeger haalde een kleine computer tevoorschijn en keek naar de kaart van het gebied waar het schip van koers was veranderd.

'Daar is een atol, Clipperton Island. Het is zo'n twintig mijl verwijderd van de positie die je mij doorgaf. En ook precies in dezelfde richting.' Hij keek Pitt aan.

'Ze hadden geen tijd om het schip tot zinken te brengen, en kennelijk hebben ze de automatische piloot ingesteld om recht naar Clipperton Island te varen, in de verwachting dat het schip lek zou raken op het rif en dan onder water zou verdwijnen.'

'Maar door de zware storm koerste het schip langs het eiland,' vulde Yeager aan, 'en voer nog vierduizend mijl door in de richting van Valparaiso.'

Pitt nam een slok koffie. 'Maar we hebben nog steeds geen idee wie de aanvallers waren en wat er met de bemanning is gebeurd.'

'Ik heb gezocht naar havenrapporten met recente overslag van ladingen bauxiet, maar dat leverde nog niets op.'

'En je zult die waarschijnlijk ook niet vinden. Hiram, kijk eens of je meer meldingen van piraterij kunt vinden, of van schepen die verdwenen zijn in dat zeegebied. En dan wil ik je nog iets vragen.' Pitt pakte het zilvergrijze stukje steen op en wierp het naar Yeager. 'Dit heb ik gevonden op het dek van de Tasmanian Star. Als je weer naar het computercentrum gaat, vraag dan aan de jongens van onderzeese geologie wat het voor mineraal is.'

'Doe ik.' Yeager bekeek het brokje aandachtig terwijl hij naar de deur liep. 'Is dit geen gewone bauxiet?'

Pitt schudde zijn hoofd. 'Een knoop in mijn maag en een groot, gestrand spookschip zeggen mij van niet.'

9

Pitt draafde de treden van het bordes voor Eisenhower Executive Office Building op en probeerde de jetlag van zich af te schudden. Naast het Witte Huis was het imposante regeringsgebouw Pitts favoriet. Het was verrezen in 1888, en uitgevoerd in Empirestijl, met een steil mansardedak en hoge vensters. Het geheel leek een decor uit een roman van Victor Hugo. En het was een eerbetoon aan graniet en leisteen, omdat er nauwelijks hout gebruikt was voor de constructie, om brandgevaar te verkleinen. Maar ironisch genoeg had een binnenbrand in 2007 het kantoor van vicepresident Cheney bijna geheel verwoest.

Later hadden vicepresidenten alleen een ceremoniële ontvangstruimte in het kolossale gebouw, omdat ze voor hun werk liever in de West Wing van het Witte Huis bleven, zo dicht mogelijk bij de president. Dat veranderde allemaal met het aantreden van Admiraal James Sandecker, die zich met enige tegenzin liet benoemen nadat zijn voorganger tijdens zijn werk was overleden. Sandecker hield liever meer afstand van de spindoctors die in elke regering infiltreerden, en hij liet voor zijn werkzaamheden weer een officieel kantoor inrichten in het oude Executive Office Building. Met plezier wandelde hij desnoods enkele keren per dag door de onderaardse gang naar het Witte Huis, tot verdriet van zijn fysiek minder fitte assistenten. Pitt passeerde enkele veiligheidsposten en controles, voordat hij op de eerste verdieping in de hal voor de kantoorsuite van de vicepresident kwam. Hij werd begeleid naar de privéwerkkamer, een groot vertrek en gedecoreerd met nautische motieven, die pasten bij een gepensioneerde admiraal. Aan de wanden hingen schilderijen van lang vergeten driemasters die op ruwe golven voeren. Pitt was precies op tijd, maar de vergadering was al begonnen. Twee heren en een dame zaten in leunstoelen rond een salontafel en ze luisterden naar de vicepresident, die over het dikke tapijt heen en weer liep, met een grote sigaar tussen zijn vingers geklemd.

'Dirk, fijn dat je er bent!' Hij liep snel naar Pitt en schudde hem de hand. 'Ga zitten.'

Hoewel klein van gestalte had Sandecker de energie van wel tien man. De felle blik in zijn blauwe ogen contrasteerde met zijn rossige haar en zijn ouderwetse sik. Hij was een veteraan in Washington en had eigenlijk een afkeer van politiek, maar hij werd gerespecteerd en gevreesd om zijn directheid en zijn integriteit. Voor Pitt was hij een soort vaderfiguur, omdat hij jarenlang directeur bij NUMA was geweest, voordat hij tot vicepresident werd benoemd.

'Fijn u te zien, admiraal. U ziet er goed uit.'

'Je blijft hier al fit door naar de vliegen te meppen,' antwoordde Sandecker. 'Dirk, ik zal je aan de anderen voorstellen. Dan Fowler is van DARPA, Tom Cerny is persoonlijk adviseur van de president, en Ann Bennett vertegenwoordigt de Naval Criminal Investigative Service.'

Pitt gaf de anderen een hand en ging zitten terwijl hij op zijn horloge keek.

'Je bent niet te laat,' zei Fowler. 'We hadden al een voorbespreking met de vicepresident.'

'O, prima. En hoe kan een eenvoudige marineman zich hier nuttig maken?'

'Waarschijnlijk weet je het niet,' begon Sandecker, 'maar de laatste drie jaar wordt er alarmerend inbreuk gemaakt op de beveiliging van onze projecten waar nieuwe wapens worden ontwikkeld. Zonder in details te treden, kan ik je wel vertellen dat dit heel ernstig is en ons veel geld kost.'

'Ik neem aan dat de Chinezen de grootste boosdoeners zijn?'

'Ja,' beaamde Fowler. 'Hoe weet jij dat?'

'Ik denk dan aan de presentatie van een nieuw jachtvliegtuig, vorig jaar. Dat toestel leek verdacht veel op onze F-35.'

'Dat is nog maar het topje van de ijsberg,' zei Sandecker. 'En helaas hebben we weinig succes met het dichten van de lekken. Er is een nieuwe taskforce gevormd op verzoek van de president, om de situatie grondig te onderzoeken.'

'Deze inbreuken op de beveiliging zijn een directe bedreiging van ons militaire apparaat,' voegde Cerny eraan toe. Hij had een pafferig gezicht, grote, donkere ogen, en sprak gejaagd, als een tweedehandsautoverkoper. 'De president is erg ongerust over deze situatie en hij heeft opgedragen alles te ondernemen om onze geheime technologie te beschermen.'

Pitt moest zich beheersen om niet 'Leve de president!' te roepen. Cerny leek hem een typische jaknikker, die genoot van de macht die hij uitstraalde zonder daar iets mee te bereiken.

'Allemaal goed en wel,' zei Pitt, 'maar de halve regering is toch al druk met het jagen op spionnen en terroristen?'

Sandecker stak zijn sigaar op, ondanks het rookverbod in het hele gebouw. 'Die taskforce heeft maritieme steun nodig. Het is een betrekkelijk klein project en ik denk dat jij daarbij kunt assisteren. Agent Bennett heeft alle details.'

'Het gaat hier feitelijk om een vermiste persoon,' zei Bennett.

Pitt keek naar Bennett, ondanks haar conservatieve uiterlijk een slanke en aantrekkelijke vrouw. Haar blonde haar was in laagjes geknipt en paste bij haar donkere, zakelijke kleding. Maar dat effect werd verzacht door de kuiltjes in haar wangen en de randloze leesbril op haar neus. Ze keek even naar Pitt met haar levendige zeeblauwe ogen en richtte haar blik toen weer op de map die ze op schoot hield.

'Een vooraanstaande wetenschappelijk onderzoeker bij DARPA, Joseph Eberson, is een paar dagen geleden verdwenen in San Diego,' zei ze. 'Hij zou gaan vissen, aan boord van een motorboot met de naam Cuttlefish. De lijken van de eigenaar en zijn assistent werden enkele mijlen uit de kust drijvend op zee aangetroffen door de bemanning van een passerend zeiljacht. Reddingsdiensten hebben in de omgeving grondig gezocht, maar Eberson en de boot zijn niet gevonden.'

'Denk je dat er een smerig spel wordt gespeeld?'

'We hebben geen duidelijke reden om dat te veronderstellen,' zei Fowler, 'maar Eberson was betrokken bij enkele uiterst belangrijke researchprogramma's van de marine. We moeten weten wat er met hem gebeurd is. Hij is waarschijnlijk niet gedeserteerd, maar het is wel mogelijk dat hij ontvoerd werd.'

'Je wilt dus eigenlijk zijn lichaam vinden,' zei Pitt, 'maar als die boot gezonken is met iedereen aan boord, dan kan hij nu wel halverwege Tahiti zijn. Of in de maag van een grote witte haai.'

'En daarom willen wij graag jouw hulp bij het opsporen van die boot,' zei Ann met een smekende blik in haar ogen.

'Het lijkt me eerder een taak voor de politie in San Diego.'

'We willen die boot bergen, zodat onze onderzoekers kunnen bepalen of Eberson aan boord was,' zei Fowler. 'Volgens onze informatie is de zee daar tamelijk diep en dan kan de politie weinig doen.'

Pitt keek naar Sandecker. 'En wat doet de marine?'

'De pech is dat de westelijke vloot bezig met een oefening bij Alaska. En de lijken werden gevonden in territoriale wateren van Mexico. Het onderzoek zal veel minder gecompliceerd zijn als dat door een oceanisch researchschip gedaan wordt.'

Sandecker liep naar zijn bureau en bekeek een memo. 'Een geluk is dat het NUMA-schip Drake nu in de haven van San Diego ligt, wachtend op een nieuwe taak.'

Pitt schudde zijn hoofd. 'Ik ben erin geluisd door mijn eigen mensen.'

Sandeckers ogen fonkelden. 'Ach, ik heb nog altijd een paar vrienden in jouw kantoor.'

'Nou, als dat zo is,' zei Pitt en hij keek even naar Ann, 'dan gaan we het doen.'

'En hoe wil je dit aanpakken?' vroeg Cerny.

'De Drake heeft verschillende sonarsystemen aan boord en ook een kleine onderzeeboot. We zetten een raster uit op de kaart en dan zoeken we het hele gebied af met sonar om de Cuttlefish te lokaliseren. Afhankelijk van de diepte kunnen duikers of de onderzeeboot dan naar het wrak afdalen. Als de boot nog intact is proberen we die te bergen.'

'Ann zal met jullie meegaan als waarnemer,' zei Fowler. 'Uiteraard willen we graag zo snel mogelijk resultaten zien in deze kwestie. Wanneer kun je beginnen?'

'Zodra ik een vliegticket naar San Diego heb... En zodra Agent Bennett haar zeilkleding heeft ingepakt.'

Pitt werd bedankt voor zijn bereidheid het karwei aan te pakken en hij verliet de vergadering. Zodra hij de kamer uit was wendde Sandecker zich naar Cerny. 'Ik wil hem niet onkundig houden. Er is niemand die ik meer vertrouw.'

'Orders van de president,' antwoordde Cerny. 'Het is beter dat niemand weet wat wij mogelijk kwijtgeraakt zijn.'

'Kan hij deze klus klaren?' vroeg Fowler. 'Kan hij die boot op de zee-bodem vinden?'

'Dat is voor hem een koud kunstje,' zei Sandecker, en hij blies een dikke kring sigarenrook naar het plafond. 'Ik maak me meer zorgen over wat hij precies in dat wrak aantreft.'

10

De man liep over het dek, met onder elke arm een zware duikfles zonder dat het gewicht hem hinderde. Zijn armen waren bijna even dik als zijn benen en zijn omvangrijke borstkas deed aan een te ver opgepompte tractorband denken. Aan Al Giordino's bruine ogen en donker krullende haar was zijn Italiaanse afkomst te zien en met zijn scherp getekende wenkbrauwen en opkrullende mondhoeken had hij kennelijk een duivels gevoel voor humor.

Met de tanks onder zijn arm bleef hij staan toen hij Pitt en Bennett zag naderen.

'Gegroet, gabber,' zei hij tegen Pitt. 'En welkom in de zilte zeelucht. Had je een goede vlucht?'

'Jazeker. De vicepresident regelde dat wij mee konden met een Gulf-stream van de marine, die een paar admiraals naar Coronado moest brengen.'

'En ik moet altijd met de Greyhoundbus.' Giordino keek keurend naar Bennett en er verscheen een glimlach op zijn gezicht. 'Is dit weer een poging meer schoonheid en stijl aan de bemanning toe te voegen?'

'Ann Bennett, dit is Al Giordino, technologie directeur van NUMA, en af en toe een glurende dekmatroos. Miss Bennett werkt bij NCIS en ze gaat met ons mee zoeken.'

'Aangenaam kennis met u te maken, meneer Giordino.'

'Noem mij gewoon Al.' Hij bewoog de duikflessen even. 'We zullen elkaar later de hand schudden.'

'Die flessen hebben we niet nodig voor deze klus, want de zee is waarschijnlijk te diep,' zei Pitt.

'Rudi heeft alleen gezegd dat we onder water aan het werk gaan, maar hij gaf geen details.'

'Omdat hij ook niet meer weet. Is hij aan boord?'

'Ja, we zijn allemaal terug van de begrafenis vanochtend.'

'Buddy Martin?'

Giordino knikte. Martin, de kapitein van de Drake was onverwacht na een korte ziekte overleden.

'Het spijt me dat ik niet op tijd hier kon zijn,' zei Pitt. 'Buddy was een trouwe kerel en een echte kameraad. We zullen hem erg missen.'

'Hij had turkoois bloed in zijn aderen,' zei Giordino, doelend op de kleur van alle NUMA-vaartuigen. 'Maar nu heeft Rudi tijdelijk de leiding aan boord op zich genomen. En hij is een echte kapitein Bligh, als je het mij vraagt.'

Pitt wendde zich naar Ann. 'Ik probeer Rudi altijd zo veel mogelijk in Washington te houden, om het budget voor NUMA veilig te stellen.'

'Hij is in het lab, om zijn verzameling tropische vissen te verzorgen,' zei Al.

Pitt en Ann vonden twee vrije hutten en lieten hun bagage daar achter. Ze gingen op zoek naar Rudi Gunn, en dat duurde niet lang want de Drake was geen groot schip: het was het nieuwste en kleinste vaartuig van de NUMA-vloot. Met een lengte van amper dertig meter was het schip ontworpen voor research op het binnenwater, maar het was ook heel zeewaardig. Aan dek stond een driepersoonsonderzeeboot en een robotcapsule die onbemand ingezet kon worden. Elke ruimte aan boord die niet gebruikt werd door de bemanning, was omgevormd tot een laboratorium. Ze stapten een laboratorium binnen, waar het bijna aardedonker was. De ramen waren verduisterd en er straalde alleen flets blauw licht uit een paar kleine gloeilampen aan het plafond. Pitt vermoedde dat de airconditioning onafgebroken ingeschakeld was, omdat het binnen aanvoelde alsof de temperatuur amper tien graden Celsius was.

'Hou de deur dicht, alsjeblieft.'

Toen hun ogen aan de duisternis gewend waren, zagen ze de man die gesproken had. Hij was mager en stond gebogen over een grote waterbak die bijna de hele ruimte in beslag nam. De man had een nachtzichtbril op en tuurde gespannen in de bak.

'Jij bespioneert zeker het paargedrag van de vissen, Rudi?' vroeg Pitt.

Zodra hij de stem herkende ging Rudi met een ruk rechtop staan. Hij draaide zich om en begroette de twee bezoekers.

'Dirk, ik wist niet dat jij het was.' Gunn verwisselde de nachtbril voor een hoornen montuur met gewone brillenglazen.

Rudi Gunn was een ex-marinecommandant en op dat moment onderdirecteur bij NUMA. Evenals zijn baas greep hij elke kans om te ontsnappen uit het hoofdkwartier in Washington.

Pitt stelde Gunn voor aan Ann.

'Waarom is het hier zo koud en donker?' vroeg Ann.

'Kom maar eens kijken.' Gunn gaf haar de nachtzichtbril en leidde haar naar de rand van de waterbak. Ann keek door de bril naar het water. Een half dozijn kleine vissen zwom traag rondjes in een vage blauwe gloed. Maar zulke vissen had Ann nooit eerder gezien: de romp was doorschijnend, de grote ogen puilden uit en dubbele rijen vlijmscherpe tanden waren in de geopende bekken zichtbaar. Ann deinsde onwillekeurig achteruit.

'Wat zijn dat voor monsters? Afgrijselijk!'

'Dat zijn Rudi's troeteldieren uit de diepzee,' merkte Pitt op.

'*Evermannella normalops* is de wetenschappelijke benaming,' legde Gunn uit. 'Maar wij noemen ze "sabeltanden". Het is een zeldzame soort die alleen in heel diep water leeft. We hebben een grote school van deze vissen bij een warmwaterbron op de zeebodem bij Monterey ontdekt en toen besloten een poging te wagen een aantal van deze vissen te vangen, voor onderzoek. We moesten een paar keer met de onderzeeboot naar de bodem, maar uiteindelijk hebben we twintig exemplaren gevangen. Dit zijn de laatste vissen die nog niet aan land zijn gebracht.'

'Zo te zien kunnen ze alles met huid en haar verslinden.'

'Ondanks hun vervaarlijke uiterlijk denken we dat het geen roofvissen zijn. Ze zijn eerder nogal tam. En ze lusten kennelijk geen andere vissen, daarom denken we dat het aaseters zijn.'

Ann luisterde ongelovig. 'Toch steek ik mijn hand niet in die waterbak.'

'Maak je niet druk,' zei Pitt. 'De deur van jouw hut kan op slot, voor het geval er vannacht poten aan die vissen groeien.'

'Ze zijn niet gevaarlijker dan een tamme goudvis,' stelde Gunn haar gerust. 'Al zijn het wel foeilelijke goudvissen die een mijl onder water kunnen overleven.'

'We laten die vissen aan jouw zorgen over,' zei Pitt. 'Rudi, hoe snel kunnen we vertrekken?'

Gunn hield zijn hoofd scheef. 'Ongeveer zo lang als het duurt om een pizza te laten bezorgen: hoogstens een half uur.'

'Laten we dan gereed maken voor vertrek,' besloot Pitt. 'Ik ben benieuwd waar Ann ons naartoe brengt.'

Gunn hield woord en een half uur later manoeuvreerde hij de Drake langzaam weg van de kade. Ann kwam bij hem op de brug staan, gevolgd door Pitt en Giordino. Ze keken naar de groene heuvels bij Point Loma toen het schip de haven verliet.

Ann voelde zich meer gerust op zee en ze begon Gunn en Giordino te vertellen over het doel van de zoektocht. Ze gaf Pitt een papiertje. 'Dit zijn de coördinaten van de plek waar de twee lijken werden opgevist. Kennelijk dreven ze dicht bij elkaar.'

'Het is een duidelijke aanwijzing dat ze geen speelbal van de zeestromingen waren,' merkte Giordino op.

Pitt tikte de coördinaten in het navigatiesysteem van de Drake, zodat er een driehoekje op de digitale zeekaart verscheen. Het punt was dicht bij de Coronados, een rotsige eilandengroep voor de Mexicaanse kust.

'De zeestroom gaat daar langs de kust naar het zuiden,' zei Pitt, 'dus we hebben een ondergrens van het zoekgebied.'

'Volgens de lijkschouwer waren de mannen ongeveer acht tot tien uur eerder overleden,' zei Ann.

'Met die feiten kunnen we aan het werk,' zei Pitt en hij tekende met de cursor een vierkant op de kaart. 'We beginnen met een raster van tien vierkante mijl, noordelijk van de positie waar de mannen gevonden zijn, en als het nodig is breiden we dat gebied verder uit.'

Ann overzag de grootte van de Drake en vroeg aan Pitt: 'Hoe denk je die gezonden boot naar boven te krijgen?'

Pitt keek vragend naar Gunn. 'Rudi?'

'Ik heb hier een dekschuit en een drijvende bok beschikbaar en die komen op afroep. Ik had eigenlijk moeten vragen hoe groot die gezonken boot is.'

Ann keek naar haar aantekeningen. 'Volgens de meetbrief is de Cuttlefish dertien meter lang.'

'Dan krijgen we hem wel naar boven.' Gunn nam het roer over en zette de Drake op koers naar Pitts vierkant op de monitor.

Twee uur later bereikten ze de positie waar vanaf een passerend zeiljacht de twee drijvende lichamen van Heiland en zijn assistent Manny waren gevonden. Pitt zag dat de zee hier ongeveer 130 meter diep was. Hij besloot te zoeken met de sleepsonar, omdat het apparaat gemakkelijker ingezet kon worden dan de onbemande duikcapsule. Matrozen bij de achtersteven lieten de felgele sonarvis te water en al spoedig werden via de sleepkabel signalen doorgeseind naar de ontvanger op de brug. Pitt ging achter het paneel zitten en vierde de kabel tot de sonarvis enkele meters boven de zeebodem zweefde.

Ann keek geboeid over Pitts schouder naar de zandige golvende bodem op de monitor. 'Hoe zou die boot eruitzien?'

'We hebben nu een groot bereik ingesteld, dus het wrak zal klein zijn op het scherm, maar wel herkenbaar.' Hij wees naar het scherm. 'Kijk, dat is een olievat op de bodem.' Ann tuurde naar het schemerig verlichte object dat traag door het beeld schoof.

'Het beeld is heel duidelijk.'

'Ja, de techniek is zo verbeterd dat je bijna de zeepokken op een schelp kan zien,' zei Giordino.

Op zee waren geen andere schepen, afgezien van een grote motorboot met Mexicaanse vlag die op twee mijl afstand voer. De opvarenden waren aan het vissen. Gunn liet de Drake langzaam een vast patroon varen: telkens met een tussenruimte heen en weer van noord naar zuid. Op het sonarbeeld waren autobanden te zien, een paar speelse dolfijnen en iets wat op een toiletpot leek, maar nergens een gezonken boot.

Na vier uur zoeken kwamen ze dicht bij de Mexicaanse motorboot die op dezelfde plek bleef liggen. Vanaf het achterdek waren enkele hengels uitgelegd, maar er was niemand te zien.

'Zo te zien moeten we een strook overslaan om voorbij die boot te komen,' zei Gunn.

Pitt tuurde naar de andere boot die een kwart mijl verder dobberde. Daarna keek hij weer naar de monitor en grijnsde toen er een driehoekig object in beeld kwam.

'Dat is niet nodig, Rudi. Ik denk dat we het wrak gevonden hebben.'

Ann keek aandachtig mee en ze zag de driehoek langzaam veranderen in de voorsteven van een boot en daarna tot een complete motorkruiser, recht op de zeebodem. Pitt markeerde de positie van het wrak en mat de lengte met een digitale schaalverdeling.

'Zo te zien precies even lang, dus ik denk dat we de vermiste boot gevonden hebben.'

Gunn keek even naar het sonarbeeld en klopte bewonderend op Pitts schouder. 'Mooi werk, Dirk. Ik zal die dekschuit en de kraan vragen hierheen te komen.'

Ann keek naar het verschuivende beeld op de monitor. 'Weet je wel zeker dat je die boot kan bergen?'

'Zo te zien is de romp intact, en dan is omhoog takelen met een kraan geen probleem,' zei Gunn.

'Dus we blijven wachten tot de dekschuit hier is?'

'Nee, niet helemaal,' antwoordde Pitt met een sluwe grijns. 'Eerst gaan we een dame naar de zeebodem brengen.'

11

De kleine onderzeeboot bungelde traag onder de hijskraan, tot Gunn het toestel in het koele water van de Pacific liet zakken. Een hydraulische klem ging open zodat het toestel kon wegdrijven. Binnen bediende Pitt de elektromotoren om weg te manoeuvreren van de Drake, terwijl Giordino als copiloot vanuit zijn stoel de ballasttanks liet volstromen. Ann zat achter hen op de krappe derde zitplaats en ze bekeek alles met een kinderlijk gevoel van opwinding.

Giordino keek over zijn schouder en zag haar fascinatie voor de groene wereld achter de patrijspoorten. 'Heb jij al eens eerder gedoken?'

'Ja, heel vaak. Maar alleen in het zwembad. Ik deed aan schoonspringen op de middelbare school.'

De onderzeeboot begon langzaam te dalen. Buiten het bereik van de zoeklichten was de zee al spoedig zwart.

'Ik zou nooit vrijwillig van een hoge duikplank springen,' zei Giordino. 'Maar waarom ben je van schoonspringer veranderd in boevenjager?'

'Ik kom uit een marinegezin, en dus meldde ik mij als scholier aan bij de ROTC. Toen ik mijn diploma had ging ik in dienst bij de marine en ik kreeg voor elkaar dat ze mijn rechtenstudie betaalden. Ik heb in een JAG-eenheid in Bahrein gewerkt, daarna een paar maanden in Guantanamo, waar ik veel contact had met ambtenaren uit Washington. Mijn liefde voor het leger bekoelde toen en ik besloot iets anders te gaan doen. Een kennis bracht mij twee jaar geleden in contact met de NCIS, en zo kwam ik bij hun afdeling contraspionage terecht.'

'Dus je bent een soort Perry Mason?'

'Vroeger wel. Bij JAG vond ik het onderzoeken wel leuk, maar de vervolging niet. Daarom ben ik zo blij met deze functie. Mijn hoofdtaak is onderzoeken en opsporen, daarom kan ik ook veel naar buiten. Ik kreeg opdracht voor de zaak-Eberson om uit te zoeken of die boot het doelwit van een spionageactie was.'

'We zullen spoedig meer weten,' zei Pitt. 'De zeebodem komt in zicht.'

Giordino stelde de ballast bij toen de zandige zeebodem opdoemde. Pitt keek een kreeft na toen het dier snel weg scharrelde en dat tafereel deed hem weer denken aan de kreeftenmaaltijd die hij in Chili had gemist. Hij bediende de hendels en de onderzeeboot bewoog naar voren. Ze voeren wat verder en zagen de grote, witte vorm links van hen. Pitt stuurde bij en koerste recht op de gezonken boot af. In de onderwaterwereld leek de Cuttlefish een buitenaards voorwerp. Nog glanzend als nieuw in het licht van de schijnwerpers vormde de boot een schril contrast met de donkere, levenloze omgeving. Pitt manoeuvreerde tot naast de romp en voer langzaam in een cirkel. De boot lag rechtop en nergens waren grote beschadigingen te zien.

'Ik denk dat er wel een breuk in de constructie is ontstaan,' zei Pitt toen hij een haarscheur in de romp zag.

'Dat weten we pas zeker als we die schuit ophijsen,' zei Giordino. 'Zo te zien is het geen probleem om singels onder de romp aan te brengen, en het moet mogelijk zijn die boot naar boven te krijgen.'

Pitt voer naar de achtersteven van de Cuttlefish en ging wat hoger varen om over de reling te kijken.

Ann slaakte een kreet van afschuw. Het levenloze lichaam van een man zat scheef op de achterplecht. De bleke huid was vlekkerig en gehavend op plekken waar zeedieren hadden geknaagd. Een school vissen knabbelde aan het gezicht van de dode.

'Is dat Joe Eberson?' vroeg Pitt zacht.

Ann knikte en wendde haar ogen af.

Pitt kwam nog dichterbij om meer te zien. Ebersons polsen en enkels waren met draad vastgebonden en de lijn was gezekerd aan een klamp, zodat het lichaam met de boot in de diepte was verdwenen. Er waren geen duidelijke wonden of sporen van verbranding op het lichaam van de DARPA-wetenschapper, maar toen zag Pitt de handen van Eberson. De handen waren bijna twee keer zo groot als normaal, de huid was getekend met verkoolde vlekken. Dit had Pitt ook in Chili gezien. Evenals de zeeman aan dek van de Tasmanian Star was Joe Eberson een vreselijke en onverklaarbare dood gestorven.

12

Om het lichaam van Eberson te bergen moest de onderzeeboot nog twee keer naar de zeebodem afdalen. Van een groot stuk canvas was snel een overmaatse lijkenzak genaaid die naar het gezonken vaartuig werd gebracht. Met de beweeglijke grijparmen die uit de onderkant van de onderzeeboot staken schoof Pitt de zak over het hoofd en de romp van Eberson. De draad werd doorgesneden en behoedzaam werd de canvaszak naar de oppervlakte gebracht. Ann wilde beslist aan boord van de onderzeeboot blijven tijdens de gruwelijke operatie om het stoffelijk overschot van Eberson naar de Drake te transporteren. Weer aan dek legden Pitt en Giordino de singels uit die ze wilden gebruiken om de Cuttlefish te lichten. Al spoedig naderde een verveloze dekschuit met een grote hijskraan aan boord. Gunn had de werkboot opgemerkt in de haven van San Diego, waar het vaartuig werd gebruikt bij baggerwerkzaamheden in de gemeente. Pitt zwaaide naar de man met een vriendelijk gezicht boven zijn grijze baard die het gevaarte vanuit een kleine stuurhut bestuurde.

Ann ging naar de twee mannen aan dek, nadat ze met Gunn het lichaam van Eberson even had onderzocht.

'Is dit Eberson?' vroeg Giordino.

Ann knikte. 'Ja. We vonden een doorweekte portefeuille in zijn broekzak en daaruit blijkt zijn identiteit. Maar de lijkschouwer moet dat officieel vaststellen en ook wat de doodsoorzaak is.'

'Na een week onder water is dat niet meer zo simpel,' merkte Pitt op. 'Al lijkt het alsof hij door een toevallige omstandigheid is gestorven. Misschien hadden ze problemen met de boot en is hij gewoon verdronken.' Pitt zweeg over Ebersons opgezwollen handen. Hij maakte een singel vast aan een metalen klauw aan de onderkant van de onderzeeboot.

Ann keek toe. 'Is er een grote kans dat de boot beschadigd wordt door het optakelen?'

'We weten niet of er structurele schade is, dus het antwoord is ja. Er is een kans dat die boot uit elkaar valt, maar ik verwacht dat ze zonder problemen boven water komt.'

'Voor de zekerheid zou ik het dek en het interieur willen onderzoeken voordat jullie gaan hijsen,' zei Ann.

'We beginnen zo aan de volgende duik, dus stap maar in.'

Even later kwam de Cuttlefish in zicht en dat was minder naargeestig nu het lichaam van Joe Eberson van boord was gehaald. Pitt liet de onderzeeboot boven het achterdek zweven en draaide langzaam zodat de schijnwerpers op de gezonken gerichte boot werden.

'Stop!' riep Ann, en ze wees door een patrijspoort aan de rechterkant. 'Kijk, die kist daar!'

Pitt stopte het vaartuig en ze tuurden naar een langwerpige kist die aan stuurboord was vastgesjord.

'Is dat belangrijk?' vroeg Pitt.

'Misschien wel, omdat er een hangslot aan zit.' Ze verweet zichzelf dat ze de kist niet eerder had opgemerkt. 'We moeten die kist bergen.'

'Zo te zien is die kist stevig vastgesjord,' zei Giordino.

Ann schudde haar hoofd. 'Ik wil geen risico lopen dat de kist beschadigd wordt tijdens de berging.'

Pitt haalde zijn schouders op. 'Mij best, maar we moeten eerst onze handen vrij hebben.'

Hij bewoog de mechanische armen en Ann zag de singel die onder de romp moest worden gelegd. Pitt manoeuvreerde naar achteren en liet de singel op de zeebodem vallen. Hij trok de singel in positie voor de boeg en zo ver mogelijk onder de romp. Daarna bracht hij het uiteinde naar het dak van de kajuit. Toen hij hetzelfde had gedaan met het andere uiteinde van de singel stuurde hij de onderzeeboot tot boven het achterdek om de plastic kist te bergen. Met enige moeite kreeg hij de stroppen los van de kist. Met een mechanische klauw aan de bovenkant en de andere als ondersteuning werd de kist vastgeklemd en Giordino pompte de ballasttanks leeg zodat het vaartuig naar boven dreef.

Gunn stond te wachten bij de reling van de Drake en trok de onderzeeboot boven het dek. 'Is het gelukt met die singel?' vroeg hij toen ze uitstapten.

Giordino grijnsde. 'Even gemakkelijk als een kalf vangen met een lasso.'

'De achtersteven zal lastiger zijn,' zei Pitt. 'Daar moeten we eerst zand weg graven om de singel goed onder de romp te krijgen.'

Gunn zag de langwerpige kist, vastgeklemd in de mechanische armen. 'Aha, jullie hebben een cadeautje voor me meegebracht?'

'Nee, dat is nu van mevrouw Bennett.' Giordino's wenkbrauwen schoten waarschuwend omhoog, voordat Gunn de kist kon aanraken.

Terwijl Giordino de kist uit de stalen armen haalde en op het dek zette, volgde Ann al zijn bewegingen. Gunn hielp Pitt met het aanhaken van de tweede singel. Daarna bevestigde hij een stuk pvc-buis met daaraan een slang aan het voorste ventiel van de ballasttank.

'Hoe staat het met de accu's?' vroeg Gunn.

'Als we de tweede singel zonder veel problemen kunnen aanbrengen, dan hebben we nog genoeg stroom voor een duik om de hijskabel vast te maken.'

'Ik zal de kraanmachinist zeggen dat hij klaar moet staan.'

Pitt en Giordino daalden weer af in de oceaan, deze keer zonder Ann. Toen ze de zeebodem bereikten stuurde Pitt naar de achtersteven van de gezonken boot en de onderzeeboot kwam aan bakboord tot stilstand. Met de mechanische armen legde hij de singel in positie en daarna richtte hij de plastic pijp op de onderkant van de romp.

'Klaar om te spuiten.'

'De pomp gaat aan,' antwoordde Giordino en perslucht begon uit de voorste ballasttank door een slang naar de plastic buis te stromen. Luchtbellen borrelden op uit de pijp en veroorzaakten zuiging in het zand. Het losse zand kwam in beweging en vormde een bruine wolk die door stroming werd meegevoerd. Na enkele minuten was er genoeg ruimte onder de romp ontstaan om de singel aan te brengen. Giordino stopte de luchtstroom en aan de andere kant van de romp werd de procedure herhaald. Daarna trokken ze de singel onder de romp en brachten ze de losse einden boven de kajuit bij elkaar. Giordino manoeuvreerde een grote, stalen ring naar de uiteinden en de vier haken werden vastgemaakt. Zweet parelde op zijn voorhoofd toen hij de laatste haak manipuleerde. Nu moest de kabel van de kraan op de dekschuit nog aan de ring vastgemaakt worden en dan kon het hijsen beginnen.

'Dat hebben we gedaan met de precisie van chirurgenhanden,' zei Giordino tevreden en hij trok de mechanische armen weer in.

Pitt keek even meewarig naar de vlezige handen en schudde zijn hoofd. 'Jouw handen lijken eerder die van een slager, maar je hebt het wel goed gedaan.' Hij leegde de ballasttanks en de onderzeeboot ging langzaam omhoog. De zon was net achter de horizon verdwenen toen ze bij de achtersteven van de Drake boven water kwamen. Gunn stond bij de hijskraan toen de onderzeeboot langszij kwam. Hij liet de arm behendig zakken en haakte aan de ring van de onderzeeboot. Gunn hees het vaartuig uit het water en daar bleef het bungelen.

'Kom op, Rudi,' mopperde Giordino, 'zet ons aan dek.'

Pitt keek door de patrijspoort en verstijfde. Een grote, onbekende kerel stond naast Gunn, met een pistool in zijn hand. De kerel glimlachte kil naar Pitt, Gunn trok zijn handen weg van de bedieningshendels van de kraan en met een grimmige trek op zijn gezicht deed hij een stap achteruit.

Giordino zag dat Gunn de kraan niet meer bediende. 'Wat gebeurt er?'

Pitt bleef strak naar de gewapende kerel op het dek van de Drake kijken.

'Ik geloof dat we hier voorlopig te drogen hangen.'

13

Ze hadden de Drake overvallen door te doen alsof ze hulp nodig hadden. De bemanning van de Mexicaanse boot had de hele dag onopvallend het NUMA-schip geobserveerd en kwam vervolgens in actie. Bij zonsondergang riep een stem met een Spaans accent de Drake aan via de marifoon met de smoes dat de brandstof bijna op was. Gunn antwoordde dat ze langszij moesten komen om wat diesel over te nemen. De Mexicaanse boot kwam heel langzaam dichterbij en voer achter de dekschuit langs. Toen de boot even uit het zicht was sprong een gewapende man op het achterdek van de dekschuit en hij sloop naar het stuurhuis. Op de schuit verscheen een man die naar Gunn zwaaide. Hij droeg een zwarte broek en een zwarte trui, ongewoon voor een sportvisser. In de schemering was zijn koffiekleurige huid en zijn gezicht met meer Centraal-Amerikaanse dan Mexicaanse trekken amper te zien. De man wierp een lijn over naar een wachtende matroos en keerde zich toen naar Gunn die met een jerrycan bij de reling stond.

'Dank u wel, *senor*,' zei hij opgewekt. 'We bleven te lang vissen en nu hebben we onvoldoende brandstof om de haven te bereiken.' Hij pakte de jerrycan aan en zette die op het dek. Meteen daarna sprong hij behendig als een kat over de reling aan boord van de Drake. Hij trok een halfautomatisch Glock-pistool uit de holster en richtte de loop op Gunns borst zodra hij tegenover hem stond. 'Zeg tegen je bemanning dat ze met hun gezicht naar zee en hun handen aan de reling gaan staan.'

Gunn herhaalde het bevel voor twee geschrokken matrozen aan dek en de mannen knikten berustend. Ze hieven hun armen en sjokten naar de reling.

Nog twee gewapende kerels klauterden aan boord en stormden naar de brug. Gunn kromp ineen toen hij pistoolschoten hoorde, maar opgelucht zag hij de roerganger even later aan dek verschijnen. Een van de overvallers had de opblaasbare *dinghy* van de Drake opgemerkt en schoot met enkele gerichte schoten het kleine vaartuig lek, zodat de lucht sissend ontsnapte.

Toen een laborant aan dek kwam om te zien wat er aan de hand was, werd hij ruw vastgepakt en naar de andere bemanningsleden geduwd.

Gunn keek naar de lange in het zwart geklede man. 'Wat willen jullie?' De man reageerde niet omdat een walkietalkie aan zijn broeksriem kraakte.

'De dekschuit is onder controle,' klonk een stem uit de luidspreker.

'Vaar met die boot langszij en kom dan ook aan boord van het researchschip,' antwoordde de gewapende man. 'We zijn hier gauw klaar.'

Weer kraakte de radio. 'Pablo, die duikboot is boven water.' De man in het zwart vloekte, boog zich over de reling en zag de bovenkant van de onderzeeboot. Hij stopte de walkietalkie in zijn broekzak, greep Gunn bij zijn kraag en trok hem mee naar de kraan. 'Hijs je vrienden uit het water, maar laat ze niet op het dek zakken.' De man deed een stap achteruit, maar zijn wapen bleef op Gunn gericht.

Gunn strekte zijn handen uit naar de bedieningshendels en hij probeerde koortsachtig te bedenken hoe hij Pitt kon waarschuwen. Maar toen hij de loop van de Glock tegen zijn rug voelde duwen liet hij dat plan meteen weer varen. Gunn haakte de kabel vast en hees de onderzeeboot omhoog. Hij zag machteloos toe hoe het vaartuig in de lucht bungelde.

Even later bonkte de oude dekschuit tegen de achtersteven van de Drake. Een vierde overvaller, ook in donkere kleding en bewapend met een pistool draafde over het dek en sprong aan boord van de Drake. Hijgend kwam hij bij Pablo. Zijn shirt was gescheurd en er drupte bloed uit zijn onderlip.

'Wat is er met jou gebeurd?' vroeg Pablo.

'Die schipper protesteerde nogal heftig.'

Pablo fronste en keek de man hoofdschuddend aan. 'Help mee die kist aan boord te brengen. Nu meteen!'

De man gehoorzaamde gedwee en met twee anderen sjouwde hij de kist die vanaf de Cuttlefish geborgen was naar de Mexicaanse boot.

Gunn besefte opeens dat Ann niet aan dek was. De leider van de bende zwaaide met zijn Glock naar Gunn. 'Waag het niet ons te volgen of ergens hulp te vragen, want dan komen we terug om jullie allemaal af te maken.' Pablo grijnsde naar Gunn en zijn ogen fonkelden. 'En nog bedankt voor de hulp.' De man klom zonder nog om te kijken over de reling en klauterde aan boord van zijn eigen motorboot.

Pitt en Giordino konden vanachter een patrijspoort alleen kijken naar wat zich aan dek afspeelde. Ze konden wel door het luik naar buiten kruipen, maar dan zouden ze van een gevaarlijke hoogte op het dek van de Drake moeten springen. Voor ze iets konden doen was het al voorbij. Toen Pablo over de reling klom zag Pitt iets bewegen op het voordek. Hij keek Giordino aan. 'Zag jij iets over boord gaan, daar bij de brug?'

'Nee,' antwoordde Giordino. 'Ik hield de kerel die Gunn onder schot hield steeds in de gaten.'

Ze zagen dat Pablo aan boord was en meteen voer de boot met grote snelheid weg van de Drake. Maar toen de boot een bocht maakte om naar de kust te koersen zagen ze in het laatste daglicht heel even iets aan de andere kant van het dek. Giordino wees priemend naar de boot. 'Zie jij wat ik zie?'

Pitt had het ook gezien en knikte.

Op het dek lag de gestalte van een doornatte blonde vrouw, die zich verborg in het smalle gangboord van de motorboot die met razende snelheid in de richting van Mexico verdween.

14

Gunn liet de onderzeeboot zo snel mogelijk op het dek zakken, terwijl Pitt en Giordino al bij het geopende luik wachtten.

'Alles in orde met jullie?' vroeg Pitt.

'Niemand is gewond,' antwoordde Gunn. 'Maar die overvallers dreigden ons te doden als we de achtervolging inzetten of hulp vragen.'

'Wat waren het voor kerels?' vroeg Giordino

Gunn schudde zijn hoofd. 'Ik heb geen idee. De leider heet Pablo. Ze hebben de kist meegenomen die jullie uit de Cuttlefish haalden. Enig idee wat erin zit?'

'Nee,' zei Pitt. 'Maar Ann weet dat waarschijnlijk wel. Hoe kon ze aan boord bij de boeven komen?'

'Ann? Die is toch in haar hut?'

'We zagen dat ze zich schuil hield naast de kajuit toen die motorboot wegstoof,' zei Giordino.

Gunn werd bleek. 'Maar ze zullen haar doden als ze haar zien.'

'Neem contact op met de kustwacht. Misschien jaagt een patrouilleboot hier in de buurt op drugssmokkelaars. Maar zeg niets over Ann, voor het geval die overvallers de marifoon afluisteren. Al en ik zullen met de opblaasboot achter ze aan gaan.'

'Dat gaat niet,' zei Gunn. 'Ze hebben de boot lek geschoten, en de marifoon is ook kapot geschoten. We hebben wel een paar draagbare radiozenders waarmee ik de kustwacht kan oproepen, maar onze reddingsboot is onbruikbaar.'

'Laten we eerst kijken hoe het met de schipper van die dekschuit is.

Ze zullen hem wel toegetakeld hebben. Rudi, bel de kustwacht, dan ga ik met Al naar de dekschuit.'

Pitt en Giordino draafden naar het achterschip. De voorkant van de dekschuit duwde tegen de achtersteven onder het dek. De twee mannen sprongen op de schuit en renden over het dek naar de kleine stuurhut op de achterplecht. Ze hoorde een hond grommen toen ze de deur openden. De grijze schipper zat geknield bij het stuurwiel, met zijn hand tegen een bloedende snee op zijn voorhoofd gedrukt. Een bruinzwarte teckel stond waaks voor de man en blafte naar de indringers.

'Koest, Mauser,' zei de schipper.

'Gaat het een beetje, ouwe makker?' Pitt hielp de man overeind toen hij voorbij de teckel was. De schipper was even lang als Pitt, maar kilo's zwaarder.

'Die schurk doemde op uit het niets en begon mijn marifoon te vernielen.' Terwijl de schipper vertelde, keerde de heldere blik in zijn ogen terug. 'Ik gaf hem een flinke dreun, maar hij sloeg mij met de kolf van zijn pistool.'

Giordino vond een EHBO-doos en deed een pleister op de hoofdwond van de schipper.

'Dank je wel, jongen. Wie waren die overvallers?'

'Geen idee,' zei Pitt. 'Maar een van onze mensen is bij ze aan boord. Heb je een sloep die we kunnen lenen?'

'Achter deze schuit hangt een Zodiac. De motor is niet erg sterk, maar je kunt ermee varen.'

De schipper keek naar voren en besefte dat zijn dekschuit de Drake duwde. 'Allemachtig! Ik moet achteruit!' Hij trok de gashendel naar achteren, schakelde in achteruit en daarna in neutraal. Met gefronste wenkbrauwen keek hij naar Pitt. 'Kijk uit met die schurken.'

'Dat doen we zeker.' Pitt knikte geruststellend naar de schipper en volgde Giordino uit de stuurhut. Toen hij naar buiten liep keek hij even naar het getuigschrift van de schipper en hij zag de naam op het document: Clive Cussler. Even verscheen er een frons op zijn gezicht en toen haastte hij zich naar buiten.

Giordino had de opblaasbare boot al losgemaakt. De twee mannen gooiden de Zodiac over de reling en sprongen aan boord. Pitt startte de buitenboordmotor en vol gas voeren ze weg van de dekschuit in de richting van de kust.

De Mexicaanse motorboot was ondanks de invallende duisternis nog te zien en Pitt zette de achtervolging in. Maar ze konden de motorboot niet inhalen, want die voer minstens tien knopen sneller over de golven dan de kleine Zodiac. Pitt kon de boot alleen in zicht houden en inschatten waar de bemanning ergens aan land zou gaan.

'Je hebt onze paspoorten toch wel meegenomen?' riep Giordino. Ze koersten recht op de Mexicaanse kust af.

'We hebben meer aan een granaatwerper.'

Giordino had de boot al doorzocht, maar het enige bruikbare wapen was een klein anker. Pitt wilde geen confrontatie met de overvallers, hij was alleen bezorgd over Anns veiligheid.

De schimmige motorboot voor hem verdween in de verte en hij vroeg zich af wat de NCIS-agente van plan was.

15

Ann lag doorweekt in het gangboord van de motorboot en stelde zich dezelfde vraag. Ze wilde de boot rechtstreeks naar San Diego varen, maar dat was onmogelijk omdat er vier gewapende kerels aan boord waren. Ze tastte langs haar rug naar de holster om te controleren of ze de SIG Sauer P239 niet kwijtgeraakt was toen ze in het water sprong.

Haar besluit om ongezien aan boord van de Mexicaanse boot te klauteren was meer aangestuurd door adrenaline dan door strategisch denken. Ze kwam uit een van de laboratoria en wilde een veilige plek voor Heilands kist zoeken toen ze Pablo aan dek zag met een wapen op Gunn gericht. Meteen dook ze weg en keerde terug naar haar hut om haar wapen te halen. Toen een van de overvallers ieders aandacht trok door op de opblaasbare reddingboot van de Drake te schieten sloop ze naar de brug en zag dat de marifoon vernield was. De bemanning was verrast door de aanval van de overvallers, maar Ann begreep meteen dat ze voor de kist waren gekomen. Die kist was ook de werkelijke reden voor Anns aanwezigheid aan boord, niet het lichaam van Eberson. De overvallers handelden snel en de kist was al aan boord van de Mexicaanse boot voordat Ann een tegenaanval kon bedenken. Ze had maar één gedachte: als de kist niet gered kon worden dan moest hij vernietigd worden. Met bonkend hart keek ze door de deuropening van de brug naar buiten. Pablo stond met Gunn bij de bungelende onderzeeboot, terwijl de andere overvallers de kist aan boord van de motorboot vast sjorden.

Ann haalde diep adem om vanaf de brug overboord te duiken. Haar jarenlange ervaring met schoonspringen kwam hier van pas. Ze spande haar spieren en strekte haar handen boven haar hoofd, om recht de zee in te duiken. Ze raakte het water verticaal en veroorzaakte nauwelijks een plons. Het koele oceaanwater in de diepte bezorgde haar een rilling en even later zwom ze in de richting van de motorboot.

Ze bleef dicht bij de romp om niet gezien te worden. Ze hoorde een man aan boord springen en merkte dat de motorboot wegdreef van de Drake. De motor werd gestart en de boot schoot naar voren. Met een snelle beweging trok ze zich aan een steun van de reling omhoog en sloeg haar been over de rand van het gangboord. Ze werkte zich verder naar boven en rolde op het smalle gangboord naast de kajuit.

Ze bleef stil liggen en probeerde weer op adem te komen en moed te verzamelen, terwijl de motorboot naar de kust raasde. De tocht zou ongeveer een halfuur duren. Dat het steeds donkerder werd was gunstig en ze wachtte tot de hemel helemaal zwart werd. Zout water spatte op haar gezicht en de boot danste bonkend als een rodeopaard over de golven. Ann moest zich schrap zetten en ze bad in stilte dat niemand haar zou opmerken.

Pablo en zijn mannen stonden bij de reling op de achtersteven en keken naar de Drake achter hen. De dekschuit lag in hun blikveld zodat ze de Zodiac niet konden zien. Na een tijdje ging het groepje de kajuit in. De hemel werd steeds donkerder en Ann kroop langs de reling naar achteren tot ze het achterdek kon zien. Een gespierde kerel zat daar op een bank. Hij dronk uit een flesje Dos Equis. Hij had een vuurwapen binnen handbereik en staarde voor zich uit. Met zijn hoge voorhoofd en volle baard vond Ann dat de man op een jeugdige Fidel Castro leek. Vastgesjord aan dek stond de kist van Heiland en de man gebruikte die als voetensteun.

Ann had weinig kans in een vuurgevecht met de hele bemanning, maar deze enkele tegenstander kon ze met een verrassingsaanval wel overmeesteren. Haar doel was simpel: ze wilde de kist onmiddellijk overboord gooien. Misschien kon Pitt hem later op de zeebodem opsporen met het NUMA-schip, maar in elk geval bleef de inhoud dan uit vreemde handen.

Ze kroop behoedzaam verder langs de reling, plat over het dek. Ze hoorde stemmen in de kajuit maar ze kon niets zien van het interieur. De stuurstand was boven de kajuit en Ann zag de benen van de roerganger op een meter afstand. Omdat de boot steeds dichter bij de kust kwam hoopte Ann dat de man strak voor zich bleef kijken. Ze trok de compacte SIG Sauer uit de holster en hield het wapen bij de loop vast. Ze sprong naar Fidel. De man had haar niet gehoord. Ze mikte op de slaap van de man, maar de kolf raakte zijn hoofd hoger en ketste over zijn kruin. De man maakte een grommend geluid en rolde opzij, zijn wapen viel op het dek. Ann schopte het wapen weg en knielde naast de kist om de sjorringen los te maken. De bewaker bij de kist was door de klap even verdoofd en greep naar zijn bloedende hoofd. Met zijn andere hand tastte hij naar zijn wapen, maar hij voelde Anns enkel. Woedend klemde hij haar enkel in zijn grote vuist en trok uit alle macht. Ann verloor haar evenwicht en viel languit op het dek. Maar haar reflexen werkten snel en ze krabbelde meteen weer overeind. De man hield haar linkerenkel nog steeds vast en Ann kon met haar rechtervoet naar zijn hoofd trappen. Hij kreunde en trok nog harder en schopte Ann nog een keer, waarbij ze zijn kaak raakte. De vingers om haar enkel verslapten en met een glazige blik zakte de man terug op het dek.

Ann ging snel verder met het losmaken van de sjorringen om de kist en dat lukte even later. Ze sleepte de kist naar de reling en tilde een kant ervan op. Ze bukte om ook het andere eind op te lichten en verstijfde toen. Een koude stalen ring werd tegen haar nek gedrukt.

'Die kist blijft aan boord, dame,' klonk de zware stem van Pablo en hij drukte de loop van zijn Glock steviger tegen Anns nek.

16

De kust was bezaaid met fonkelende lichtjes die samen een amber-kleurige gloed vormden, maar Pitt ergerde zich aan het serene tafereel. Het silhouet van de Mexicaanse boot was allang uit het zicht en alleen aan de navigatielichten was de koers te volgen. Omdat de snelle boot steeds verder weg was kon Pitt de navigatielichten niet meer onderscheiden tussen de lichten op de kust. Pitt stuurde de Zodiac strak naar de positie waar hij de Mexicaanse boot het laatst had gezien en hij hoopte dat de koers niet veranderde. Hij besefte niet dat er langs de Mexicaanse kust vanaf de zuidgrens geen natuurlijke havens zijn over een afstand van vijfendertig mijl. Na een tijdje door-varen kwam de Zodiac dicht bij de kust, met de vele lichten op de hellingen. De zee rond hen leek verlaten en Pitt stuurde wat meer naar het zuiden. Twee minuten later zagen ze iets. 'Daar!' riep Giordino en hij wees naar voren.

Een mijl voor hen konden ze een kleine, rotsige uitstulping ontwaren, die zich als een vinger in de oceaan uitstrekte. Er was een primitieve kade aangelegd op de eerste twintig meter van de rotspunt, en daar lag een verlichte boot afgemeerd. Toen ze dichterbij kwamen zagen Pitt en Giordino dat enkele gestalten over de kade naar een wachtende pick-uptruck liepen. Twee mannen liepen terug naar de boot en sjouwden een langwerpige kist naar de open achterbak van de auto.

'Dat is onze kist,' zei Giordino. 'Zie je Ann ergens?'

'Nee, maar ze kan ook een van die groep bij de auto zijn. Ik zal pro-beren aan de andere kant van de pier bij de kant te komen.'

Pitt liet de Zodiac een wijde boog om de pier beschrijven en hij minderde gas zodat de buitenboordmotor minder lawaai maakte. Toen ze dichterbij kwamen voer de Mexicaanse boot opeens weg van de kade en koerste om de pier. De snelle boot miste de ongeziene Zodiac maar net en raasde weg langs de kust.

De Zodiac schommelde heftig op de golven die de motorboot had veroorzaakt en de brandstoftank viel om. Pitt schudde de tank voor hij die weer rechtop zette. 'We hebben niet genoeg benzine om die boot te achtervolgen.' Pitt zag de achterlichten van de pick-up oplichten toen de motor werd gestart. 'We kunnen beter aan land gaan.'

Hij gaf meteen gas en deed niet meer zijn best om ongezien bij de pier te komen. De Zodiac raasde langs de pier en in het licht van huizen in de buurt zag hij dat de pier zich uitstrekte naast een glooiend zandstrand. Pitt stuurde de rubberboot door de branding tot op het zand en hij zag dat de pick-up begon te rijden.

Giordino sprong op het natte zand en had de boot al tot voorbij de vloedlijn gesleept voordat Pitt de motor uit had gezet. De twee mannen renden naar de weg. De pick-up was honderd meter voor ze en ze zetten de achtervolging in, omdat ze weinig anders konden doen. De auto reed langzaam over de hobbelige keien tot aan een helder verlichte en geasfalteerde weg met veel verkeer. Langs de weg waren kleine winkeltjes gevestigd in vervallen, gestuukte gebouwen. De meeste waren al gesloten, maar de *cantina's* en bars trokken wel een stroom flanerende toeristen. De auto sloeg links af en reed even wat sneller, om dan weer af te remmen in de verkeersdrukte. Een paar tellen later kwamen Pitt en Giordino bij de kruising.

'Ik loop niet graag een marathon in het donker zonder mijn reflecterende shorts,' hijgde Giordino toen ze de truck zagen optrekken.

'En ik vergat mijn hoofdband die me altijd geluk brengt,' antwoordde Pitt.

Ze keken tevergeefs uit naar een taxi. Pitt wees naar de volgende straathoek. 'Ik geloof dat daar een leenauto staat.'

Twee elektriciens in grijze overalls werkten aan de schakelkast van een bedrijfspand. En wanneer ze in de avonduren bijklusten naast hun werk bij het Mexicaanse staatselektriciteitsbedrijf, gebruikten ze ook een auto van de zaak. Een eindje verder stond het busje geparkeerd, met beide portieren wijd open en de radio keihard aan. Pitt en Giordino sprintten naar de bestelbus en stapten in. De sleutels bungelden aan het contactslot en voordat de elektriciens beseften wat er gebeurde, had Pitt de motor al gestart en hij reed met gierende banden weg.

'*Alto! Alto!*' schreeuwde een van de monteurs. Hij liet zijn schroevendraaier vallen en rende achter de auto aan. Zijn collega keek even verbluft en pakte toen zijn telefoon om driftig te bellen.

Pitt maakte vaart en de monteur had het nakijken. Gereedschap en rollen draad tuimelden uit de open achterkant van het busje, totdat Pitt over een verkeersdrempel hobbelde en de achterdeuren daardoor dichtklapten.

'Die kerels hebben morgen wat uit te leggen aan hun chef,' zei Giordino.

'Hun baas zal echt nooit geloven dat deze auto gestolen werd door een paar joyriders.'

'Misschien niet, maar we moeten toch een beetje voorzichtig zijn.' Giordino klopte op het dashboard. Pitt reed door een diepe kuil en beide mannen vlogen op van hun stoel.

Ze hadden de pick-up uit het oog verloren, en daarom reed Pitt allesbehalve rustig. Hij trapte het gaspedaal steeds tot de bodem in en haalde roekeloos in op de smalle weg. Hij moest boven op de rem gaan staan voor een overstekende vrouw met een paar kippen in een kooitje, en bij de laatste bebouwing kon hij nog net een roedel zwerfhonden ontwijken.

De weg meanderde langs een heuvel omhoog. Er was hier geen verkeersdrukte en ook geen bedrijvigheid. Straatverlichting was er evenmin. Pitt haalde een roestige Volkswagen in en hij zag de pick-up een paar honderd meter verder. De kleine motor jankte toen Pitt het gaspedaal tot op de bodem ingedrukt hield en de weg een scherpe bocht maakte, zodat de banden stofwolken opwierpen naar een geparkeerde Dodge Charger die in de berm geparkeerd stond. Opeens werden de lichten van de Dodge aangezet en de auto kwam in beweging.

'Heb je nog steeds medelijden met die monteurs?' vroeg Pitt.

'Ach, wel een beetje. Hoezo?'

'Ik denk dat ze de *Federales* gebeld hebben.'

'Waarom denk je dat?'

Pitt keek in het spiegeltje en zag de zwaailichten op het dak van de Dodge.

'Omdat ze nu achter ons rijden.'

17

De zwaailichten wierpen blauwe en rode stralen op de donkere hellingen. Een eind verder op de weg klemde de bestuurder van de pick-up het stuur steviger vast zodra hij de lichten achter hem opmerkte.

'Pablo! Politie. Ze stonden te wachten bij die bocht.'

Pablo zat op de achterbank. Hij keek om en toen naar de snelheidsmeter.

'Je reed toch niet te hard?'

'Hoogstens een paar kilometer, dat zweer ik je.'

Pablo was niet onder de indruk en zijn bolle gezicht bleef onverstoorbaar. 'Zorg dat je ze kwijtraakt, voordat we dicht bij het vliegveld zijn,' commandeerde hij.

'Als het nodig is gooien we de wapens uit de auto. En die meid.'

Ann verstijfde. Ze vroeg zich af of de overvallers haar eerst zouden vermoorden. Ze zat tussen Pablo en de man met de baard en wist niet voor wie ze banger moest zijn. Juan had een blauw oog en opgedroogd bloed op zijn wang. Hij drukte zijn pistool tegen haar ribben en de scheve grimas verdween geen moment van zijn gezicht. Haar handen waren vastgebonden en ze werd steeds onder schot gehouden sinds Pablo haar op de boot had ontdekt. Ze was doodsbang, maar nu kreeg ze een sprankje hoop, omdat de Mexicaanse politie in de buurt was. Misschien had Pitt ze gewaarschuwd. In stilte bad ze dat ze niet geraakt werd als er een vuurgevecht ontstond.

De chauffeur accelereerde fel en de pick-up raasde bonkend over de hobbelige weg. De auto zwenkte door scherpe bochten tot aan het hoogste punt op de kust. Daarna daalde de weg kronkelend naar de brede vallei met de grensstad Tijuana.

Ontelbare lichten fonkelden door de wazige nevel boven de stad. Dat uitzicht verdween al spoedig toen de pick-up de rand van de stad bereikte. De bestuurder keek achterom en zag dat de afstand tot de politieauto met de zwaailichten groter was geworden.

De auto naderde een drukke vierbaansweg rond de zuidkant van Tijuana. Pablo zag dat de chauffeur naar de snelweg koerste. 'Nee, blijf weg van de snelweg. Rij door de stad, dan raken we de politie sneller kwijt.'

De bestuurder knikte en reed naar het drukke gedeelte van Tijuana. Hij keek weer in het spiegeltje.

Een andere auto reed nu voor de politieauto: het was de bestelbus. Pitt zette alles op alles om ondanks de politieauto dichter bij de pick-up te komen. Pitt had de kleine motor van de bestelbus bijna laten smelten tijdens de rit omhoog. De krachtige Dodge van politie kon de wagen gemakkelijk bijhouden en bleef pal achter Pitt rijden. Pitt slaagde erin een kleine voorsprong op te bouwen door de motor maximaal op te jagen toen de weg naar beneden helde. Grind spatte op als hij door bochten scheurde, er meer op gebrand de pick-up bij te houden dan de politieauto af te schudden. De bestuurder van de Dodge was minder roekeloos en daardoor werd de afstand met de bestelbus iets groter terwijl ze in de richting van de stad raasden.

'We moeten iets doen om die agenten kwijt te raken,' zei Pitt toen ze de stad met bijna twee miljoen inwoners binnen reden. Giordino keek naar het laadruim, vol gereedschap en elektromateriaal dat heen en weer rolde tijdens de wilde rit.

'Ik zal eens kijken of er iets ligt om de Federales af te schrikken.' Hij klom naar het laadruim, terwijl de auto over de weg zwenkte. Langs de wanden van het laadruim lagen rollen elektriciteitsdraad, bussen vol verbindingsstukken en allerlei gereedschap. Niets leek geschikt als wapen tegen de politie. Toen zag hij een rek met buizen, bestemd om elektriciteitsdraad mee te beschermen. De gegalvaniseerde stukken buis waren ruim een meter lang en aan de uiteinden zat schroefdraad. Giordino vond ook een bak met koppelstukken. 'Ik heb iets gevonden!' riep hij naar Pitt. Even later raasde de bestelbus langs een oprit naar de snelweg verder in de richting van de stad. De pick-up sloeg rechts af bij een verkeerslicht twee blokken verder. Pitt waarschuwde Giordino.

'Hou je vast!' Hij liet het gaspedaal opkomen, zodat de politieauto dichterbij kwam. Toen hij een meter of tien voor het verkeerslicht was schreeuwde Pitt: 'Nu!'

Giordino trapte de achterdeuren open en schoof een drie meter lange buis, gemaakt van drie aan elkaar gekoppelde delen, naar buiten. Hij klemde het eind in de buis met een houten wig tegen een wielkast, en met draad aan de scharnieren van de achterdeuren en om de buis gewikkeld verhinderde hij dat de lange buis heen en weer kon bewegen. Pitt gunde hem een paar seconden tijd om uit het laadruim te klauteren en trapte uit alle macht op de rem. De politieman achter het stuur had al vaart geminderd toen hij zag dat er een lange buis als een middeleeuwse lans uit de bestelbus werd gestoken. Hij remde krachtig toen hij de remlichten van de bestelbus zag opgloeien, maar het voertuig van Pitt was lichter en hij versterkte het effect nog door meteen in zijn achteruit te schakelen zodra de auto stilstond. De politieauto ramde de achterbumper van de bestelbus, maar de geïmproviseerde lans van Giordino had de grille en de radiator al gespietst, om daarna het motorblok te raken en als een harmonica in elkaar te drukken. Een wolk stoom verscheen boven de motorkap, maar de politieagenten zagen dat niet omdat beide airbags explodeerden.

Pitt schakelde in de eerste versnelling en trapte het gaspedaal in. Achter de auto klonk een knarsend geluid tot de bumper van de Dodge losraakte en de bestelbus vooruit sprong. Giordino keek achterom en zag de spies uit de grille van de auto steken, als de lange snavel van een kolibrie met daarachter opstijgende stoomwolken.

Giordino zat weer op zijn stoel. 'Nu heb je echt wat uit te leggen aan die monteurs.'

Pitt klemde het stuur steviger vast en stoof gejaagd over de weg. Spoedig zou elke politieagent in Tijuana naar de gehavende bestelbus uitkijken. Hij ging met gierende banden door een bocht en trapte het gaspedaal weer tot de bodem is. Ze moesten Ann redden. En snel.

18

'Ik zie die zwaailichten niet meer.' De bestuurder van de pick-up grijnsde naar Pablo. Jarenlang drugsgebruik had zijn gebit in bruine stompjes veranderd. 'Ik denk dat we ze afgeschud hebben.'

'Trek geen aandacht met je rijstijl,' waarschuwde Pablo, 'maar we moeten wel zo snel mogelijk naar het vliegveld.'

De bestuurder keek naar de route op het navigatieschermpje. De weg liep zigzag door de stad naar het vliegveld aan noordoostkant van Tijuana. Terwijl hij telkens in het spiegeltje keek of ze gevolgd werden door politieauto's besteedde hij weinig aandacht aan de kleine bestelbus die op korte afstand volgde.

Toen ze het stadscentrum naderden werd het verkeer drukker. De chauffeur van de pick-up reed in oostelijke richting door de Plaza El Toreo, waar veel mensen op de smoezelige trottoirs liepen. Hij ontweek roekeloos overstekende voetgangers en bonkte door een diepe kuil in het wegdek, zodat de losse kist in de achterbak op en neer danste. Pitt en Giordino zagen de kist bewegen.

Giordino wreef over zijn kin. 'Wat zou er toch in die kist zitten dat zo veel opwinding veroorzaakt?'

'Wist ik het maar.' Pitt moest zijn ergernis beheersen, nu hij zonder waarschuwing vooraf de bemanning van de Drake in gevaar had gebracht.

Giordino wees naar de pick-up. 'Als je naast de laadbak gaat rijden, dan kan ik de kist misschien grijpen.'

Pitt dacht even na over het idee. Met een gestolen auto en zonder wapens hadden ze weinig kans de overvallers in de pick-up te overmeesteren. Hun mogelijkheden waren beperkt en levensgevaarlijk. 'Misschien kunnen we de kist dan ruilen voor Ann, als ze ons niet meteen doodschieten,' zei hij.

Ze hadden het voordeel dat het druk was in de stad en dat daar vaak confrontaties tussen criminele bendes voorkwamen. Giordino vond dat ze het konden riskeren. Pitt bleef dicht achter de bumper van de pick-up rijden en hij wachtte op een kans om naast de andere auto te komen. De auto's kwamen bij een stopbord, maar beide negeerden het. Pitt zag knarsetandend dat een politieauto in tegenovergestelde richting reed en hij keek in het spiegeltje om te zien wat er achter hem gebeurde. De politieauto keerde de auto door onhandig in een smalle steeg te draaien en reed bijna een knaap op een motorfiets aan bij de woeste manoeuvre.

'Ik denk dat we erbij zijn,' zei Pitt.

Giordino draaide het zijraampje open. 'We moeten snel zijn.'

Pitt stuurde dichter naar de pick-up en zag opeens zwaailichten achter hen. De politieauto probeerde een kruising te passeren, maar een oplegger blokkeerde de weg door langzaam af te slaan. Pitt keek naar voren en hij wachtte tot een gedeukte Isuzu gepasseerd was en er geen tegenliggers naderden. Hij gaf vol gas en ging naast de pick-up rijden. Giordino leunde uit het zijraam, strekte zijn armen uit naar de laadbak en graaide naar de kist.

De bestuurder van de pick-up was al gealarmeerd door de zwaailichten van de politieauto en hij zag in zijn spiegel dat Giordino uit het raam hing. Meteen trapte hij op de rem. Giordino trok zich nog net op tijd terug in de cabine, om niet geraakt te worden door de cabine van de pick-up. Even reden de twee auto's precies naast elkaar.

'Ik had hem bijna,' zei Giordino. 'Laat me nog een keer proberen.'

Giordino zag dat de vent in de auto naast hem woest het raampje opendraaide.

Pitt paste zijn snelheid aan en toen hij naar voren keek zag hij een tegemoetkomende cementauto naderen. 'Schiet op!' riep hij en hij remde af. De pick-up accelereerde en Pitt probeerde de andere auto bij te houden terwijl de tegenligger frontaal naderde.

Toen de bestelbus naast de open laadbak van de pick-up reed hing Giordino weer zo ver mogelijk uit het raampje en hij greep het handvat aan de zijkant van de kist. Met een harde ruk trok hij de kist uit de laadbak en de kist bungelde naast de auto. 'Hebbes!' Pitt had geen ruimte om voor de pick-up te komen en daarom remde hij krachtig. Maar de pick-up remde ook, zodat Pitt wel op de rijbaan voor de aanstormende cementauto moest blijven. Links was een smalle zijstraat en Pitt gooide het stuur om terwijl hij weer vol gas gaf. In de pick-up had Juan eindelijk het raampje geopend. Hij richtte zijn Glock 22 op de bestelbus en vuurde in het wilde weg een salvo af, tot de bestuurder schreeuwde: 'Kijk uit!' Maar het was te laat. Juan keek naar voren en zag de voorbumper van de cementauto een fractie voordat hij ter hoogte van zijn hals geraakt werd. Zijn kleren haakten aan het metaal en hij werd meegesleept. Zijn beide benen verbrijzelden toen hij naar achteren werd gerukt. Pitt wist een botsing nog net te voorkomen door naar links te zwenken. De bestelbus schoot rakelings voor de cementauto langs en miste op een haar de voorbumper, en op hetzelfde moment werd er een salvo kogels afgevuurd op de deur aan de passagierszijde. Alleen de laatste kogel richtte schade aan door de kist te versplinteren en langs Giordino's hand te schampen. In een reflex liet hij de kist los zodat die op straat viel. In paniek trapte de chauffeur van de cementauto op de rem. Juan greep zich even vast aan de voorbumper, maar hij gleed weg en belandde onder een voorwiel. Het andere voorwiel reed over de kist. De zware cementauto kwam slippend tot stilstand, maar de resten van Juan en de kist waren al onder beide voorwielen vermorzeld.

Verbijsterd door het tafereel dat in het spiegeltje te zien was verloor de chauffeur van de pick-up de macht over het stuur. Hij zwenkte naar rechts en botste tegen een Chevy Cobalt die langs de stoep geparkeerd stond. Krakend kwam de pick-up tegen de achterbak van de kleine auto tot stilstand. Met een knal explodeerde een voorband die tegen een scherpe metaalrand scheurde.

Aan de andere kant van de straat caramboleerde de bestelbus voor de cementauto langs tegen de achterkant van een SUV. In de zijstraat was het verkeer vastgelopen en Pitt kwam slippend tot stilstand. Op de trottoirs en op straat liepen veel mensen zodat het verkeer gestremd werd. Pitt zag de zwaailichten reflecteren in de etalageruiten. De politieauto kwam dichterbij.

'Dit lijkt me een goed moment om afscheid te nemen van deze leenauto,' zei Pitt.

Giordino schudde zijn hoofd. 'En ik raak juist gewend aan deze bus.' Hij pakte een rol tape en verbond zijn bloedende hand.

'Alles oké?' vroeg Pitt toen hij zag dat zijn kameraad gewond was.
'Ik overleef het wel.'

Ze sprongen uit de auto en verdwenen in de menigte die zich rond de cementauto vormde. Ze negeerden het platgereden lichaam van Juan en liepen naar de verbrijzelde kist. Er was weinig te zien. Een warboel van draden, printplaten en metalen behuizingen lag uitgespreid onder de auto, als een robot waar sectie op is verricht. Wat er ook in de kist had gezeten, herstel was onmogelijk.

Pitt en Giordino liepen van de cementauto weg toen twee politie-agenten met getrokken pistolen naderden. Ze baanden zich een weg door de toeschouwers naar de pick-up, onopvallend tussen de menigte. Op het trottoir was het nog drukker en ze bewogen met de stroom mee naar de gehavende auto en de pick-up. Pitt werkte zich naar voren en keek bezorgd in de auto.

Beide deuren stonden open, maar Ann en de andere inzittenden waren verdwenen.

19

Pablo had verbijsterd gezien hoe de kist kapot gereden was. De dood van zijn maat was daarbij vergeleken onbelangrijk. Zijn gezicht liep paars aan en hij luchtte zijn woede op Ann.

'Wat weet jij van dat apparaat?' Hij porde haar met zijn wapen.

Ann klemde haar kaken op elkaar en zweeg.

'Pablo... De politie komt eraan.' Het gezicht van de bestuurder werd bleek en zijn vingers beefden boven het stuur.

Pablo staarde naar Ann. 'Je zult het later vertellen. Doe wat ik zeg, anders dood ik je hier. En nu uit de auto!'

Ann volgde hem uit de pick-up nadat de bestuurder een jasje over haar geboeide handen had gelegd. Ze keek om naar de bestelbus maar zag Pitt en Giordino niet. Ze was net zo erg geschrokken als Pablo toen ze naast de pick-up waren opgedoemd en ze vroeg zich af hoe ze hen had kunnen achtervolgen. Zodra ze op het trottoir stonden sprak een jongeman in een donker zijden shirt de bestuurder aan.

'Dat is mijn auto,' zei hij en hij wees naar de Chevrolet. 'Kijk nou toch wat je gedaan hebt!'

Pablo ging voor hem staan en onopvallend drukte hij zijn pistool tegen de maag van de jongeman. 'Hou je koest, anders ben je er geweest,' zei hij zacht. De man wankelde achteruit en knikte heftig. Zijn ogen waren groot van angst, hij draaide zich snel om en vluchtte weg. Pablo greep Ann bij haar arm en keek over zijn schouder. Hij zag politieagenten uit hun auto stappen en hij keek naar de omstanders. Hij zag de twee Amerikanen in werkkleding die naar de achterwielen van de cementwagen keken. Hij had het tweetal herkend toen ze met een bestelbusje naast hem kwamen rijden: het waren de mannen die eerder in de kleine onderzeeboot van de Drake hadden gezeten.

Hij draaide zich om en duwde Ann ruw naar voren. 'Lopen.'

'En hoe moet het met Juan?' De bestuurder keek met een grimas van afgrijzen naar de cementauto.

Pablo antwoordde niet en negeerde het verminkte lichaam van zijn dode maat. Hij leidde Ann naar het midden van de drukte op het trottoir.

Even later verschenen Pitt en Giordino bij de pick-up en ze speurden rond of ze Ann konden ontdekken in de menigte. Een meisje zat op de stoeprand en verkocht bloemen uit een kartonnen doos. Ze zag dat Pitt haar aankeek en hield een bos margrieten omhoog. Pitt betaalde de bloemen en gaf ze haar met een glimlach meteen weer terug. Blozend rook ze aan de bloemen en wees de straat in. Pitt knipoogde naar haar en liep in de aangegeven richting. 'Deze kant op, Al,' zei hij.

Er liepen meer mensen toen ze verder kwamen. Pitt keek naar de bewegende massa en probeerde Anns blonde haar ergens te ontdekken. Ze liepen met de stroom mee naar het einde van de straat en kwamen bij een groot en vol parkeerterrein. Nu zagen Pitt en Giordino waar de mensen naartoe liepen. Een recent gerenoveerd stadion rees op achter het parkeerterrein. Het gebouw was rond, maar wel kleiner dan een gewoon Amerikaans honkbalstadion. Stromen mensen liepen naar het gebouw over de hellende paden aan beide kanten. Pitt zag de neonletters PLAZE EL TOREO op de gevel.

'Voetbal?' vroeg Giordino.

'Nee. Een stierengevecht.'

'Ach, dan had ik beter rode kleren aan kunnen trekken.' Giordino had niet gemerkt dat zijn bloedende hand een rode vlek op zijn broekspijp had gemaakt. Ze liepen over de hellende toegang met de laatste toeschouwers. De geur van geroosterde maïs uit een stalletje verspreidde zich in de avondlucht. Giordino ademde diep in en probeerde zo de nare stank van smeulend afval in de omgeving, vermengd met de uitwaseming van zweet en alcohol van de toeschouwers te verdrijven.

Pitt bleef voor zich uit kijken en zag een grote man het stadion binnen gaan naast een blonde vrouw. 'Ik geloof dat ik haar zie.'

Giordino werkte zich als een bulldozer door het gedrang naar voren, gevolgd door Pitt. Terwijl ze zich een weg baanden door de menigte vroeg Pitt aan Giordino: 'Heb jij geld bij je?'

Giordino zocht in zijn broekzakken en haalde een paar bankbiljetten te voorschijn. 'Bij het pokeren aan boord van de Drake had ik geluk.'

'Er waren ook geen ervaren pokeraars aan boord,' merkte Pitt schamper op en hij nam een biljet van twintig dollar dat hij aan de kaartverkoper gaf. Ze wachtten niet op wisselgeld en passeerden zo snel mogelijk de tourniquets om het stadion in te gaan.

Trompetten van een orkestje schetterden toen een groep matadors en hun assistenten de arena betraden, en de *cuadrilla* paradeerde in een kleurige processie een ronde over het zand. De opgewonden menigte joelde en juichte op de tribunes. In de massa toeschouwers waren Ann en haar begeleider nergens te zien.

'Misschien gingen ze meteen naar een uitgang aan de andere kant,' opperde Pitt.

Giordino knikte. 'Dan kunnen we beter splitsen.'

Ze daalden een trap af naar het lagere gedeelte van de arena. Giordino ging naar rechts, Pitt naar links. Pitt werkte zich langs de eerste rijen stoelen, en tuurde scherp naar de toeschouwers, maar zonder succes. Toen de fans opeens juichten keek hij naar de ring waar een matador zijn entree maakte voor het eerste gevecht. Een versierde stier, een Donatello, werd de arena in geleid voor de confrontatie met de matador. Eerst negeerde de stier de man en krabde met een hoef in het zand, onverschillig voor het gejoel van het publiek.

Pitt baande zich een weg langs het volgende vak vol toeschouwers, en probeerde de venters met koude frisdrank en suikerspinnen te ontwijken. Opeens zag hij een blonde vrouw bij een gangpad zitten. Het was Ann. De grote gestalte van Pablo zat naast haar en de man keek spiedend om zich heen. Al spoedig had hij Pitt opgemerkt en keek strak in zijn richting. Pablo wisselde snel enkele woorden met de chauffeur naast hem, stond toen op en trok Ann overeind. Ze keek met een smekend en angstig gezicht even naar Pitt. De chauffeur stond ook op en keek naar Pitt. Pablo trok Ann mee naar het gangpad en leidde haar de treden af naar het pad rond de arena.

Pitt draafde de dichtstbijzijnde trap af, een vak vol joelende toeschouwers verder. De chauffeur deed hetzelfde langs de volgende trap. Toen Pitt bij de ronde wand om de arena kwam liep hij naar Ann en

Pablo, die met een kleine voorsprong wegrenden. De chauffeur sprong voor Pitt en versperde hem de weg.

Pitt aarzelde geen moment en gaf de chauffeur een kaakslag. De man wankelde tegen de wand. Zonder hem tijd te gunnen zich te herstellen beukte Pitt nog een aantal keren op zijn hoofd. De chauffeur probeerde instinctief de slagen te ontwijken en hief zijn handen afwerend op in plaats van zijn wapen te trekken. Even later had hij zich hersteld en zette hij de tegenaanval in, zwaaiend met beide vuisten. Pitt dook weg voor de eerste kopstoot, maar meteen daarna kreeg hij een dreun in zijn ribben die hem naar adem deed happen.

Pitt reageerde met weer een aantal vuistslagen op het hoofd van zijn tegenstander en de man werd tegen de wand om de arena gedreven.

De chauffeur sloeg zijn arm om Pitt heen en graaide met zijn rechterhand naar zijn wapen. Maar zijn voeten raakten verstrengeld met Pitts voeten en beide mannen verloren hun evenwicht. Ze vielen achterover tegen de ronde wand. De chauffeur trok zijn wapen, maar moest zich steunen met dezelfde hand. Hij tastte naar de wand en Pitt raakte met zijn elleboog de arm van de man. Het wapen viel en beide mannen rolden over de wand.

Toeschouwers dichtbij zagen verbluft dat de twee mannen in de arena vielen. In het midden stond de matador met zijn rug naar ze toe en hij zag niet wat er gebeurde omdat zijn aandacht op de stier was gericht.

Pitt viel hard op zijn schouder toen beide mannen op het zand belanden en uit elkaar rolden. De chauffeur krabbelde als eerste overeind en zocht naar zijn gevallen vuurwapen. Hij liep wankelend naar de wand en botste tegen een rek gevuld met *banderillas,* de vlijmscherpe speerpunten, versierd met kleurige linten, de wapens van de *banderilleros*, de assistenten van de matador. Zij gooiden de speren naar de rug van de stier, waardoor het dier agressief werd en tegelijkertijd zijn nekspieren verzwakten, zodat hij met gebogen kop moest aanvallen.

Pitt hervond net zijn evenwicht toen de chauffeur een van de speren pakte en naar hem gooide. De speer vloog te hoog door de lucht en Pitt kon het projectiel gemakkelijk ontwijken. Hij deed een paar stappen achteruit terwijl de chauffeur nog drie banderillas pakte. Pitt zag de cape van een matador aan een haak naast hem hangen. Hij pakte het kledingstuk en gebruikte het als een schild. Met behendige bewegingen, een *veronica,* probeerde de matador uit te lokken dat de stier ging aanvallen. Het grote dier stoof rakelings langs de matador. Hij ontweek de cape van de matador, deed een paar stappen en bleef toen staan omdat hij zag dat Pitt en de chauffeur over de wand in de arena tuimelden.

Sommige stieren zijn kalm in de ring en moeten met speren en door gepor aangespoord worden om aan te vallen. Andere stieren hebben een agressief karakter en stormen af op alles wat beweegt. De roestbruine Donatello was een uiterst vechtlustige stier. Ook al moest hij nog geprikkeld worden door de banderilleros, het was een volgroeid en sterk dier. De stier stapte op zijn nieuwe tegenstanders af en loerde naar beide mannen.

Pitt zag de stier naderen, maar de chauffeur keek naar Pitt en zag de stier niet.

De chauffeur deed een stap naar voren en bestookte Pitt met de speren. Pitt richtte zijn aandacht op de scherpe wapens en weerde de eerste af met zijn cape. De tweede speer miste hem net omdat hij snel een stap opzij deed. De chauffeur wilde de laatste bandillera werpen en deed een stap naar voren om beter te richten. Toen hij gooide viel de stier aan. De worp was perfect op Pitt gericht en de vlijmscherpe punt zou hem recht in de borst geraakt hebben als hij de cape niet afwerend voor zich hield. De speer doorboorde de cape en verwondde Pitts hand. Alsof hij zich ergens aan gebrand had wierp Pitt de cape met de speer naar de chauffeur om meteen daarna naar de grond te duiken. Bij de galopperende stier verdween elke twijfel over welke tegenstander hij moest aanvallen. Het grote dier volgde de cape, liet zijn kop zakken en draafde nog sneller.

De chauffeur was verrast door Pitts snelle duik naar de grond. Hij merkte beweging achter zich op. Toen hij zich omdraaide zag hij de aanvallende stier op enkele meters afstand. En hij verstarde.

Donatello stormde recht op de chauffeur af en zijn horens doorboorden de maag van de man, bijna tot aan zijn ruggengraat. Met zwaaiende kop hief de stier de gespietste man omhoog en paradeerde enkele meters om daarna het bloedende lichaam op het zand te laten vallen.

Pitt hoorde het publiek schreeuwen en hij keek om. Dicht bij de ring zag hij dat Ann en Pablo met elkaar vochten. Met een snelle beweging trok de overvaller Ann overeind en gooide haar in de arena. Met haar handen nog altijd geboeid viel ze languit op de grond. Ze probeerde overeind te krabbelen, en voelde opeens een stekende pijn in haar enkel. Ze kon alleen op haar andere voet steunen.

Dol geworden door zijn dodelijke aanval keek de stier even snuivend naar Ann. Toen liet hij zijn kop zakken en kwam in beweging.

De twee banderilleros en de matador sprintten schreeuwend door de ring, maar de stier negeerde hen. De mannen waren te ver om de aandacht van het beest te trekken. Maar Pitt was dichterbij. Hij sprong overeind, raapte de gescheurde cape op en rende naar de stier. In volle galop was het grote dier nog zo'n zeven meter van Ann verwijderd. Ze probeerde naar de wand te vluchten maar kon amper lopen vanwege haar pijnlijke enkel. Met bonkend hart zag ze de dolle stier op haar af stormen en ze verstijfde, zoals de chauffeur even daarvoor verstijfd was geweest van angst. De trance werd verbroken door een kreet.

'*Toro! Toro!*'

Ze keek om en zag Pitt naar haar toe rennen, waarbij hij wild zwaaide met de gescheurde cape. De stier keek even naar de lange man met de rode cape en was afgeleid.

Ann voelde de hete adem van de stier toen hij op het laatste moment draaide en op Pitt af stormde. Pitt bewoog opzij en de stier raasde langs hem. Hij hield de cape met gestrekte arm omhoog en schudde heftig, alsof hij een kleedje uitklopte om de aandacht van de stier te trekken. Donatello volgde de bewegingen. Hij zette de aanval in en zijn horens doorboorden de cape, rakelings langs Pitt, die de cape omhoog trok en zich razendsnel naar het dier omdraaide. Pitt was zo geconcentreerd op overleven dat hij het applaus en het *Olé!* van het publiek niet hoorde. Hij schudde de cape en deed weer een stap opzij toen de stier hem aanviel.

'Laat mij maar, señor,' zei de matador die aan kwam rennen.

Geholpen door een banderillero dreef de matador de stier naar het midden van de arena en twee andere mannen sleepten de dode chauffeur weg.

Pitt draaide zich om naar Ann en zag dat ze al door Giordino naar de tribune werd getild. Even later greep hij Giordino's uitgestrekte linkerhand. Onder daverend applaus van het publiek klom Pitt over de wand.

Ann stond bleek en bevend voor hem. Ze greep zijn arm. 'Die stier had mij zeker gedood als jij niet in de ring was geweest. Dat was krankzinnig, maar heel erg bedankt.'

Pitt grinnikte vermoeid. 'Je weet toch dat ik in Washington werk? Daar is het elke dag vechten in de arena.' Zijn gezicht werd weer ernstig en hij keek om zich heen. 'Waar is jouw ontvoerder, die Pablo?' Ann haalde haar schouders op. Giordino speurde ook langs de toeschouwers, maar Pablo zag hij niet. De grote kerel was verdwenen in de menigte.

20

'Ik denk dat we geen tijd moeten verdoen met een praatje met de autoriteiten,' zei Giordino. Hij knikte naar een scheidsrechter die met twee bewakers aan kwam lopen.

'Steun maar op mij,' zei Pitt en hij sloeg zijn arm om Anns middel.

Aarzelend deed ze een stap met haar gewonde voet, maar meteen klemde ze zich voor steun aan Pitts schouder vast, omdat er een stekende pijn door haar enkel schoot.

'Breng je gewicht op je goede been, dan gaat het wel,' zei Pitt. Hij kon haar ranke gestalte gemakkelijk ondersteunen.

Giordino werkte zich als een sneeuwploeg door de menigte en maakte de weg vrij voor het hinkende tweetal. Ze kwamen bij de uitgang en verlieten het stadion zo snel ze konden, onder gejuich van het publiek. De beambten van het stadion konden niet dichterbij komen maar alleen verbaasd toekijken toen de drie Amerikanen in een taxi stapten en snel wegreden in de donkere nacht.

Ann wilde naar het Amerikaanse consulaat gebracht worden, maar de beide NUMA-mannen waren het daar niet mee eens. Ze hadden met de taxichauffeur geregeld dat ze benzine van hem konden overnemen en even later raasde de auto door Tijuana. De vermoeidheid van de achtervolging en het stierengevecht sloeg toe en het gesprek verstomde. Pitt had veel vragen voor Ann, maar dit was niet het geschikte moment.

Ann had haar emoties onderdrukt sinds ze van boord was gesprongen, maar nu ze bevrijd was van Pablo's doodsbedreigingen en weer veilig in gezelschap van Pitt en Giordino kon ze zich niet goed meer groot houden. Ze rilde ondanks de warme avond en probeerde haar tranen te bedwingen. Pitt sloeg zijn arm om haar heen en kneep haar even bemoedigend. Daardoor gerustgesteld dommelde ze na een paar minuten in slaap.

De rit naar de kust duurde langer dan een uur omdat de taxi zich aan de maximumsnelheid hield. Het was bijna tien uur toen ze bij het kleine zandstrand arriveerden. Pitt zag opgelucht dat de rubberboot nog op dezelfde plek lag. Hij sleepte het vaartuig door de branding en hielp Ann aan boord. Giordino pakte de brandstoftank en gaf die aan de taxichauffeur. Met een slang die de chauffeur in de kofferbak bewaarde werden liters benzine overgeheveld.

'Gracias, amigo,' zei Giordino toen hij de taxichauffeur betaalde met zijn pokerwinst. Daarna sjouwde hij de benzinetank over het strand naar de boot.

De taxichauffeur telde het geld en riep opgetogen naar Giordino: 'Buen viaje!'

Pitt maakte de brandstofslang vast aan de tank en samen met Giordino duwde hij de boot voorbij de branding om daarna aan boord te klauteren. De buitenboordmotor startte vrijwel meteen en ze raasden algauw langs de rotsige pier naar open zee.

'Weet je zeker dat je de Drake kunt vinden?' vroeg Ann, en ze tuurde naar de donkere horizon. Haar blik was weer helder maar ook een beetje angstig.

Pitt knikte. 'Ik denk dat Rudi de lichten voor ons aan laat.' Zodra ze voorbij de pier waren stuurde hij de rubberboot in noordelijke richting en volgde de kustlijn. Over zijn schouders kijkend kon hij zich oriënteren op het licht bij een huis op de heuvel en het gele schijnsel van een straatlantaarn. Hij hield beide lichten in een lijn, tot deze bakens uit het zicht verdwenen. Ze voeren minutenlang in complete duisternis. Ann vocht tegen haar angst dat ze op zee zouden verdwalen. Maar toen de zee in de omgeving niet zwarter kon worden, zagen ze een vaag schijnsel bijna recht voor de boot. Een wit licht werd groter en veranderde geleidelijk in meer lichtpunten. Toen ze dichterbij kwamen zagen ze dat er drie schepen dicht bij elkaar lagen.

De Drake en de dekschuit lagen naast elkaar en een derde schip op enige afstand. Pitt ontwaarde de wit met oranje gestreepte romp en hij begreep dat het een schip van de Amerikaanse kustwacht was. Een paar matrozen aan dek tuurden naar de rubberboot toen Pitt langszij de Drake afmeerde en de buitenboordmotor uitzette. Zodra Rudi Gunn over de reling keek en Ann zag, was hij duidelijk opgelucht. 'Mijn hemel, gelukkig ben je er weer!'

'Voorzichtig, ze heeft een pijnlijke enkel,' waarschuwde Giordino en hij tilde haar naar de reling, waar Gunn haar hielp aan boord te komen.

'Ik zal de scheepsarts van de Edisto vragen om te komen,' zei Gunn.

Ann schudde haar hoofd. 'Ik heb alleen ijs nodig.'

'Ik ook,' zei Giordino en hij hees zichzelf aan dek. 'IJs in een glas met een scheut Jack Daniel's.'

Pitt bleef in de rubberboot die als veer diende om de arts van de kustwacht op te halen. Daarna werd Ann naar haar hut gebracht en haar enkel in een ijspakking gekoeld. Ze kreeg een flinke dosis pijnstillers toegediend. Pitt bracht de scheepsarts terug, daarna bond hij de rubberboot langszij en klom aan boord.

Toen hij zich bij Gunn en Giordino voegde op de brug had Al het hele verhaal over de achtervolging door Tijuana verteld.

'Dus nu is het *El Matador* Pitt?' grijnsde Gunn.

'Kennelijk heb ik ook Spaans bloed,' zei Pitt. Hij slaakte een zucht en keek door het raam naar de Edisto.

'Mooi werk, maar waarom maken ze geen jacht op die Mexicaanse overvallersboot?'

'Als er geen levensgevaar dreigt mogen ze in Mexicaanse wateren zonder officiële toestemming niet in actie komen. Maar de kapitein heeft de Mexicaanse marine gewaarschuwd en die neemt de leiding.'

Gunn zette zijn bril af en poetste de glazen. 'Helaas heeft de marine hier geen schip in de buurt, dus de kans op succes is maar klein. Het leek me verstandig de Edisto hier stand-by te houden tot we iets van jullie hoorden.'

'Dat was inderdaad verstandig.'

'Kennelijk hebben die overvallers in de buurt gewacht tot wij spullen uit de Cuttlefish naar boven haalden,' zei Gunn. 'Wat was er zo waardevol in die kist?'

Pitt vernauwde zijn ogen. 'Op die vraag zou ik graag antwoord krijgen.'

'Wat het ook was,' zei Giordino, 'niemand heeft er nu iets meer aan. Het is niet meer dan een waardeloze kluwen elektriciteitsdraden.'

'Over apparatuur gesproken,' zei Gunn, 'we hebben een reservemarifoon op de brug geïnstalleerd. Ik denk dat we aan de Edisto moeten melden dat we naar San Diego terug kunnen varen.'

'Rudi, vergeet jij niet dat we nog iets van de zeebodem moeten rapen?' zei Giordino en hij wees naar de zee.

Gunn keek Giordino triomfantelijk aan. 'Dacht jij dat wij hier duimen draaiden toen jullie weg waren?' Hij liep naar de achterkant van de brug en wees door een raam naar de dekschuit. In het vage licht stond de Cuttlefish, op houten steunen.

'Dus jullie hebben die schuit al naar boven gehaald!' Giordino wendde zich naar Pitt. 'Hoe is het mogelijk dat we dat nog niet gezien hadden?'

'Ik denk dat al onze aandacht op die boot van de kustwacht was gericht. Was de berging een lastig karwei?'

'Helemaal niet. We hebben de singels onder de romp aangebracht en de boot opgehesen. Ze kwam schoon aan de haak boven water, maar ik denk dat je de romp wel moet inspecteren.'

'Dat kunnen we nu meteen doen,' zei Pitt.

Gunn verzamelde een paar zaklantaarns en met de rubberboot voeren ze naar de voorkant van de dekschuit. Het was stil aan boord. De schipper sliep in zijn hut, met de teckel aan zijn voeten.

De Cuttlefish rees hoog boven ze op. De flanken van de romp waren schoon en droog, en het chroom van de boot glinsterde in het licht van de zaklampen. Er waren nauwelijks sporen dat de boot bijna een week onder water had gelegen.

Giordino floot veelbetekenend toen ze naar een groot gat aan de onderkant van de romp keken. 'Die boot moet in een oogwenk gezonken zijn.'

'De mensen van DARPA hadden inderdaad een reden om argwaan te koesteren,' merkte Gunn op. 'Zo te zien was dit echt geen ongeluk.'

'De kerels op die motorboot hebben vermoedelijk explosieven onder de romp bevestigd,' zei Giordino. 'En kennelijk zijn die te vroeg geëxplodeerd, nog voor ze de kist konden roven.'

'Die explosieven zijn in de boot aangebracht,' zei Pitt toen hij de schade in het licht van zijn zaklantaarn had bekeken. 'Het lijkt me duidelijk dat de explosie in de boot was, te oordelen aan dat gat.'

Gunn legde zijn hand op een rafelige rand naast het gat. 'Je hebt gelijk, de explosieven moeten binnenboord geplaatst zijn.'

Pitt knielde naast de opening en scheen met zijn zaklantaarn naar binnen. De restanten van de kombuis waren boven hem, de wanden waren zwart geblakerd en hij zag een groot gat in het plafond. Maar de inwendige schade was minder ernstig dan het gat dat in de romp was geslagen.

Pitt ontdekt een paar gerafelde, oranje draden bij het gat in de romp. Hij volgde de draden door de kombuis naar een achterwand waar ze door een geboord gat verdwenen. Voor de zitplaats van de roerganger opende hij een paneel met daarachter een warboel van kleurige draden voor de elektronica aan boord. Een draad was vastgemaakt aan de spanning, en de andere was verbonden met de gashendel. Even later vond hij het einde van de draad: een verborgen schakelaar onder het navigatiepaneel.

Giordino en Gunn waren om de Cuttlefish heen gelopen en klommen via de achtersteven aan boord. Ze zagen Pitt peinzend bij de stuurstand staan en Gunn vroeg wat hij ontdekt had.

'Een kleine wijziging in mijn theorie,' zei Pitt. 'De Cuttlefish werd niet opgeblazen door de Mexicanen, maar door Heiland zelf.'

21

Pitt betrad de kombuis van de Drake kort na zonsopgang en trof daar Ann en Gunn. Ze waren net klaar met hun ontbijt. Hij schonk een kop koffie in en liep naar hun tafeltje.

'Goedemorgen. Mag ik erbij komen zitten?'

Gunn gebaarde naar de stoel naast Ann. 'Jij bederft het ook altijd.'

Pitt keek naar Ann. 'Heb je goed geslapen?'

'Ja hoor, prima,' antwoordde ze en ze ontweek zijn blik.

Pitt lachte om haar verlegenheid. De vorige avond na het bezoek aan de dekschuit was hij meteen naar zijn hut gegaan om te slapen. Hij hoorde dat er op zijn deur werd geklopt en even later zag hij Ann in de opening met een verwachtingsvolle blik in haar ogen. Ze was gehuld in een wijd vallende badjas die de bandjes van haar beha liet zien. Blootsvoets steunde ze op haar goede been om de druk op haar verbonden enkel te verminderen.

'Ik hoopte dat je mij welterusten kwam wensen,' fluisterde ze.

Pitt wist zich te bedwingen en hij keek strak in haar vragende ogen.

'Dat was slordig van me,' zei hij glimlachend.

Hij boog voorover en tilde haar slanke gestalte op. Ann begroef haar hoofd in zijn hals toen hij haar naar haar hut droeg. Hij zette haar behoedzaam op de brits neer en boog voorover om haar voorhoofd te kussen.

'Welterusten, lieve meid,' zei hij zacht. Voor ze kon reageren, was hij alweer de hut uit en sloot de deur.

'De kok is geweldig goed,' zei Ann tegen Gunn, en ze duwde haar lege bord weg in een poging van onderwerp te veranderen.

'Het eten aan boord is heel belangrijk voor het moreel. En zeker tijdens lange reizen. We willen dat alleen uitstekende koks aan boord van onze schepen werken.' Gunn nam een hap van zijn toast en keek naar Pitt. 'Ann vertelde mij dat ze haar ervaring met schoonspringen goed kon gebruiken toen ze gisterenavond van de brug dook.'

'Ik zou haar een negen geven,' zei Pitt met een knipoog. 'En dat cijfer kan nog hoger als ze mij vertelt wat het doel van deze expeditie is.'

Ann kuchte nerveus achter haar servet. 'Wat bedoel je?'

'Wij zoeken naar meer dan een verdwenen boot, nietwaar?'

'Het was belangrijk dat we die boot konden lokaliseren en alle spullen die nog aan boord waren.'

'Nou, dat is gelukt,' zei Pitt. 'Wat dacht je ervan om ons eens wat meer te vertellen over die spullen?'

'Daar mag ik niets over zeggen.'

Pitt keek haar onderzoekend aan. 'Afgezien van het feit dat je bijna vermoord werd, heb je de bemanning van dit schip ook in levensgevaar gebracht. Dus we hebben wel recht op meer uitleg.'

Ann keek Pitt recht in de ogen en besefte dat ze het onderwerp niet kon ontwijken. Ze keek om zich heen, om er zeker van te zijn dat niemand haar afluisterde.

'Zoals je weet was het bedrijf van dr. Heiland bezig met een geavanceerd project voor DARPA. Zijn werk was een ondersteuning van een geheim marineproject met de codenaam Sea Arrow. Heiland was vooral betrokken bij de ontwikkeling van een nieuw voortstuwingsproject. Ik weet echt niet meer dan dat hij een technische doorbraak testte voordat zijn boot naar de zeebodem zonk.'

'Je bedoelt dat apparaat in die kist?'

'Dat was een schaalmodel,' zei Ann. 'Er was wel argwaan over het zinken van de Cuttlefish, maar niemand dacht dat het met ons researchproject te maken had. Het spijt me heel erg dat jouw bemanning in gevaar is gebracht. Het leek beter dat zo min mogelijk mensen iets wisten van Heilands research. De vicepresident was er niet gelukkig mee dat jij onwetend bleef, maar hij moest wel akkoord gaan met die wens van Tom Cerny.'

'Maar wie zijn dan de kerels die dat prototype wilden stelen?' vroeg Gunn.

Ann haalde haar schouders op. 'Dat is nog een raadsel. Aan hun uiterlijk te oordelen waren het geen Mexicanen, maar mogelijk lui uit

Centraal- of Zuid-Amerika. Ik heb al gerapporteerd aan Washington en ik kreeg de verzekering dat de Mexicaanse autoriteiten alle medewerking geven bij het onderzoek naar de twee doden en het opsporen van die pick-up.'

'We hebben een duidelijke beschrijving van hun boot doorgegeven aan de Mexicaanse marine,' zei Gunn.

'De overvallers leken niet op de gebruikelijke types die een defensiegeheim roven,' merkte Pitt op. 'Dacht jij dat ze al verdwenen waren met Heilands toverdoos?'

'Ja,' zei Ann. 'Toen de lichamen van Heiland en zijn assistent gevonden werden, dachten wij dat ze op zee overvallen waren en dat het prototype gestolen was. Daarom schrok ik toen ik zag dat die kist nog aan boord van de Cuttlefish was.'

'Ik denk dat je Heiland daar dankbaar voor moet zijn,' zei Pitt. Hij vertelde over zijn ontdekking van de oranje bedrading en de verborgen schakelaar. 'Ik vermoed dat Heiland begreep dat hij werd overvallen en daarom zijn eigen boot tot zinken heeft gebracht.'

'De twee lichamen hadden ernstige verwondingen, veroorzaakt door een explosie of een brand,' zei Ann. 'We hebben nooit gedacht dat dit door hun eigen actie kwam.'

'Heiland was ze te snel af,' meende Pitt. 'En om het de overvallers nog lastiger te maken zonk de Cuttlefish in water dat te diep is voor gewone duikers. Ze waren waarschijnlijk bezig een bergingsoperatie te organiseren toen wij op die plek arriveerden. En ze lieten ons het werk doen.'

Gunn keek naar Ann. 'Dankzij jouw schoonspringen is hun actie mislukt.'

'Nee, Dirk en Al hebben die kist heroverd. De inhoud kan niet meer in verkeerde handen vallen, maar het verlies van dat schaalmodel maakt andere problemen wel groter.'

'Zoals?' vroeg Pitt.

'Ik heb gehoord dat zowel DARPA als de marine geen gedetailleerde tekeningen en specificaties heeft van Heilands werk. Carl Heiland was een zeer gerespecteerde ingenieur, hij was eigenlijk geniaal, en daarom kreeg hij de vrije hand voor zijn onderzoek. Hij heeft de afgelopen jaren briljante verbeteringen aangebracht in het ontwerp van onderzeeboten en torpedo's, en daarom hoefde hij niet de gebruikelijke stapels papieren en documentatie in te leveren zoals meestal gebeurt bij contracten met defensie.'

111

'Dus niemand anders weet hoe de Sea Arrow gemaakt moet worden?' vroeg Pitt.

'Inderdaad,' beaamde Ann met een verbeten trek op haar gezicht.

'Nu Heiland dood is en zijn model vernield, zouden die ontwerptekeningen uiterst waardevol zijn,' merkte Gunn op.

'Fowler heeft mij gezegd dat dit nu de hoogste prioriteit heeft.' Ann keek op haar horloge en toen naar Pitt. 'De staf van de vicepresident heeft geregeld dat er een vliegtuig voor ons klaar staat om naar Washington terug te keren. Om een uur vertrekt het toestel van de luchthaven bij San Diego. Ik wil voor die tijd het kantoor van Heiland in Del Mar graag bezoeken. Kun je mij daarheen rijden, op weg naar de luchthaven?'

Pitt ging staan en gaf de krukken aan Ann. 'Ik geef altijd gehoor aan de wensen van kleine kinderen, oude dametjes en aantrekkelijke jongedames met een verstuikte enkel.' Hij maakte een kleine buiging. 'Wijs mij maar de weg.'

Een uur later waren ze bij het kantoor van Heiland Research. Het bedrijf was gevestigd in een verzamelgebouw op een heuvel met uitzicht over de badplaats Del Mar, ten noorden van San Diego. Er was zicht op de oceaan in het westen en op het befaamde racecircuit in de vallei. Ann toonde haar pasje bij de balie en schreef de bezoekers in.

'Welkom, mevrouw Bennett,' zei de receptionist. 'Mevrouw Marsdale verwacht u al.'

Even later verscheen er een elegante vrouw met kort donker haar in de hal en ze stelde zich voor als Carl Heilands manager veldoperaties. Ze ging voor naar een vergaderzaal en Ann volgde strompelend met haar krukken.

'We zullen u niet lang ophouden,' zei Ann. 'Ik werk bij het team dat onderzoek doet naar de dood van Heiland en ik maak me zorgen over de beveiliging van de documenten over het Sea Arrow-project.'

'Ik kan nog steeds niet geloven dat hij dood is.' Aan haar gezicht was te zien dat ze geschokt was door het overlijden van Heiland. 'Ik neem aan dat zijn dood geen ongeluk was?'

'Waarom denkt u dat?'

'Carl en Manfred waren te competent om zomaar om te komen bij een ongeval op zee. Carl was een voorzichtig en verstandig man. Ik weet ook dat hij altijd alle voorzorgsmaatregelen nam om zijn werk goed geheim te houden.'

'Wij denken inderdaad dat het geen ongeluk was,' zei Ann. 'Maar het onderzoek gaat nog door. We vermoeden dat iemand probeerde Heilands testmodel te stelen.'

Marsdale knikte. 'De FBI was hier een paar dagen geleden en we hebben verteld wat we wisten. Maar ik heb de heren ook duidelijk gemaakt dat dit het kantoor van dr. Heiland is: wij regelen de contracten met de overheid en geven administratieve ondersteuning voor zijn werk, meer niet. Bij het hele bedrijf werken maar twaalf personen.'

'Waar is het researchlaboratorium?' vroeg Pitt.

'Dat hebben we niet. Achter dit gebouw is een kleine werkplaats, waar enkele personeelsleden een bijdrage leveren aan de research, maar Carl en Manfred werkten daar zelden. Ze waren vaak op reis en het meeste researchwerk werd in Idaho gedaan.'

'Idaho?' herhaalde Ann.

'Ja, daar is een laboratorium van de marine, in Bayview. Dr. Heiland heeft daar een zomerhuis waar hij met Manfred ongestoord de oplossing voor ontwerpproblemen kon bedenken.'

'Dat is toch Manfred Ortega, de assistent van Heiland?'

'Ja. Carl noemde hem Manny. Hij was een briljante ingenieur. En samen konden ze toveren. Samen vormden ze het brein van dit hele bedrijf. Ik weet niet hoe het hier nu verder moet.'

Er volgde een lange stilte toen iedereen besefte dat de dood van Carl en Manny waarschijnlijk het einde van Heiland Reseach betekende.

'Heeft de FBI materiaal meegenomen?' vroeg Ann.

'Ze hebben onze complete administratie in beslag genomen, en ook onze computers zijn we voorlopig kwijt. Maar de technische bestanden waren ook naar DARPA gestuurd, dus dat is niet zo'n probleem. De heren van de FBI gedroegen zich als een olifant in een porseleinkast, daarom liet ik ze niet in Carls privékantoor. Maar verder hebben ze alles doorzocht.'

'Hebt u bezwaar als ik een kijkje in zijn kamer neem?' vroeg Ann. 'U zult begrijpen dat de nationale veiligheid vereist dat al het werk van Heiland goed beschermd blijft.'

'Geen probleem. Hij liet daar nooit veel materiaal achter, maar zijn werkkamer is aan de andere kant van de hal.' Marsdale pakte een sleutelbos van haar bureau en ging de anderen voor naar een hoekkamer. Het werkvertrek was niet groot en leek weinig gebruikt. Er stonden enkele modellen van onderzeeboten en aan de muur hing een schilderij van een theeklipper met volle zeilen. Het enige afwijkende was de opgezette kop van een eland, met een aantal visserspetjes, opgehangen aan het gewei, recht achter een bureau.

Marsdale keek verbaasd op toen ze zag dat een aantal laden geopend waren. 'Dat is vreemd...' Ze verstarde opeens. 'Iemand is hier geweest en heeft zijn bureau doorzocht. Ik herinner me dat ik een te ondertekenen contract in zijn postbakje heb gelegd, en dat document is nu verdwenen.' Ze keek Ann bezorgd aan. 'Ik ben de enige in het bedrijf die de sleutel van deze kamer heeft.'

'Waren er nog andere belangrijke paperassen?'

'Dat weet ik niet zeker, maar waarschijnlijk niet. Zoals ik al zei, Carl kwam hier maar zelden.'

Ze keek naar het bureau en dan omhoog naar de elandskop.

'Er stonden foto's van zijn boot en zijn zomerhuis op het bureau. Die zijn ook weg. En Carl hing de sleutelbos van zijn huis altijd aan dat gewei. De sleutels zijn ook verdwenen.'

'Zijn er bewakingscamera's in dit gebouw?' vroeg Pitt.

'Ja. Ik zal de beveiligingsfirma meteen bellen.' Haar stem klonk schor van schrik. 'Wat vind ik dit vreselijk...'

'Als u geen bezwaar hebt, dan wil ik de FBI vragen deze kamer grondig te onderzoeken,' zei Ann. 'In combinatie met de videobeelden kan dat mogelijk een spoor opleveren.'

'Ja, uiteraard. We moeten alles wat nodig is doen om de daders te vinden.'

Toen Ann en Pitt terugliepen naar de auto, bleef ze staan en keek naar de oceaan. 'Ze zijn hier geweest, hè?'

'Daar durf ik om te wedden,' zei Pitt.

'Ik wil je een gunst vragen.' Ze keek hem strak aan. 'Zou je het vervelend vinden om een dag later naar Washington te vliegen? Ik wil graag eerst naar Idaho. Als Marsdale gelijk heeft, zijn alle plannen van Heiland veilig in Bayview, zonder dat wij iets weten.'

'Helemaal mee eens,' zei Pitt. 'En trouwens, ik was altijd al nieuwsgierig naar de streek waar die beroemde aardappels vandaan komen.'

22

De Gulfstream, een klein straalvliegtuig van de regering, daalde uit de azuurblauwe hemel en raakte de landingsbaan van Pappy Boyington Field, de luchthaven bij de stad Coeur d'Alene. Gregory "Pappy" Boyington was geboren en getogen in de schilderachtige stad in Idaho. Hij werd militair vlieger en kreeg de Medal of Honor toen hij het commando had over het legendarische Black Sheep Squadron. De naar hem vernoemde luchthaven was nu de thuisbasis van tamme Piper Cubs en de privéjets van rijke toeristen.

Pitt pakte Anns krukken en hielp haar uit het vliegtuig dat inmiddels bij de gate was geparkeerd. Ze huurden een auto, Pitt ging achter het stuur zitten en ze vertrokken in noordelijke richting over Route 95.

Ze waren op weg naar de noordelijke punt van Idaho, een ongerept, bosrijk en heuvelachtig gebied met helderblauwe meren: een groot contrast met de eentonige aardappelakkers in het zuiden van de staat. Er was weinig verkeer en Pitt reed veel harder dan de toegestane maximumsnelheid van 65 mijl per uur. Twintig minuten later kwamen ze bij de stad Athol, waar Pitt rechts afsloeg en verder naar het oosten reed. Een groot bord verwelkomde hen in het Farragut State Park.

'Een park in Idaho dat officieel naar een admiraal uit de Civil War is vernoemd?' merkte Pitt verbaasd op.

'Dat klopt,' zei Ann, en ze bladerde in een reisgids die ze op de luchthaven had gekocht. 'Aan het begin van de Tweede Wereldoorlog heeft de marine hier een basis gevestigd, omdat gevreesd werd dat Japan de westkust kon bombarderen. En het Farragut Marine Training Station is vernoemd naar David Farragut, de held van de Slag bij Mobile Bay.

Hij was de belangrijkste admiraal bij de Amerikaanse marine. Ooit waren hier bijna vijftigduizend man gestationeerd. Na de oorlog werd de basis gesloten, en het terrein werd een natuurpark van de staat Idaho.'

'Jij hebt wat te vertellen tijdens de vrijdagmiddagborrel in het Pentagon,' merkte Pitt op.

Via de weg verlieten ze het park en met haarspeldbochten daalden ze af naar Bayview. Het dorp lag aan een smalle baai van het grote Pend Oreille-meer. Pitt passeerde wegwerkzaamheden en kwam bij een straat langs de waterkant. Er lagen jachthavens met veel speedboten, zeiljachten en motorkruisers aan de noordkant van de baai. Het Navy Acoustic Research Detachment was gevestigd in gebouwen op de zuidelijke oever.

'Daar is de ingang van het laboratorium,' zei Ann, en ze wees naar een toegangshek.

Pitt stopte de auto op het parkeerterrein voor bezoekers, naast een portiersloge. Nadat ze ingeschreven waren kwam een geüniformeerde begeleider aanrijden in een grijze auto en bracht ze naar het hoofdgebouw. Toen ze langs de waterkant reden zag Pitt een merkwaardig gevormde onderzeeboot met de naam Sea Jet afgemeerd langs de kade. De chauffeur stopte voor een hoog gebouw met een metalen voorgevel die tot boven het water reikte. Hij vergezelde Ann en Pitt naar de ingang, waar ze werden begroet door een beweeglijke man met felrood haar en snel bewegende blauwe ogen.

'Chuck Nichols, plaatsvervangend directeur van het lab,' stelde hij zich haastig voor. 'Volg mij, alstublieft.'

Hij wuifde de chauffeur weg en leidde Ann en Pitt naar een kleine werkkamer vol paperassen en technische handboeken. Hij maakte een paar stoelen vrij zodat ze konden gaan zitten.

'We zijn allemaal geschokt door de dood van Carl en Manny,' begon Nichols. 'Weten jullie al wat er is gebeurd?'

'Niet alle details,' antwoordde Ann, 'maar we vermoeden dat het geen ongeluk was. Het lijkt aannemelijk dat beide mannen de dood vonden toen een onbekende groep overvallers probeerde het testmodel van een prototype te roven. De overval mislukte overigens.'

Nichols' mond verstrakte. 'Ach ja, Slippery Mumm. Hij deed daar erg geheimzinnig over, dus ik kan mij niet voorstellen dat iemand iets van dat project wist.'

'Slippery Mumm?'

'Carl had altijd een koosnaam voor zijn modellen. De laatste romp die hij ontwierp noemde hij Pig Ghost. En de laatste testboot noemde hij Sea Jet.'

'Hebben die namen een speciale betekenis?' vroeg Pitt.

'Vast wel, maar alleen voor Carl en Manny. Hij zei dat Mumm een merk champagne was dat hij erg waardeerde. Hij vertelde over snelheid en bellen in het water als het over supercavitatie ging, dus dat zal er wel mee te maken hebben.'

'Vertel eens wat meer over wat hier gebeurt,' vroeg Ann.

'Carl Heiland is de grondlegger. Zijn familie had hier een zomerhuis, bij Lake Pend Oreille, en daardoor werd hij verliefd op deze omgeving.' Nichols zweeg even en vervolgde toen. 'Toen hij de leiding kreeg over het Naval Surface Warfare Center kon hij de legerleiding in Washington overreden hier een research laboratorium te vestigen, gebruikmakend van de oude Farragut-marinebasis. Hij heeft hier alles vanaf het begin zelf opgebouwd. Ongeveer tien, twaalf jaar geleden had hij geen zin meer in de dagelijkse leiding en trok hij zich terug. Toen werd hij raadgevend ingenieur. Carl was altijd in de eerste plaats technicus.'

'We zijn hier wel een heel eind van de zee verwijderd,' merkte Pitt op.

'Ja, maar het meer is ideaal voor proefvaarten. Het is een groot meer, er wonen hier weinig mensen en het water is meer dan driehonderd meter diep. Wij focussen hier op research naar geavanceerde rompvormen en voortstuwing, vooral om onderzeeboten zo geruisloos mogelijk te laten varen. En dan is het meer bijna perfect om in een gecontroleerde omgeving nieuwe ontwerpen en technieken te testen.'

'Is de Sea Jet ook een testmodel?' vroeg Pitt.

'Inderdaad,' beaamde Nichols. 'Wij noemen het een Advanced Electric Ship Demonstrator. Het vaartuig ziet eruit als een onderzeeboot, en het is in feite een schaalmodel van de nieuwe DD(X) klasse marineschepen. We hebben het model getest met enkele radicaal vernieuwde rompvormen en voortstuwingssystemen. Eerst werd gewerkt met waterstraalaandrijving, maar we zijn overgestapt op andere manieren van voortstuwen. Daar zal ik niet over uitweiden. Volgens schema zouden we de laatste ontwerpen van Carl testen voor het Sea Arrow-project, maar wat er nu gaat gebeuren weten we niet.'

'En dat betreft de technologie in die Slippery Mumm?' vroeg Ann.

'Ja. Carl deed daar een paar weken geleden nog proeven mee in het meer. Ik herinner mij dat hij tegen het personeel zei dat hij de vissen doodsbang zou maken. Later zeiden de mannen dat er echt krankzinnige snelheden op het meer werden geregistreerd.'

'Werkte hij ook hier aan die ontwerpen?'

'Niet vaak. Hij kwam binnen om gegevens door te rekenen op onze computers, maar hij was ons altijd een paar stappen voor. Hij verbleef meestal met Manny in zijn zomerhuis.'

'Het is belangrijk dat we al het materiaal dat betrekking heeft op de Slippery Mumm vinden en goed beveiligen,' zei Ann.

'Dat verzoek heb ik ook al van de mensen bij DARPA gekregen en ik verzamel alles wat we hebben,' zei Nichols. 'Het probleem is wel dat Carl negentig procent van de data in zijn hoofd had. Het restant is vermoedelijk in zijn huis te vinden. Ik zal jullie het adres geven.'

Hij bladerde door een Rolodex en schreef het adres op een papiertje terwijl hij Ann instructies gaf. 'Er staat een roestige bel op de patiotafel aan de achterkant van de hut. Daaronder moeten de reservesleutels van de voordeur en de boot liggen.'

Ann keek hem vragend aan. Hoe kon Nichols dat weten?

'Ik heb daar heel wat biertjes met Carl gedronken, en ook op zijn boot,' zei Nichols met een knipoog.

Ann bedankte hem voor zijn hulp en Pitt en zij werden weer naar het toegangshek van het bedrijf begeleid. Voor het eerst voelde Ann zich optimistisch.

'Zeg, ik denk dat dit uitstapje iets gaat opleveren. Laten we in Heilands huis gaan kijken en daarna zal ik de FBI vragen die plek te beveiligen.'

'Heb je er bezwaar tegen als we eerst iets gaan eten?' vroeg Pitt. 'Het wordt al bijna donker.'

'Alleen als ik de rekening mag betalen.'

De keus in het dorp was beperkt. Pitt koos een restaurant aan het water, de Captain's Wheel. Ann bestelde een Griekse salade, Pitt een cheeseburger en bier. Ze zagen steeds meer lichtjes bij de jachthaven verschijnen.

Ann zag dat er een kalme trek op Pitts gezicht verscheen toen hij naar het stille meer keek. Er was iets raadselachtig aan deze man, maar toch voelde ze zich heel veilig in zijn aanwezigheid. Ze kende hem pas enkele dagen en wist bijna niets over hem. Alleen dat hij getrouwd was, tot haar teleurstelling.

'Heb ik je al bedankt dat je mijn leven redde in Tijuana?' vroeg ze.

Pitt keek haar aan en glimlachte. 'Ik weet niet of aan boord springen op een boot vol gewapende overvallers wel de beste manier is om misdaad te bestrijden, maar ik ben blij dat het goed afliep.'

'Soms heb ik de neiging nogal impulsief te handelen.' Ze dacht aan haar onaangekondigde bezoek aan zijn hut, de vorige avond. 'Ik hoop dat we bevriend blijven, als deze zaak voorbij is en we weer in Washington zijn.'

'Dat lijkt me prima.'

Met een grijns schoof hij de rekening over de tafel in haar richting. 'Maar zullen we nu naar Heilands buitenhuis gaan, voor het helemaal donker is?'

Nichols had gezegd dat ze niet konden verdwalen, en dat was ook zo. Volgens zijn aanwijzingen reden ze over een smalle weg rond het Acoustic Research Center en verder langs de zuidkant van de smalle baai. Ze reden langs zomerhuizen en blokhutten, tot de bebouwing minder werd en de lichten van Bayview achter hen verdwenen. De weg slingerde naar de ingang van de baai en boog naar het zuiden, de grillige oever van het meer volgend. Een paar kilometer verder liep de weg dood tussen de dennenbomen. Een smal grindpad leidde naar een houten huisje aan het water.

'Dit moet het zijn,' zei Ann, nadat ze het adres op de brievenbus had gezien.

Pitt reed de huurauto over het grindpad en parkeerde voor een aangebouwde garage die groot genoeg leek voor wel tien auto's.

Ann zag de eerste sterren aan de hemel verschijnen en ze voelde een lichte bries vanaf het meer. 'Hadden we maar een zaklantaarn,' verzuchtte ze, terwijl ze moeizaam met haar krukken over het hobbelige en naar het meer afhellende terrein liep.

'Ga jij naar de voordeur, dan zoek ik die sleutels aan de achterkant,' zei Pitt.

Hij liep om de garage en volgde een voetpad naar de achterkant van het zomerhuis. De achtertuin werd begrensd door een enkele rij naaldbomen, en daarachter lag het meer, Pitt begreep dat het een toplocatie was, vanwege het adembenemende uitzicht over het meer. Hij sloeg een hinderlijk zoemende mug bij zijn oor weg en stapte op een brede veranda aan de achterkant van het huis. Al gauw zag hij de roestige bel midden op een tafel staan. Om de tafel stonden enkele tuinstoelen. De sleutels lagen er inderdaad, aan een drijvende sleutelhanger zoals watersporters gebruiken. Hij keerde langs dezelfde route terug en bij het meer zag hij een privésteiger waaraan een donkere boot afgemeerd lag.

Ann stond bij de voordeur en ze steunde hijgend op haar krukken. 'En? Gevonden?'

Pitt drukte de sleutelbos in haar hand. 'Ja, ze lagen op de aangegeven plek.'

Ze opende het slot van de voordeur en stapte naar binnen, tastend naar een lichtschakelaar. Pitt volgde haar en Ann knipte een rij spots aan die het interieur verlichtten. Het oude zomerhuis was in de loop der jaren smaakvol gemoderniseerd. In de keuken was roestvrij stalen apparatuur en een granieten aanrecht. In de woonkamer stond een grote platte televisie centraal. Een paar opgezette zalmen decoreerden naast een antieke vishengel de muur boven de open haard. Het was een herinnering aan de liefhebberij van de bewoner. Ann voelde zich ongemakkelijk in het domein van de overleden eigenaar en ze zocht snel naar een werkkamer of een werkplaats. Maar ze zag alleen vier grote slaapkamers.

'Laten we hopen dat er iets in de garage is.' Ze keek naar een deur aan het einde van de gang.

Pitt volgde haar toen ze deur geopend had en het licht aandeed. Verbaasd keken ze om zich heen. Ze hadden wel een soort werkplaats of atelier verwacht, maar niet dat er een hypermodern researchlaboratorium verborgen was in de bossen van Idaho. Het interieur van de garage leek afkomstig uit Silicon Valley. De felle lampen aan het plafond verlichtten een smetteloos schone ruimte met stalen werkbanken. Langs een wand stonden rekken vol elektronische testapparatuur opgesteld en in een hoek was er een plek voor de montage van onderdelen. Een lange, smalle bak gevuld met water diende om rompvormen op schaal en voortstuwingssystemen te testen. De waterbak was bijna even lang als de grote garage.

Maar Pitt zag dat de ruimte niet alleen voor werk was ingericht. In een hoek stond een flipperkast uit de jaren vijftig naast een groot espressoapparaat.

'Bingo,' zei Pitt.

Ann hinkte door de ruimte naar een groot bureau naast twee fauteuils. Op het bureau lagen twee geopende laptops, een stapel aantekenboeken en losse ontwerptekeningen. Ann pakte een boek en las een paar regels handgeschreven notities.

'Dit is kort geleden opgeschreven,' zei ze. 'Hij beschrijft een reeks succesvolle tests met "SM" op het meer en dat hij een laatste proef wil doen in zee bij San Diego.'

'SM zal wel een afkorting zijn van Slippery Mumm.'

'Gelukkig maar. Zo te zien zijn al zijn aantekeningen en testresultaten hier te vinden. Dus zijn werk is niet verloren.'

Ann had de woorden amper uitgesproken, toen de lichten in het huis opeens doofden, zodat ze in het aardedonker stonden.

23

De twee mannen bleven eerst op een afstand van het zomerhuis toen ze zagen dat er al een auto geparkeerd stond. De bestuurder opende de kofferbak en pakte voor elk een halfautomatisch Glock-pistool en een nachtzichtbril. Het was al helemaal donker geworden, en er was geen maan.

Getraind in sluipen verkenden ze de omtrek van het huis en vonden de elektriciteitskast. Het deksel werd open gewrikt en een van de mannen schakelde de stroom uit.

In het raamloze laboratorium werd het donker als in een mijn-schacht bij middernacht. Ann slaakte een zucht. 'Wat een plek om te zijn als de stroom uitvalt.' Haar stem klonk nerveus.

'Misschien is het maar even,' zei Pitt. 'Blijf stilstaan, zodat je niet struikelt en valt.' Terwijl ze wachtten kreeg Pitt een onaangenaam voorgevoel. 'Probeer een laptop aan te zetten, dan hebben we licht via de accu's.'

'Goed idee.' Ann legde het aantekenboek neer en tastte op het bu-reau naar een van de laptops. Ze vond er een en drukte op enkele knoppen, in de hoop het apparaat in te schakelen. Pitt hoorde vloer-planken kraken in het huis. Ze waren hier niet meer alleen. Hij liep op de tast naar een werkbank en zocht gereedschap dat hij als wapen kon gebruiken. Eerst voelde hij draden en toen een kleine tang. Hij pakte het gereedschap.

'Kijk, het is gelukt,' zei Ann. De computer begon op te starten en Ann draaide het scherm naar Pitt. De ruimte werd vaag verlicht door het blauwe computerscherm. Het schijnsel reikte nog net tot aan de deur van de woning. De deur werd open gesmeten en twee mannen stormden naar binnen. Pitt zag dat de kerels tamelijk klein waren, maar wel gespierd. Ze droegen zwarte kleren en hadden allebei een nacht-zichtbril opgezet. Met gestrekte armen bewogen twee Glock-pistolen in een halve cirkel, tot de mannen Ann en Pitt zagen.

'Staan blijven!' schreeuwde de voorste indringer met een licht Spaans accent.

Hij haalde een zaklantaarn tevoorschijn en richtte de lichtbundel op het tweetal. Ann knipperde met haar ogen toen het felle licht over haar gezicht bewoog. De man kwam naar voren en richtte zijn wapen op Pitt. 'Achteruit en tegen de muur!' beval hij, met de zaklantaarn schijnend op de vloer.

Ann hinkte met haar krukken naar Pitt en ze gingen allebei tegen de zijwand staan. In de muur was een deur naar de achtertuin en Pitt duwde Ann onopvallend een beetje in de richting van de deur. De tweede indringer ging op wacht staan voor Ann en Pitt. Hij hield ze voortdurend onder schot. De eerste man stak zijn wapen in de holster en zette de nachtbril af. In het licht van de zaklantaarn begon hij het laboratorium te doorzoeken.

Pitt zag dat de man grondig werkte en kennelijk wist hij wat hij zocht. Eerst bekeek hij de laptops en de aantekenboeken die Ann had ingezien, daarna begon hij het hele laboratorium methodisch te door-zoeken. Het duurde bijna tien minuten voordat hij terugliep naar het bureau en de spullen die hij had gevonden neerlegde. Hij pakte een lege prullenbak en vulde die met Heilands aantekeningen en werk-boeken.

Ann kroop dicht tegen Pitt aan, verbijsterd dat ze voor de tweede keer in twee dagen in de loop van een pistool keek. Opkomende woede verdreef haar angst toen ze zag dat het levenswerk van Heiland voor haar ogen gestolen werd. De indringer leegde de inhoud van bureau-laden in de prullenbak en bovenop legde hij de twee laptops.

'Ben je klaar?' vroeg de man die het tweetal onder schot hield.

'Bijna.' De andere man keek geërgerd naar Ann en Pitt. 'Blijf hier tot ik terug ben.' Hij legde de bak over zijn schouder en liep het labora-torium uit, zich bijlichtend met de zaklantaarn.

Een paar seconden nadat de man verdwenen was riep zijn maat hem, maar er kwam geen antwoord.

Pitt hoorde de zware voetstappen door de woning en toen de voordeur naar buiten gaan. Hij kon wel raden dat het weinig goeds beloofde als de man weer terug kwam.

Zonder het schijnsel van de zaklantaarn en het computerscherm was het weer donker in de ruimte. Aardedonker, besefte Pitt en hij kreeg weer een sprankje hoop. De nachtzichtbril van de bewaker had een beetje strooilicht nodig om te functioneren, al was het maar een fonkeling van de sterren. Maar de enige lichtbron in de grote garage was met de laptop verdwenen. Daarom had de bewaker ook naar zijn maat geroepen: hij kon niets meer zien.

Het vermoeden van Pitt werd bevestigd toen hij hoorde dat de bewaker de ritssluiting in zijn jack open deed. Kennelijk zocht de man in een binnenzak naar zijn eigen zaklantaarn. Pitt kwam meteen in actie. Hij greep een van Anns krukken en hield die horizontaal als een stormram, om dan naar voren te springen. Hij kon alleen gissen dat de man op dezelfde plek was blijven staan: drie meter recht voor Pitt.

Terwijl de man naar zijn zaklamp zocht had hij zijn wapen laten zakken en voor hem totaal onverwacht sloeg de kruk krakend tegen zijn voorhoofd. Door de klap wankelde hij achterover tegen Heilands bureau. Hij zwaaide in het wilde weg met zijn pistool en loste enkele schoten, zonder te beseffen dat hij wel een meter boven Pitts hoofd vuurde.

'Ann! Ga nu door de achterdeur naar buiten!' schreeuwde Pitt.

Gebukt zwaaide hij met kruk heen en weer, in een poging de man te raken. De lichtflitsen uit de loop van het pistool gaven hem een indicatie en hij beukte met de aluminium kruk tegen de pols van de bewaker, zodat het wapen uit zijn hand vloog.

Ann had zich bij de eerste schoten op de grond laten vallen en tastend langs de wand vond ze de deurpost en dan de handgreep. Ze draaide de knop van de grendel boven de handgreep en de deur zwaaide open. Met de overgebleven kruk hinkte ze naar buiten, weg van het gebouw.

Voordat de deur weer dichtviel hoorde ze de bewaker schreeuwen van pijn door zijn gebroken pols. De man krabbelde weg van het bureau om aan de slagen van Pitt te ontkomen. Pitt hoorde dat de man wankelend opstond, maar nu was hij buiten bereik en onzichtbaar. Hij wist dat Ann niet snel kon lopen en daarom bleef hij de bewaker bedreigen zodat ze meer tijd had om weg te vluchten. Hij liet de kruk vallen en sprong naar het bureau, waar de bewaker even eerder had gelegen. Pitt gleed door en belandde op zijn voeten. Hij deed meteen een stap naar voren en zwaaide blindelings met zijn gebalde vuist naar de man. Zijn knokkels streken alleen langs de jas van de man, die links van Pitt stond.

Zijn tegenstander weerde de slagen af met de hand die niet gewond was en hij gaf Pitt een harde dreun op zijn schouder.

Pitt deinsde achteruit en herstelde zich. Hij wist nu waar zijn vijand was en met twee passen was hij bij hem. Met beide vuisten beukte hij als een razende op de borstkas van de man. Kreunend wankelde de man achteruit, hij struikelde over een stoel en hij viel op de grond.

Pitt had geen tijd om hem nog een keer te stompen, want de deur vloog open en de andere belager, gealarmeerd door de pistoolschoten, rende naar binnen. Met de zaklantaarn scheen hij door de ruimte, even aarzelend toen zijn gevallen maat te zien was, en toen werd het felle licht op Pitt gericht. Die reageerde meteen. Hij gooide zich op het bureau en gleed over het blad. De gewapende man probeerde zijn bewegingen te volgen en vuurde een schot af, maar de kogel zoemde te hoog over Pitt heen, die van het bureau gleed en wegdook naar de vloer, uit het zicht van de schutter. Hij verspilde geen tijd maar kroop zo snel mogelijk naar de muur. Hij stuitte op de kruk en greep het ding vast.

De schutter sprong achter Pitt aan. De lichtstraal van de zaklamp danste over de vloer en bleef op zijn prooi gericht.

Maar in het schijnsel was ook de achterdeur te zien, op een meter afstand achter Pitt. Vanuit zijn kruipende houding zette hij zich af en bereikte de handgreep voor zijn lichaam tegen het deurpaneel sloeg. Hij draaide de deurknop en door zijn gewicht zwaaide de deur open. Achter hem richtte de gewapende man zijn wapen en hij vuurde snel na elkaar drie schoten af op de vluchteling. Pitt voelde een stekende pijn in zijn been toen hij de deur achter zich dicht smeet. Hij krabbelde overeind en klemde de kruk onder de deurgreep om de uitgang te blokkeren. Misschien kon hij daardoor tien, twintig seconden tijd winnen. Maar dat was niet genoeg. Ergens in de duisternis strompelde Ann over het terrein. Hij moest haar vinden en snel ook. Ze zouden een gemakkelijke prooi zijn voor de twee jagers, als die voorzien van nachtzichtbrillen naar buiten kwamen.

Pitt liep in de richting van de huurauto, maar toen hoorde hij een motor starten. Het geluid klonk niet bij de weg, maar ergens bij de oever van het meer. Pitt draaide zich snel om en rende naar het meer, in het besef dat ze misschien toch nog een kans hadden.

24

De motor die ronkend aansloeg was niet het dunne geluid van een kleine huurauto, maar het gorgelende gedreun van een speedboot. Pitt snelde naar de steiger en onwillekeurig had hij bewondering voor Anns plan om met Heilands boot te vluchten.

Voor Ann was het gemakkelijker geweest om met haar pijnlijke enkel de helling af te dalen en de boot was ook dichterbij. Ze had de sleutels al in haar hand, en hoopte vurig dat ze de motor kon starten.

In het laboratorium merkte de gewapende man dat de deur naar buiten geblokkeerd was. Woedend duwde hij uit alle macht tegen de deur en uiteindelijk verboog de kruk en gleed van de deurgreep naar beneden. De man stormde meteen naar buiten en hoorde de motor van de boot. Vaag zag hij Pitt als een schim tussen de bomen naar de steiger rennen en hij zette de achtervolging in.

Pitt hijgde en zijn linkerbeen deed pijn toen hij bij het grindpad naar de oever kwam. Hij kon Anns gestalte in de cockpit van de boot zien. Ze keek in zijn richting. Omdat hij had gehoord dat de deur achter hem met gekraak geopend werd hoefde hij niet achterom te kijken om te weten dat de gewapende kerel hem achtervolgde.

'Wegwezen, Ann!' schreeuwde Pitt. 'Niet wachten!'

Ann stapte op de steiger en maakte de achterste landvast los. Daarna hinkte ze langs de boot en maakte de landvast bij de boeg los. Ze zat alweer aan boord toen Pitt de steiger op draafde. Hij keek ervan op dat de boot een ouderwets type was met een mahonie romp. Als er meer licht was had hij kunnen zien dat het een Chris-Craft was, gebouwd in de jaren veertig.

Zonder aarzelen rende Pitt over de steiger en met een grote stap was hij aan boord. Via een bank sprong hij naar de stuurstand en ramde de gashendel naar voren. Toen hij zich in de stoel liet zakken schoot de oude boot weg van de steiger, met het donderende geraas van de zescilinder Chrysler-motor.

'Jij kunt snel beslissen,' zei hij tegen Ann, terwijl hij de boot van de oever stuurde.

'Ik was zo bang dat je niet kwam opdagen.'

Pitt keek om naar de steiger en hij zag de duistere gestalte van de gewapende bewaker naderen. 'Ga liggen!' commandeerde hij en draaide verwoed aan het stuurwiel. Er was genoeg ruimte op de vloer voor beiden en ze doken weg terwijl de boot naar links zwenkte. Pitt richtte zich half op en draaide het stuurwiel terug, zodat de boot recht vooruit raasde. Door zijn actie koerste de boot nu parallel aan de kust over het gladde meer, en de twee opvarenden hielden zich onzichtbaar. De gewapende kerel draafde naar het eind van de steiger, en terwijl hij op de wegvarende boot richtte, vuurde hij tot het magazijn leeg was.

Het daverende geronk van de motor overstemde de pistoolschoten, maar Pitt voelde dat op verschillende plaatsen kogels tegen de romp ketsten. Hij wachtte even en keek toen voorzichtig om zich heen. De steiger was achter de bomen verdwenen en de boot koerste naar de oever. Pitt ging snel achter het roer zitten en gaf een ruk om in diep water te blijven. Zodra de boot op koers lag trok hij Ann naast zich. Omdat al zijn aandacht op ontsnappen was gericht had hij de bonkende pijn in zijn been genegeerd en omdat hij nu kleverige nattigheid voelde wist hij dat hij een bloedende wond had.

'Alles oké?' vroeg hij aan Ann.

Ze knikte. 'Dat scheelde niet veel, en ik was doodsbang.'

'Als ik jouw kruk niet had gehad zou het nog minder gescheeld hebben. Sorry, dat ik je alleen weg liet hinken.'

'Ik was zo bang dat ik niet eens aan mijn enkel dacht. Ik zag alleen dat naar beneden hellende pad en ik herinnerde me dat ik de huissleutels in mijn zak had. Gelukkig zat de contactsleutel van de boot ook aan de bos.'

Onwillekeurig wreef ze over haar enkel en voelde de pijn weer.

'Waar gaan we nu naartoe?' vroeg ze.

Pitt had daar al over nagedacht. 'We snijden ze de pas af.' Er was maar één weg naar Heilands zomerhuis en Pitt wist dat de overvallers door Bayview moesten om met de gestolen documenten te ontkomen. Het was mogelijk om ze tegen te houden als hij en Ann daar eerder waren. Het werd een wedstrijd tussen een auto en een zeventig jaar oude Chris-Craft. Maar Heilands boot was niet traag: uitgerust met een Model M-scheepsmotor van 130 pk. De bejaarde speedboot voer zo snel als zijn uiterlijk deed vermoeden. Toen de boot in 1942 van de werf kwam was het al een begeerd model, maar inmiddels was het een gezochte klassieker voor bootliefhebbers. De elegante speedboot sneed soepel door het water en Pitt bleef volgas naar de overkant varen. Hij wist dat ze een voorsprong hadden, maar ook dat de overvallers met hun auto twee keer zo snel als de boot richting Bayview reden.

De heldere sterrenhemel gaf Pitt genoeg licht om zich te oriënteren en hij stuurde bij om de kortste oversteek naar de andere oever te maken. Na minutenlang varen op volle snelheid doemde links een brede inham voor de boot op en Pitt stuurde daarheen. De fonkelende lichtjes van Bayview werden zichtbaar voor de boeg ter hoogte van Scenic Bay. Pitt tuurde naar de weg langs de oever maar zag nergens het schijnsel van koplampen.

'Hoe moeten we ze tegenhouden?' riep Ann.

Pitt had over die vraag gepiekerd sinds ze van de steiger waren weggevaren. Hij zat ongewapend in een zeventig jaar oude boot, met een vrouw die amper kon lopen, dus hij kon weinig doen. Het leek logisch om meteen naar de marinekazerne te gaan om daar om hulp te vragen. Maar als hij daar naar binnen rende werd hij waarschijnlijk eerder neergeschoten of gearresteerd door bewakers dan dat hij onmiddellijk assistentie kreeg. Hij tuurde weer naar de oever en zag een marinesteiger dicht bij de beveiligde toegang tot het laboratoriumcomplex. De route van Heilands huis kruiste de hoofdstraat van Bayview een eindje verder. Hij wees Ann waar de steiger was.

'Ik vaar daar naar de kant,' zei Pitt. 'Probeer zo snel mogelijk naar de bewakers te lopen en zeg dat ze de weg meteen moeten blokkeren. Dan zal ik zoeken naar iets om ze tegen te houden.'

'Oké, maar wees voorzichtig.' Ze reikte naar de achterbank om haar kruk te pakken en stond op om van boord te gaan.

De oude speedboot stoof langs de jachthaven in een gebied waar alleen langzaam gevaren mocht worden. Boze woonbootbewoners verschenen voor de ramen en keken kwaad naar de speedboot die hun drijvende onderkomen heftig liet schommelen. Langs de kades lagen veel kleine vissersboten maar Pitt zag een open plek en daar stuurde hij naartoe. Op het laatste moment trok hij de gashendel terug en de boot vertraagde meteen om met een lichte bons tegen de kade te stoten. Pitt kwam overeind en sprong op de kade. Hij hielp Ann aan wal.

'Het gaat wel,' zei Ann. Ze klemde de kruk onder haar arm en hinkte weg over de kade.

Pitt rende voor haar uit naar de hoofdweg en hij liet een spoor bloederige voetstappen achter. En Ann kromp in elkaar toen ze besefte dat de voetstappen niet nat waren door het buiswater.

De straten van Bayview waren uitgestorven en het was overal stil. Pitt hoorde in de verte het geluid van een automotor en hij keek naar de oever van de baai. Hij zag twee koplampen snel naderen over de weg die naar Heilands zomerhuis leidde. Pitt keek om zich heen of er iets was wat hij als barricade kon gebruiken bij de kruising met de hoofdweg. Er stonden enkele voertuigen voor wegwerkzaamheden geparkeerd op de helling: een grindauto en een gele bulldozer. Hij keek weer naar de naderende koplampen. Binnen een minuut zou de auto hier zijn.

'Altijd werk in de wegenbouw,' mompelde hij en draafde zo snel hij kon de helling op.

25

Ann stormde hijgend het wachtgebouw van het Acoustic Lab binnen, even subtiel als een tornado.

'Het lab is bestolen!' riep ze. 'Help mij, nu meteen!'

De dienstdoende bewaker zat achter pantserglas rustig de sportpagina van de krant te lezen. Als door een horzel gestoken kwam hij overeind.

'Mevrouw, ik kan mijn post niet verlaten,' stamelde hij. 'Rustig maar, vertel eerst wie u bent en wat er aan de hand is.'

Ann hield haar pasje al tegen het dikke glas gedrukt. 'Vraag assistentie. Alle toegangswegen naar Bayview moeten meteen worden afgezet.'

De bewaker zag enige overeenkomst tussen de vrouw die met een verwilderde blik tegen hem schreeuwde en de pasfoto van een verzorgde dame in uniform op het NCIS-identiteitsbewijs. Hij knikte naar Ann en pakte de telefoon. Hij was nog bezig een nummer in te toetsen toen buiten gierende banden te horen waren.

Ze keken allebei in de richting van het geluid en zagen een donkere personenauto over de weg langs de oever slingeren. Vanaf de heuvel achter de weg doemde opeens een gele graafmachine op en het gevaarte rolde kennelijk onbestuurbaar van de steile helling. Ann zag dat beide voertuigen op ramkoers met elkaar lagen, maar de bestuurder van de auto besefte dat te laat. In het licht van een straatlantaarn zag Ann een man met zwart haar in de cabine van de graafmachine, en ze herkende Pitt.

Toen Pitt ondanks de stekende pijn in zijn linkerbeen de helling op was gerend, zag hij geen andere mogelijkheid. De grindauto stond te dicht bij de graafmachine geparkeerd om eromheen te manoeuvreren, zodat het gele gevaarte zijn enige kans was. De wegwerkers in het rustige stadje namen niet de moeite de cabines van beide voertuigen af te sluiten. Pitt klom in de graafmachine, keek langs de helling naar beneden en zag de koplampen van de vluchtauto al bij het marinecentrum. Over enkele seconden zou de auto voor hem passeren. Hij trapte de koppeling in en schakelde de versnellingspook in neutraal. Met zijn andere hand ontgrendelde hij de handrem. De zware machine begon naar beneden te rollen, zo snel dat Pitt moest afremmen.

Toen hij weer naar beneden keek, zag hij de auto dichtbij opduiken tussen de bomen. Hij mocht geen tijd verliezen. Hij liet het rempedaal los en de graafmachine rolde sneller langs de steile helling. Pitt rukte het stuur naar rechts. De voorwielen gehoorzaamden en trokken een diepe voor in de aarde onder aan de helling. Het gevaarte werd even afgeremd en dook toen weer naar voren.

De zware machine wankelde vervaarlijk en dreigde even om te vallen, maar kwam toen met een bonkend geluid terug op vier wielen. De steile helling daalde wel twintig meter, zodat de graafmachine steeds sneller ging rijden. Pitt stuurde weer rechtuit en hoopte dat hij het gevaarte onder controle kon houden. Het felle licht van de naderende auto scheen door het rechterraampje van de cabine. Als de bestuurder van de vluchtauto niet veel te hard reed, had hij misschien nog kunnen remmen voor de aanstormende graafmachine. Maar door de hoge snelheid en de schrik toen opeens een groot gevaarte van de helling denderde maakte de chauffeur een fout. In plaats van eerst te remmen draaide hij instinctief het stuur om een botsing te vermijden. Daarna trapte hij op de rem.

De auto raakte meteen in een slip en knalde tegen een telefoonpaal langs de weg. De man die in Heilands huis Ann en Pitt bewaakt had zat zonder veiligheidsriem om naast de bestuurder. Hij werd tegen de voorruit gesmeten, brak zijn nek en was op slag dood.

Een been van de bestuurder werd verbrijzeld, maar toen hij opkeek boven de leeglopende airbag zag hij een geel, metalen monster akelig dichtbij. De schep van de graafmachine sloeg vol tegen het portier aan de bestuurderskant, waardoor de auto schuin werd weggeduwd van de telefoonpaal. Pitt liet de metalen schraper van de machine op de weg zakken, waardoor het gevaarte werd afgeremd in een wolk vonken boven het asfalt. Even later raakte het portier aan de passagierskant de afrastering van het Navy Lab en beide voertuigen kwamen krakend tot stilstand.

Ann kwam al aangestrompeld, gevolgd door een surveillanceauto die met loeiende sirene langs de toegang van het marinecomplex raasde. Ann bereikte de graafmachine toen Pitt uit de cabine klauterde. Zijn linkerbeen was bebloed en zijn gezicht was bleek.

'Je been,' zei Ann. 'Gaat het nog?'

'Het is niet ernstig,' antwoordde hij en hij sprong behendig op de grond.

Ze liepen naar het wrak van de auto en keken naar binnen. Het lichaam van de bestuurder was naar voren geslagen en zijn ogen staarden levenloos voor zich uit. Zijn bebloede dode maat lag half over het dashboard.

'Je hebt het wel grondig aangepakt,' fluisterde Ann. Ze bekeek de gezichten van de doden beter en zag details die ze in de donkere woning van Heiland niet had opgemerkt. 'Zijn dit kameraden van onze vrienden in Tijuana?'

'Mogelijk hebben ze de werkkamer van Heiland in Del Mar doorzocht en ontdekten zo de locatie van de zomerhuis,' veronderstelde Pitt. Hij keek nog even naar het gruwelijke tafereel in de verongelukte auto, toen de auto van de beveiliging naast hem stopte. 'Ik hoop maar dat het allemaal de moeite waard was.'

Ann hinkte naar de kofferbak en wrikte de beschadigde klep open. Daar zag ze de bak met Heilands documenten. Ze keek Pitt ernstig maar tevreden aan.

'Ja, het was de moeite waard.'

132

DEEL II

Zeldzame mineralen

26

De wielen onder de Gulfstream bonkten op de landingsbaan en Ann schrok wakker. De spannende gebeurtenissen van de laatste dagen eisten uiteindelijk hun tol en Ann had geslapen sinds het toestel was opgestegen. Ze geeuwde en keek over het gangpad naar Pitt die verdiept was in een boek van Jeff Edwards.

'Eindelijk thuis,' verzuchtte ze.

Pitt keek op en glimlachte. Hij keek door het raampje naar de grauwe avondlucht boven Reagan National Airport. 'Ik had af en toe twijfels of dat ooit zou gebeuren.'

Het grootste deel van de ochtend was hij ondervraagd door medewerkers van de marine, de FBI en de lokale politie over het fatale ongeluk van de avond ervoor. Ann probeerde het onderzoek zo goed mogelijk te sturen en uiteindelijk kon Pitt gaan, met de spullen van Heiland die ze in het autowrak hadden aangetroffen.

De Gulfstream zwenkte van de landingsbaan en taxiede over het platform langs de terminals van luchtvaartmaatschappijen naar een hangar die gereserveerd was voor regeringstoestellen. Een blauwe Ford Taurus reed snel over het platform en stopte naast het kleine straalvliegtuig, zodra de wielen geblokkeerd waren. Dan Fowler stapte uit de auto en keek ongeduldig met zijn voet tikkend op zijn horloge en wachtte tot de deur van de jet geopend werd. Hij rende meteen naar Ann, greep haar hand en hielp haar de vliegtuigtrap af.

'Ann, hoe is het met je?'

'Dan, ik had je hier niet verwacht. We zijn allebei vermoeid, maar verder is alles prima.'

'Ik dacht dat je wel een lift naar huis kan gebruiken.'

Pitt kwam ook uit het vliegtuig en hij reikte Ann een nieuw paar krukken aan.

'Fijn je te zien, Dirk.' Fowler stak zijn hand uit ter begroeting.

'Na de laatste twee dagen weet ik niet zeker of ik wel zo blij ben jou te zien,' zei Pitt terwijl hij Fowler de hand schudde.

Fowler zag dat Pitt moeite had met lopen. 'Ben jij ook gewond geraakt?'

'Een kogel schampte mijn kuit. Maar ik heb minder pijn dan Ann.'

'Ik vind het vreselijk wat jullie overkomen is,' zei Fowler. 'We hadden geen idee dat jullie zoveel gevaar zouden lopen. We vermoedden alleen dat iemand na Heilands verdwijning zou proberen de resultaten van research te bemachtigen. Maar we wisten niet dat dit zo riskant werd.'

'En riskant was het zeker,' beaamde Ann. 'Maar uiteindelijk is hun plan mislukt.'

Fowler keek Ann vragend aan. 'Heb jij de ontwerpen van Heiland?'

Pitt stapte weer in de Gulfstream en kwam terug met de bak waarin de werkboeken en laptops van Heiland zaten. 'Alles is hier,' zei Pitt.

Fowler keek opgelucht. Hij liep naar de achterkant van zijn auto en opende de kofferbak. Pitt volgde hem en met een veelbetekenende blik plaatste hij de bak in de auto.

'Je beseft het waarschijnlijk niet,' zei Fowler, 'maar dit materiaal is onschatbaar waardevolle maritieme technologie.'

'Waarom heb je dan geen gewapende escorte ingezet om het te beveiligen? Iemand wil desnoods mensen vermoorden om die gegevens in handen te krijgen.'

'Maak je geen zorgen. Dit gaat naar een zwaar beveiligde ruimte ergens in het hoofdkwartier van DARPA. Zodra ik Ann naar huis heb gebracht.'

Pitt haalde Anns reistas uit de Gulfstream en zette de bagage naast de bak achter in de auto.

'Kan ik jou ook een lift aanbieden?' vroeg Fowler.

'Nee, bedankt. Ik woon op loopafstand,' antwoordde Pitt. 'En na een paar uur in dat vliegtuig wil ik mijn benen strekken.' Hij draaide zich om naar Ann. 'Veel succes met het onderzoek.'

Ann sloeg haar armen om hem heen en kuste hem op zijn wang. 'Bedankt,' fluisterde ze.

'Wees maar voorzichtig met je enkel.' Hij hielp haar met instappen en wuifde ze na toen ze in de schemering wegreden.

Pitts linkerbeen was pijnlijk door de schotwond en zijn rechterscheenbeen was nog steeds gevoelig als gevolg van de aanvaring op zee bij Chili. Hij bleef even staan en haalde diep adem. De avondlucht was koel en fris na een regenbui. Met zijn reistas over de schouder wandelde hij over het platform, en langzaam ontspanden zijn verkrampte spieren.

Het geloei van motoren klonk toen hij langs een rij kleine hangars voor privévliegtuigen liep en hij even later kwam bij een weinig gebruikt gedeelte van de luchthaven. Hij liep over een open veld naar een hangar die de laatste vijftig jaar verlaten leek. Rond het stoffige en roestende gebouw stond hoog onkruid. De kleine ramen onder de dakrand waren gebarsten en op de grond lagen glasscherven naast een gehavende afvalbak. Alleen een scherpe waarnemer die het gebouw van dichtbij bekeek kon zien dat het haveloze uiterlijk in feite een façade was om zo min mogelijk aandacht te trekken.

Pitt liep naar een zijdeur verlicht door een zwakke gele lamp en hij tastte naar een schakelaar. Zodra hij de schakelaar had ingedrukt scharnierde een paneel open en daarachter waren druktoetsen verborgen. Pitt toetste een code in om het alarmsysteem uit te schakelen en hij opende het slot in de deur.

Hij stapte naar binnen en deed het licht aan. In de hangar stonden rijen antieke auto's, glanzend in de lak en het gepoetste chroom weerkaatste het lamplicht. Pitt had zijn leven lang al een passie voor fraai ontworpen snelle auto's en geleidelijk een verzameling bijeen gebracht met modellen uit het begin van de twintigste eeuw tot aan het eind van de jaren vijftig. De sfeer van een museum werd nog versterkt door een Ford Trimotor-vliegtuig dat geparkeerd stond naast een prachtig gerestaureerde Pullman-treinwagon. Pitts grote kinderen gebruikten de wagon soms als tijdelijke woning.

Hij kuierde door de hangar en klopte op het spatbord van een Packard Speedster 8 Runabout, gebouwd in 1930. De auto stond naast een werkbank en de rechterkant van de motorkap was geopend. Hij kwam bij een gietijzeren wenteltrap en klom naar de verdieping, waar hij met Loren woonde.

Pitt gooide zijn tas op een stoel en pakte een blikje Shiner Bock-bier uit de koelkast. Toen zag hij het memobriefje op de deur van de koelkast.

Dirk,
Ik logeer in de flat in Georgetown tot je weer terug bent. Hier spookt het te veel tussen de auto's. Waarschijnlijk veel overwerk met die hoorzittingen. Ik mis je.
XXX
Loren

Pitt dronk zijn bier en liep terug naar de begane grond. Er zat hem iets dwars over de zaak-Heiland, al wist hij nog niet precies wat dat was. Hij liet de gebeurtenissen van de laatste dagen in gedachten nog eens passeren, maar hij kwam niet op een helder idee. Hij trok een versleten overall aan en liep naar de oude Packard. Voorzichtig demonteerde hij de carburateur. Toen hij het onderdeel na een uur helemaal gereviseerd had wist hij wel wat hem dwars zat.

27

'Volgens mij was het een goede beslissing om Pitt op deze zaak te zetten,' zei Fowler toen hij van de luchthaven wegreed.

'Hij is echt een heel doortastende kerel,' zei Ann. Ze staarde uit het raampje en dacht terug aan haar ervaringen met Pitt. 'Twee keer redde hij mijn leven.'

'Ja, hij zal zeker een behoorlijke staat van dienst hebben bij het afweren van rampen,' beaamde Fowler. 'Ik ben er zeker van dat hij betrouwbaar is, maar voor de zekerheid: denk jij dat hij nu ook weet waar Heiland aan werkte en wat de mogelijkheden zijn?'

'Hij heeft wel een globaal inzicht, maar hij vroeg niet om meer details. Hij was vooral bezorgd over de veiligheid van zijn schip en de bemanning.' Ann wreef over haar enkel. 'We hadden hem toch alle informatie vooraf moeten geven.'

'Dat was onmogelijk. Tom Cerny wilde geen enkele discussie met hem over de techniek. En volgens mij waren we allemaal verrast dat degenen die dat materiaal wilden roven zo genadeloos waren.'

Fowler reed van het luchthaventerrein en stopte voor een verkeerslicht. 'Jij woont in Alexandria, toch?'

'Ja, dicht bij Old Town, vlak bij King Street. Je kunt via de Jefferson Davis Highway naar het centrum rijden.'

Fowler knikte en reed verder naar het zuiden.

'Nog iets gehoord van de FBI toen wij onderweg waren?' vroeg Ann.

'Nee, niets. Het zal wel een paar dagen duren voordat we iets van de Mexicaanse autoriteiten horen. En waarschijnlijk weet jij meer over die twee in het zwart geklede kerels in Idaho.'

'Ze hadden een latino-uiterlijk. Als ze contact hebben met de lieden in Tijuana, dan denk ik dat ze uit Midden- of Zuid-Amerika komen.'

'Venezolaanse zware jongens?'

'Mogelijk. Er zijn genoeg wereldmachten die deze technologie maar al te graag willen gebruiken. China en Rusland staan boven aan de lijst. Misschien hebben ze handlangers.'

'Vergeet Iran niet.' Fowler gaf gas om nog net een oranje verkeerslicht te halen. Hij reed verder over King Street, een verkeersader die Alexandria in tweeën deelde.

'Die inbrekers waren behoorlijk grof,' zei Ann. 'En ze wisten precies wat ze deden.'

'Ja, ze waren nergens bang voor.'

'Denk jij wat ik denk?' zei Ann.

'Wat bedoel je?' vroeg Fowler en hij sloeg een zijstraat in.

'Hulp van binnenuit. Er moet ergens een veiligheidslek zijn. En mogelijk op hoog niveau.'

'Dat zou kunnen, maar je weet dat geheime informatie altijd belangstelling van de media heeft. Het was niet zo moeilijk om erachter te komen dat Heiland aan iets belangrijks werkte. En aangezien hij niet in een streng beveiligde omgeving werkte was hij een gemakkelijk doelwit.'

'Misschien heb je gelijk.' Ann wees naar de straat. 'Daar woon ik, net voorbij die grote eik.'

Fowler stopte langs de stoep, achter een auto met draaiende motor en gedoofde lichten. Ann zag dat de auto een Chrysler 300 sedan was.

'Neem morgen maar vrij,' opperde Fowler. 'Je bent de afgelopen twee etmalen gemangeld dus je zult een dag rust wel kunnen gebruiken.'

'Bedankt voor het aanbod, maar ik word gek van alleen thuis zitten. Ik moet weten wat dat voor lieden zijn.'

Fowler stopte de motor en Ann stapte uit. Toen ze zich omdraaide en haar krukken uit de auto wilde pakken werd ze van achteren vastgegrepen. Ze zag haar belager in een flits: een grote, zwarte kerel die zijn armen om haar heen sloeg en haar meetrok naar een grasveld. De zware man dook op haar en ramde zijn knie tegen haar rug. Met zijn grote hand drukte hij haar gezicht in het gras. Ann probeerde zich uit de houdgreep te worstelen maar staakte haar verzet toen ze de loop van een pistool tegen haar slaap voelde.

'Waag het niet,' waarschuwde de man.

Ze hoorde Fowler schreeuwen en toen doffe dreunen van vuist-slagen op een lichaam. Een paar tellen later het rinkelende geluid van autosleutels en de klep van de kofferbak die openging. Vanuit haar ooghoeken zag Ann dat een tweede kerel iets naar de achterbank van de Chrysler droeg en achter het stuur kroop.

De zwarte man boog zijn hoofd en fluisterde met een stinkende adem dicht bij haar gezicht: 'Jij blijft hier vijf minuten doodstil liggen, anders komt deze jongen terug en dat gaat pijn doen.'

De man ging rechtop staan en liep naar de Chrysler. Nonchalant stapte hij in en de auto scheurde meteen weg met piepende banden.

Ann wilde het kenteken zien, maar daar was tape overheen geplakt. Professionals, begreep ze. Een blok verder zouden de overvallers de tape weghalen en zich onopvallend in het verkeer mengen, zich hou-dend aan de maximumsnelheid.

Ann krabbelde overeind en hinkte naar de Ford. Ze trof Fowler op de grond naast het voorwiel aan. 'Dan!' riep ze uit en ze knielde naast hem.

Hij knipperde met zijn ogen en ging half overeind zitten. 'Het gaat wel,' zei hij, en hij wreef over zijn kaak. 'Ik was totaal verrast.' Hij keek naar Ann. 'Ben jij gewond?'

'Nee, dat niet. Maar dit was geen toevallige beroving.' Ze keek naar de geopende kofferbak.

'De documenten!' zei Fowler geschrokken en hij kwam moeizaam overeind. Elkaar ondersteunend schuifelden ze naar de achterkant van de auto en tuurden in de kofferbak. Daar was Anns reistas. En verder niets.

28

De rouwdienst voor Joe Eberson werd druk bezocht door zijn collega's en onderzoekers bij DARPA. Een aantal van hen betrad het podium in de Annandale Church om grote waardering uit te spreken over het werk van de overledene. Ann zat in het midden van de kerk en voelde zich ongemakkelijk, omdat ze hier was in verband met het onderzoek naar de dood van Eberson. Maar het was duidelijk dat hij een gerespecteerd man was en daarom was ze vastbesloten de moordenaars op te sporen.

Fowler zat naast haar, een pleister op zijn kin herinnerde aan de overval de vorige avond. Ambulancepersoneel en de politie waren snel naar Anns woning gekomen en daar bleek dat geen van beide slachtoffers ernstig gewond was geraakt. Maar de autoriteiten vonden ook geen spoor van de overvallers. Ann rapporteerde de diefstal van de documenten bij de legerleiding en in de regio Washington werd opdracht gegeven uit te kijken naar de Chevrolet van de overvallers. Tegen de ochtend werd de auto aangetroffen op het parkeerterrein van een supermarkt. De auto bleek een dag eerder gestolen en alle vingerafdrukken waren zorgvuldig weggepoetst. Het materiaal van Heiland was verwenen uit de Chrysler. Een speciaal FBI-team werd gevormd om de diefstal te onderzoeken, maar de speurders hadden nauwelijks aanknopingspunten.

'Ik wil de familie van Joe condoleren,' zei Fowler toen de kerkdienst afgelopen was. 'Zullen we elkaar bij de auto ontmoeten?'

Ann knikte, en ze was blij dat Fowler haar had aangeboden mee te rijden.

Even later stapten ze in de auto en Ann maakte een opmerking over de populariteit van Eberson.

'Ja, hij heeft vele jaren in dit vakgebied gewerkt,' zei Fowler. 'Hij had veel vrienden maar ook enkele vijanden.'

'Hoezo, vijanden?' vroeg Ann.

'Ach, kinnesinne over het werk. Een researchproject van DARPA wordt opgedeeld in onderdelen en die worden toegewezen aan bepaalde bedrijven en universiteiten. Daarna wordt alles weer aan elkaar geknoopt en hebben wij de eer. De kleine deelnemers die een echte doorbraak maken, blijven vaak onopgemerkt.' Hij keek naar Ann. 'Ik geloof niet dat het een collega-wetenschapper was die Heiland of Eberson omver kegelde, als je daar op doelt.'

'Ik tast alle mogelijkheden af,' zei Ann. 'We hebben al eerder over dit onderwerp gesproken, maar ik wil het toch nog een keer vragen. Hoe groot is de kans dat er gelekt is uit de organisatie van DARPA?'

Fowler fronste zijn wenkbrauwen. 'Alles is mogelijk, maar volgens mij is dat nu niet het geval. Een betrekkelijk klein team werkt aan het Sea Arrow-programma. De meeste werkzaamheden worden uitbesteed. En daar zit volgens mij het echte risico: bij onze onderaannemers. Uiteraard weten ook mensen op onze werf meer, en daar moeten we ons ook op richten.'

'Ja, en daarom hebben we al een speciaal NCIS-team naar Groton gestuurd.'

'Misschien is het onbelangrijk,' peinsde Fowler hardop, 'maar ik vind het wel merkwaardig dat Heiland en Eberson de dood vonden, kort nadat de president een bezoek aan de werf bracht. Ik was er niet bij, maar ik heb wel de lijst genodigden opgesteld.'

'Wil jij suggereren dat iemand van het Witte Huis betrokken is bij deze zaak?'

'Niet rechtstreeks. Jij weet ook dat het Witte Huis een vergiet is. Het zou mij niet verbazen als details over het Sea Arrow-project in verkeerde handen zijn gevallen.'

'Kan ik die lijst met namen krijgen?' vroeg Ann.

'Jazeker, die ligt in mijn bureau. Wil je dat werk ook nog op je bord?'

'Op dit moment moeten we breed zoeken. Ik wil de gegevens zien van alle recente technologiediefstallen die vergelijkbaar zijn. Heb jij ervaring met buitenlandse spionage?'

'Niet meer sinds ik bij DARPA werk,' zei Fowler. 'Bij ons gaat het meestal over zoekgeraakte diskettes en dat soort zaken. Maar ik zit hier pas een jaar. Toen ik nog bij het Army Research Laboratory werkte hebben we een paar kwesties gehad waarbij Chinese en Israëlische spionnen een rol speelden. Er was alleen te weinig bewijs voor een rechtszaak.'

'De kerels die in dit geval spullen roofden, leken niet het gewone type geheim agent,' merkte Ann op.

'Dat is waar, al weet je niet wie hun opdrachtgever was.'

'Heb je enig idee wat de gevolgen zijn voor het Sea Arrow-project?'

'Ik ben niet genoeg technisch onderlegd om dat te beoordelen, maar kennelijk was Heilands supercavitatiemodel de kern van het hele systeem. Daardoor werd de Sea Arrow totaal getransformeerd. Nu zijn researchwerk verdwenen is zal het ontwikkelingsprogramma wel een aantal jaren vertraging oplopen. Zonder de tekeningen van Heiland kan niemand zijn werk gemakkelijk overdoen.'

'Ik kan nog amper geloven dat we in Alexandria van het materiaal beroofd werden. Hoe konden ze dat weten?'

'Geen idee. Misschien werd jij geschaduwd na dat incident in Tijuana. Mogelijk was er een derde handlanger in Idaho, die alle gebeurtenissen observeerde. Op de een of andere manier hebben ze snel geregeld dat wij werden overvallen.'

Fowler keek haar bezorgd aan. 'Je kunt beter een paar dagen in een hotel verblijven, voor de zekerheid.'

'Nee, ik red me wel.' Ze was niet ongerust over haar eigen veiligheid.

'Toch zal ik de politie vragen extra te surveilleren bij jouw huis.' Hij wreef over zijn kaak. 'Ik zie die overvallers graag achter slot en grendel.'

Fowler reed naar het parkeerterrein bij het hoofdkantoor van DARPA in het centrum van Arlington. Ann werkte daar liever dan aan haar eigen bureau in het NCIS-kantoor in Anacostia aan de andere kant van de rivier. Ze had de beschikking over een kleine, raamloze werkkamer naast de kamer van Fowler. Met haar laptop had ze toegang tot dezelfde bestanden over criminaliteit en ze had gemakkelijk contact met het DARPA-team dat aan de Sea Arrow werkte.

Zodra ze bij haar bureau stond voelde ze hernieuwde energie. Afgezien van het belang voor de nationale veiligheid was dit voor haar ook een persoonlijke zaak geworden. Ze schudde de lichamelijke en emotionele vermoeidheid van de laatste dagen van zich af en was vastbesloten naar aanwijzingen te speuren om erachter te komen wie verantwoordelijk was voor de moorden en diefstallen.

Ze telefoneerde eerst met het FBI-kantoor in San Diego. Een agent met de naam Wyatt had de leiding over het lokale onderzoek.

'Heb je al iets gehoord uit Mexico?' vroeg Ann.

'Ja. De twee dode mannen waren in de dertig, en geen Mexicanen. Op hun lichamen werden Colombiaanse paspoorten aangetroffen. Ik kan u de namen doorgeven, maar die zijn waarschijnlijk vals. We hebben via Buitenlandse Zaken navraag gedaan in Bogota, en beide namen waren niet bekend bij de Colombiaanse overheid.'

'Dus die paspoorten zijn vals?'

'Het zijn inderdaad heel goede vervalsingen. We hebben de vingerafdrukken van de twee doden nagetrokken, maar er werd geen match gevonden in de databestanden van de FBI en Interpol. Wij denken dat ze als simpele gespierde kerels zijn ingehuurd. Bij de douane is bekend dat deze twee met nog drie anderen in dit land arriveerden, een paar weken geleden. Bij Tijuana passeerden ze de grens met een toeristenvisum.'

'Had een van die kerels de naam Pablo?'

'Nee, niets wat daar op lijkt.'

'En is er meer bekend over die pick-up en die boot?'

'De pick-up is kort geleden gekocht bij een handelaar in gebruikte auto's. Contant betaald en geregistreerd op naam van een van de Colombianen, met als adres een tacostalletje bij Rosarito Beach. Ik vrees dat de Mexicanen over de boot niets wijzer zijn geworden.'

'En is er iets bekend over de activiteiten van de heren in ons land?'

'Daar wordt nog naar gezocht. Interessant is wel dat vijf personen geregistreerd werden toen ze per auto de grens overstaken, maar slechts drie personen verlieten het land. We hebben onderzoek gedaan na uw tip dat er mogelijk werd ingebroken in de werkkamer van Heiland. Op camerabeelden is te zien dat een portier na werktijd die kamer binnengaat. En die portier lijkt wel op een van die Colombianen.'

'Wyatt, doe telefonisch navraag bij het bureau in Spokane. Er zijn twee mannen verongelukt in Bayview, Idaho, na een inbraak bij Heilands zomerhuis aan het meer. Ik wed er een maandsalaris onder dat zij de twee ontbrekende personen van die groep van vijf zijn.'

'En krijg ik een bonus als een van hen die portier is?' vroeg Wyatt.

'Het is wel een vastberaden bende, dat is zeker.'

'Mee eens. Verder nog iets?'

'Een explosievenexpert heeft de boot van Heiland onderzocht. Hij bevestigde dat een springlading was verborgen in het interieur en elektrisch tot ontploffing werd gebracht. De bedrading was kennelijk al langere tijd geleden aangebracht.'

'Dus Heiland heeft de explosie veroorzaakt,' begreep Ann. Pitt had het goed gehad. 'Enig idee waarom hij dat deed?'

'Hij kende de dreiging of hij wilde zijn werk beschermen. Was zijn leven geven dat waard?'

'Kennelijk wel.'

'Er is nog iets mysterieus wat betreft dit incident.'

'En dat is?'

'Het autopsierapport van Eberson. Op basis van fysiek bewijs en de positie van het lichaam aan de achterkant van de boot, denken wij dat hij niet gedood werd door de explosie.'

'Zijn voeten zaten verstrikt in een vislijn,' wist Ann. 'Ik vermoed dat hij in paniek raakte toen hij niet weg kon zwemmen van de boot en uiteindelijk verdronken is.'

'De lijkschouwer heeft vastgesteld dat Eberson al dood was voordat hij in het water viel.'

'Werd hij doodgeschoten?'

'Nee...' Wyatt moest even naar de juiste woorden zoeken. 'Zijn huid vertoonde ernstige sporen van verbranding. En zijn dood werd kennelijk veroorzaakt door inwendige schade als gevolg van die verbranding.'

Ann had het gruwelijke, zwart verkleurde lichaam gezien en verondersteld dat het een gevolg was van de waterdruk op grote diepte. 'Waarom denkt de patholoog dat hij niet gedood werd door de explosie?'

'Omdat de verbranding van zijn huid anders is dan bij hitte vanbuiten. De verbranding was ook veel dieper. Met andere woorden: hij werd vanbinnen en vanbuiten gekookt.'

Ann begreep het niet. 'Vanbinnen?'

'De schade aan het lichaam leek veel op acute verbranding door bestraling, zoals in een magnetron.'

Ann zweeg en probeerde te begrijpen wat dit betekende.

'Kan het iets te maken hebben met de apparatuur die Heiland uitprobeerde?' vroeg Wyatt.

'Dat lijkt me onwaarschijnlijk. De apparatuur was nog ingepakt.'

'Duidelijk. Niemand hier weet er raad mee. Ik zal het rapport opsturen en dan kunnen we daar later over verder praten.'

'Bedankt, Wyatt. En laat het me weten als er nieuws is uit Mexico.'

De dood van Eberson was onverklaarbaar en paste niet in het geheel. Als de bende van Pablo hem wilde doden, waarom hadden ze de man dan niet meteen neergeschoten? En hoe kon die verbranding door microgolven veroorzaakt zijn?

Ann belde nog eerder dan Wyatt naar het FBI-bureau in Spokane en ze kreeg bevestigd wat ze al vermoedde. De twee verongelukte kerels in Bayview hadden ook vervalste Colombiaanse paspoorten bij zich. Ze waren met een privéjet naar Idaho gevlogen en dat verklaarde het feit dat ze wapens bij zich hadden. De verhuurder van het vliegtuig werd ondervraagd, maar het was duidelijk dat hij geen connecties met de Colombianen had.

Ann opende haar laptop en begon te speuren in databestanden van de overheid, op zoek naar criminele activiteiten van Colombianen op Amerikaans grondgebied. In het systeem van het National Crime Information Center legde ze een lijst aan van misdrijven die de laatste vijf jaar waren geregistreerd. Afgezien van enkele moorden en bankovervallen waren de meeste misdrijven gerelateerd aan drugshandel, vooral in Miami en New York. Een zoekactie in het Guardian Threat Tracking System van de FBI leverde evenmin duidelijke verbanden op. Voordat de FBI klaar was met DNA-tests van de lijken in Idaho kon Ann alleen op schimmen jagen. Daarom verlegde ze haar aandacht naar mogelijke beveiligingslekken binnen de organisatie.

Fowler had Ann gedetailleerde profielen gegeven van vijftien DARPA-wetenschappers en administratieve personeelsleden die betrokken waren bij het Sea Arrow-project. Het volgende uur besteedde ze aan het doorlezen van rapporten en ze was vooral alert op persoonlijke problemen met schulden, echtscheiding of drugsgebruik. Ze maakte een notitie voor Fowler om een vrouwelijke fysicus nader te onderzoeken, omdat die verwikkeld was in een moeizame echtscheidingsprocedure. En haar aandacht viel op een lager geplaatste technicus die onlangs een nieuwe Corvette had aangeschaft. Toch leken deze personeelsleden geen serieus veiligheidsprobleem te vormen.

'Heb je even tijd?' Fowler verscheen in de deuropening. Hij beende de kamer in en legde een dikke map op Anns bureau. 'Dit zijn de rapportages over de onderaannemers die voor DARPA aan het Sea Arrow-project werken. Groton heeft kennelijk de eigen onderzeeboten onder toezicht, en het Office voor Naval Research heeft er ook een aantal.'

'En wat is de situatie hier?'

'Er zijn acht particuliere bedrijven actief als onderaannemer, afgezien van Heiland, en ook nog drie researchcentra van universiteiten.'

'Genoeg om ons voorlopig mee bezig te houden. Bedankt, Dan. Mag ik je nog een gunst vragen?'

'Uiteraard. Wat kan ik voor je doen?'

'Kan ik een uitdraai krijgen van de reizen die de leden van jouw DARPA-team voor de Sea Arrow hebben gemaakt? Ik wil de reizen naar belangrijke plaatsen controleren: naar Oost-Azië, Rusland en naar het Midden-Oosten.'

'Dat is geen probleem. Trouwens, hier is de lijst met genodigden voor de rondleiding van de president, een paar weken geleden bij de scheepswerf in Groton.' Hij gaf haar een vel papier dat ze op haar bureau legde.

'Kan ik je uitnodigen voor de lunch?'

'Nee, bedankt, ik heb geen trek,' weerde Ann af en ze verdiepte zich in de gegevens over de onderaannemers. 'Nog bedankt voor de rapporten.'

Ann las de overzichten en al spoedig besefte ze dat er maar weinig contact was tussen Heiland en de andere onderaannemers. De meeste bedrijven waren betrokken bij het ontwerp van de romp of van de elektronische apparatuur, en dat had weinig te maken met het super-cavitatiesysteem van Heiland. Eberson was de centrale figuur geweest bij het uitwerken van de ontwerpen die Heiland maakte.

Ann stond op, rekte zich uit en pakte toen de bezoekerslijst van het presidentiële werkbezoek. Er stonden slechts zeven namen op: drie functionarissen uit Washington en vier vertegenwoordigers van het Pentagon. De naam Tom Cerny viel haar meteen op. Ze gaf de namen op de lijst door aan een collega bij het NCIS en vroeg om de achtergronden van deze personen te controleren. Terwijl ze wachtte op een e-mail met de resultaten peinsde ze over het ongewone van Heilands dood.

Diefstal van industriële of militaire geheimen had zelden tot gevolg dat iemand vermoord werd. Toch waren Heiland, Eberson en Manny vermoord omdat ze aan het Sea Arrow-project werkten. Ann en Pitt waren bijna de volgende slachtoffers geworden. Alleen enkele schurkenstaten waren tot zulke provocaties in staat, al waren andere naties mogelijk ook bereid onder dwang zo ver te gaan. De regering van Colombia concurreerde niet met de Verenigde Staten op defensiegebied, dus de dieven hadden een andere opdrachtgever. Maar wie kon dat zijn?

148

Ann begon andere spionagezaken te bestuderen, zoekend naar een patroon. Ze negeerde terroristen en computerhackers, en constateerde dat de meeste onderschepte spionageactiviteiten te maken hadden met diplomatieke en politieke geheimen. Belangrijker leken enkele zaken waarbij militaire of commerciële technologie gestolen werd door Chinese agenten. Al waren deze zaken niet vergelijkbaar met Heiland, het was wel duidelijk dat vooral China fanatiek jacht maakte op militaire technologie.

Ze las dat China een lange historie had wat betreft het stelen of kopiëren van technologie van andere naties, vooral van Rusland. Nagemaakte artilleriesystemen, antiraketgeschut en zelfs marineschepen waren lange tijd een bron van zorg voor het hoogste kader in het Kremlin. Maar de Russen waren niet het enige doelwit. In het Chinese wapenarsenaal waren ook onderdelen die heel sterk op Amerikaanse wapens leken. Luchtvaartexperts zagen opmerkelijke overeenkomsten tussen het Chinese J-20-gevechtsvliegtuig en de Amerikaanse F-22A Raptor. China had kort geleden de inzet aangekondigd van een wapen om menigten onder controle te houden en dat was uiterlijk identiek aan het ontwerp van het Amerikaanse leger. Er werd ook beweerd dat spoedig een Chinese kopie van de Apache-helikopter gepresenteerd zou worden.

Verdiept in haar lectuur besefte Ann niet dat het bijna zes uur was, tot de telefoon rinkelde. Ze had veel materiaal bekeken, maar dat leidde tot weinig concrete resultaten. Met een vermoeide stem nam ze op, maar ze was meteen alert toen ze een bekende stem hoorde.

'Hallo Ann, met Dirk. Lekker aan het zwoegen?'

'Ja, ik ben nog aan het werk. Hoe gaat het?'

'Prima. Zeg, heb je zin om morgenavond met mij te eten? Ik wil iets met je bespreken.'

'Morgen? Ja, dat is goed. Is het belangrijk?'

'Misschien wel,' zei Pitt weifelend. 'Heb je zin om met mij een cruise te maken?'

29

Ann trok de aandacht van een aantal heren die haar nastaarden toen ze nog nauwelijks hinkend door de eetzaal van de Bombay Club liep. Ze droeg een nauwsluitende saffraankleurige, linnen jurk en leek eerder een mannequin op de catwalk dan een onderzoeker van criminele zaken. Ze negeerde de blikken terwijl ze door het restaurant liep naar een fraaie patio met uitzicht op Lafayette Park. Algauw zag ze Pitt aan een tafeltje in de hoek zitten. Naast hem zat een aantrekkelijke vrouw die haar vaag bekend voor kwam. Een beetje ongemakkelijk dwong Ann zichzelf te glimlachen toen ze het tafeltje naderde.

Pitt stond meteen op en begroette haar hartelijk. 'Geen krukken meer?'

'Nee, het gaat veel beter met mijn enkel, gelukkig maar.'

'Ann, dit is mijn vrouw Loren.'

Loren kwam snel overeind en omhelsde Ann hartelijk. 'Dirk heeft mij alles verteld over jullie beproevingen in Mexico en Idaho.' Ze zweeg even en zijn toen welgemeend: 'Alleen vergat hij erbij te zeggen hoe mooi jij bent.'

Bij het onverwachte compliment smolt elke reserve bij Ann. 'Helaas waren al die beproevingen tevergeefs.' Ze keek Pitt schuldbewust aan en beschreef hoe zij en Fowler waren beroofd van Heilands researchmateriaal.

'Dat kan geen toeval zijn,' merkte Pitt op en er verscheen een diepe frons op zijn voorhoofd.

'Eerder brutale spionage,' zei Loren. 'We hebben nu meer assistentie nodig. Van instanties die veel macht hebben.'

'Er zijn al drie FBI-teams op de zaak gezet,' zei Ann. 'En DARPA's eigen veiligheidsdienst, afgezien van enkele NCIS-rechercheurs, en ik.' Ze keek naar Loren en opeens wist ze het. 'Jij vertegenwoordigt Colorado in het Congres!'

'Pas op, hoor, dat is haar dekmantel,' lachte Pitt.

'Je kwam mij al bekend voor,' zei Ann. 'Ik herinner me jouw initiatiefwet om de positie van jonge dienstplichtige ouders in het leger te verbeteren en je strijd voor een betere verlofregeling. Voor de vrouwen in het leger ben jij een heldin.'

Loren schudde haar hoofd. 'Dat waren maar kleine veranderingen, en die hadden al veel eerder ingevoerd moeten worden. Maar als ik ergens aan de bel kan trekken bij Binnenlandse Veiligheid wat deze zaak betreft, dan doe ik dat graag voor je.'

'Dank je. We hebben de steun van de vicepresident en van het Witte Huis, dus ik denk dat er genoeg ambtelijke hulp is. Maar we hebben wel tijd nodig om uit te zoeken wat voor lieden achter die diefstal zitten.'

Een kelner kwam naar het tafeltje en ze bestelden een curryschotel. Pitt vroeg ook om een fles Saint Clair Sauvignon Blanc uit Nieuw-Zeeland.

'Hoe lang zijn jullie getrouwd?' vroeg Ann.

'Pas een paar jaar,' antwoordde Loren. 'Omdat we allebei vaak op reis zijn, lijkt het wel of we elkaar passeren als schepen in de nacht, maar het is te doen.'

'De truc is dat je beide schepen regelmatig met elkaar in aanvaring laat komen,' zei Pitt.

Loren wendde zich naar Ann. 'Heb jij een relatie?'

'Nee, ik ben single, op dit moment.'

De gerechten werden geserveerd en waren zo pittig gekruid dat een tweede fles wijn werd besteld.

'Deze curry verschroeit mijn tong, maar het is wel heerlijk,' zei Ann.

Wat later excuseerde Ann zich om naar het toilet te gaan. Zodra Ann buiten gehoorbereik was boog Loren zich naar Pitt. 'Die jongedame heeft een oogje op jou.'

'Ik kan er toch niets aan doen dat ze een goede smaak heeft wat mannen betreft?' grijnsde hij hulpeloos.

'Dat is waar, maar denk erom: laat je door haar niet het hoofd op hol brengen, want dan krijg je met mij te doen.'

Pitt lachte en kuste Loren daarna langdurig.

'Maak je niet druk, ik vind het wel prima zo.'

Toen Ann terug was genoten ze van het dessert. Pitt haalde een zilverkleurig stuk steen uit zijn broekzak en legde dat midden op tafel.

'Eén edelsteen maar?' vroeg Loren. 'Waarom niet twee stuks?'

'Dit is een souvenir uit Chili,' verduidelijkte Pitt. 'En ik denk dat het iets te maken heeft met de zaak Heiland.'

'Wat is dat voor steen?' vroeg Ann.

'Een geoloog van NUMA heeft geconstateerd dat het een mineraal is, monaziet. Ik vond het aan dek van een onbemand vrachtschip dat naar Valparaiso koerste.'

'Daar heb ik over gehoord,' zei Ann. 'Jij wist te voorkomen dat het vrachtschip midscheeps een cruiseschip zou rammen door het in een andere richting te sturen.'

'Zo ongeveer,' beaamde Pitt. 'Het is een mysterie wat er met de bemanning van dat vrachtschip is gebeurd, en ook waarom dat grote schip duizenden mijlen uit de koers raakte.'

'Werd het gekaapt?'

'Het is een bulkcarrier, kennelijk geladen met bauxiet uit een Australische mijn. Alles wijst erop dat de waarde van de lading gering was. We hebben gezien dat drie van de vijf ruimen met bauxiet geladen waren, en de twee achterste ruimen waren leeg.' Pitt hield het brok monaziet omhoog. 'Dit vond ik bij een van de lege laadruimen.'

'Denk je dat er monaziet uit het schip gestolen is?' vroeg Ann.

'Inderdaad.'

'Waarom zou iemand dat mineraal stelen en niet het bauxiet?' vroeg Loren.

'Ik heb dit stuk steen laten analyseren en de resultaten zijn heel interessant. Dit soort monaziet bevat een hoge concentratie neodymium en lanthanum.'

Loren glimlachte. 'Dat klinkt als een enge ziekte.'

'Het zijn twee van de zeventien elementen die bekendstaan als zeldzame aardmetalen, en er is veel vraag naar in de industrie.'

'Ja, natuurlijk,' wist Loren. 'We hebben een hoorzitting in het Congres gehouden over de beperkte aanvoer van die zeldzame grondstoffen. Dat materiaal wordt veel gebruikt in hightechproducten, zoals hybride auto's en windturbines.'

'En in een defensietechniek die van cruciaal belang is,' vulde Pitt aan.

'Als ik het me goed herinner is China de grootste leverancier van zeldzame metalen. Elders in de wereld zijn er maar een paar mijnen waar het gevonden wordt.'

'Rusland, India, Australië en onze eigen mijn in Californië leveren samen de rest van het totale aanbod.'

Ann keek hoofdschuddend naar het zilverige gesteente. 'Ik begrijp niet wat deze steen met de zaak Heiland te maken heeft.'

'Misschien is er ook geen enkel verband,' zei Pitt. 'Maar er zijn wel twee opmerkelijke toevalligheden. De eerste is die monaziet, want er zit dus neodymium in en dat speelt een sleutelrol in de motoren voor de aandrijving van de Sea Arrow.'

'Hoe weet jij dat?' vroeg Ann.

'Bij NUMA weten we dat enkele zeldzame metalen van essentieel belang zijn in het aandrijvingssysteem van de nieuwe Zumwalt-klasse marineschepen. Na wat speurwerk en gissen werd duidelijk dat die metalen nog belangrijker zijn in de elektromotoren van de Sea Arrow.'

'Dat moet ik verifiëren, maar ik twijfel er niet aan,' zei Ann. 'Al is me nog steeds niet duidelijk dat er een verband is.'

'Dat is er misschien ook niet,' gaf Pitt toe. 'Maar er is nog een tweede merkwaardig toeval: Joe Eberson, de DARPA-wetenschapper die dood werd gevonden op de Cuttlefish. Hij is niet verdronken, maar gedood door een sterke dosis elektromagnetische straling.'

Ann liet het stuk gesteente op tafel vallen en haar mond viel open. 'Hoe weet jij dat? Ik kreeg vanochtend een kopie van het autopsie-rapport. En daar staan dezelfde conclusies in.'

'Het was te zien aan de conditie van Ebersons stoffelijk overschot. Zijn ledematen waren opgezwollen, zijn huid was zwart verkleurd en met blaren overdekt. Dat opzwellen is niet ongebruikelijk bij een drenkeling, maar die zwarte huidskleur was wel vreemd. We hebben een dode matroos aangetroffen aan boord van die ertstanker in Chili, en op dat lichaam zagen we dezelfde verminkingen en in ernstiger mate. De Chileense autoriteiten hebben vastgesteld dat de zeeman door thermische schade gestorven is, waarschijnlijk veroorzaakt door krachtige bestraling met microgolven.'

'Dat is dus dezelfde oorzaak,' begreep Ann. 'De patholoog die autopsie verrichtte op het lichaam van Eberson vond geen mogelijke bron van die sterke straling. Hoe werden beide mannen zo dodelijk bestraald?'

153

'Afgezien van in slaap vallen op de draaiende schotel in een magnetron is dat moeilijk te bepalen. Ik heb de vraag voorgelegd aan mijn wetenschappers en we hebben wel een theorie, al is die niet erg overtuigend.'

'Ik ben benieuwd.'

'De laatste jaren zijn er apparaten ontwikkeld om groepen mensen onder controle te houden. Daarbij wordt straling gebruikt om de huid van passerende mensen licht te verbranden. In het leger wordt dat gebruikt onder de naam Active Denial System, ofwel ADS. Het wordt ook wel de "pijnstraal" genoemd. Dit is niet bedoeld als een dodelijk wapen, maar we weten dat met enkele wijzigingen de bestraling fatale gevolgen krijgt.'

'Kan dat systeem ook op zee gebruikt worden?' vroeg Loren.

'De apparatuur is nu op een truck gemonteerd, en kan dus gemakkelijk aan boord van een schip geplaatst worden. Mensen in het schip zijn immuun, maar wie aan dek staat of achter een raam, bijvoorbeeld in het stuurhuis, kan slachtoffer worden. Een dergelijk systeem met veel vermogen kan ook de communicatieapparatuur beschadigen. En het is mogelijk dat aanvallers het wapen gebruiken om dekking te geven als een schip geënterd wordt.'

'Denk je dat zo'n stralingswapen gebruikt is bij beide schepen?' vroeg Ann.

'Het kan gebruikt zijn om de bemanning van de Tasmanian Star te verlammen en dan de lading monaziet te roven,' zei Pitt. 'En bij de Cuttlefish om Heiland, Manny en Eberson te doden, en dan het testmodel van de Sea Arrow te kapen.'

'Ze konden dat model gemakkelijk van boord halen als Heiland de Cuttlefish niet met een explosie tot zinken had gebracht,' begreep Ann. 'Is er enig spoor van dat aanvallende schip?'

'We zoeken intensief, maar tot nu toe zonder resultaat.'

'Dan zijn we geen stap dichter bij het identificeren van de daders.'

Pitt keek haar sluw aan. 'Integendeel, ik denk dat ik ze binnen een week kan vinden.'

'Maar je weet toch niet waar je moet zoeken?' vroeg Loren.

'Ik wil dat ze mij vinden. Zoals je met kaas muizen in de val lokt wil ik de overvallers lokken met een brok monaziet in plaats van kaas.'

Pitt haalde uit zijn jaszak een wereldkaart en spreidde die uit op tafel.

'Hiram Yeager en ik waren nieuwsgierig naar de kaping van de Tasmanian Star en daarom hebben we alle schipbreuken en verdwijningen van schepen in de afgelopen drie jaar bekeken. Uit verzekeringsgegevens blijkt dat meer dan een dozijn koopvaardijschepen met man en muis is vergaan of spoorloos verdwenen. En van die schepen hadden er niet minder dan tien zeldzame metalen aan boord, of erts in die categorie.' Hij wees naar de kaart. 'Zeven schepen gingen verloren in de omgeving van Zuid-Afrika, en de overige in het oostelijk deel van de Pacific.'

Ann zag de kleine symbooltjes die de verdwijningen op de kaart markeerden, enkele in de buurt van een atol met de naam Clipperton Island.

'Waarom hebben die verzekeraars dit niet grondig onderzocht?'

'Veel schepen waren aftandse koopvaarders, eigendom van afzonderlijke bedrijven en waarschijnlijk onderverzekerd bij verschillende rederijen. Ik kan er alleen naar raden, maar ik vermoed dat geen enkele assuradeur zo'n grote schadeclaim kreeg dat er een patroon in te herkennen was.'

'Waarom zou iemand de moeite nemen om die schepen te kapen of tot zinken te brengen als die mineralen gewoon op de termijnmarkt te koop zijn?' vroeg Loren.

Pitt haalde zijn schouders op. 'Het aanbod op de wereldmarkt is erg klein. Misschien probeert iemand de voorraden te controleren en de prijs te manipuleren.'

'En wat is jouw plan om die lieden op te sporen?' vroeg Ann.

Pitt wees naar het klompje monaziet. 'Dit kwam uit een mijn in het westen van Australië, bij Mount Weld. Die mijn is tijdelijk gesloten om de productiecapaciteit te vergroten. We hebben ontdekt dat de laatste lading erts verleden week met een schip richting Long Beach is vertrokken.'

'Denk jij dat die boot ook overvallen wordt?' vroeg Loren.

'Dat schip volgt dezelfde route waarlangs twee andere schepen spoorloos verdwenen en waar de Tasmanian Star werd aangevallen. Het is de komende zes maanden de laatste lading zeldzaam erts uit Australië. Daarom is het wel een interessante prooi.'

'Dus dat wordt de cruise waarvoor je mij uitnodigde?' zei Ann met een fonkeling in haar ogen.

Pitt knikte. 'Die vrachtboot is eigendom van een rederij en de directeur is toevallig goed bevriend met vicepresident Sandecker. Hij heeft al geregeld dat wij met een arrestatieteam van de kustwacht dat schip kunnen opwachten ten zuiden van Hawaï.'

'Is dat wel genoeg bescherming?' In Lorens violette ogen was bezorgdheid over haar man te lezen.

'We gaan de confrontatie niet aan met een oorlogsbodem. En ik hou voortdurend contact met Rudi in ons hoofdkantoor, voor het geval we versterking nodig hebben.' Hij keek naar Ann. 'Over twee dagen vertrekken we naar Hawaï. Ga je mee?'

Ann pakte het stukje steen op en draaide het rond. 'Ik zou graag mee willen, maar ik zit midden in dat onderzoek en dat wil ik nu niet onderbreken. En ik zou me ook niet erg nuttig kunnen maken aan boord.' Ze keek Pitt strak aan. 'Maar ik heb een idee. Als jouw vermoedens juist zijn, dan staan Loren en ik je op te wachten op de kade in Long Beach.'

Pitt hief grijnzend zijn wijnglas naar de twee aantrekkelijke vrouwen. 'Dat is een vooruitzicht waar elke eenzame zeeman van droomt.'

30

Vanuit de lucht gezien leek de dichte jungle tot aan de horizon op een hobbelig groen vloerkleed. Alleen een enkele rookpluim of de glimp van een hut op een open plek waren tekenen dat er mensen onder het bladerdek leefden.

De helikopter was pas enkele minuten eerder opgestegen van Tocumen International Airport bij Panama City, maar het gieren van de turbine werkte al hevig op Pablo's zenuwen. Hij keek naar voren en zag de groenige watervlakte van Gatun Lake in de verte. Het grote meer was ontstaan tijdens het graven van het Panamakanaal. Ze waren dicht bij het doel van de luchtreis.

De piloot liet zijn toestel een bocht beschrijven en volgde de oostelijke oever van het meer waar ook enkele grote eilanden lagen, bekend als woongebied van allerlei soorten apen. Een smal schiereiland doemde op en de piloot stuurde weer in de richting van de jungle, geleidelijk vaart minderend. Boven het midden van de landmassa bleef de helikopter stil in de lucht hangen. Pablo tuurde naar de boomtoppen in de diepte en zag de kruinen bewegen. De bomen zwiepten niet in de luchtstroom onder de rotor, maar ze weken langzaam uit elkaar. Zo ontstond een grote open plek, gemarkeerd als helikopterlandingsplaats met lampen en een reflecterende, witte cirkel in het midden.

De piloot manoeuvreerde het toestel tot midden boven de cirkel en daalde langzaam tot het de grond raakte. Zodra de turbine werd uitgeschakeld zette Pablo zijn koptelefoon af en stapte uit de heli. Hij keek omhoog toen hij buiten bereik van de rotorbladen was en zag dat het kunstmatige bladerdek zich weer sloot. De schuilplaats voor de helikopter kon hydraulisch geopend worden en het platform was op poten in de jungle gebouwd. Twee gewapende mannen in legeruniform stonden achter een bedieningspaneel voor het mechaniek. De hemel verdween achter het bladerdek en uit de omringende jungle verscheen een golfkarretje dat voor Pablo stopte.

'*El Jefe* wacht,' zei de bestuurder, met een licht Zweeds accent. De man was een vreemde verschijning in de jungle, met zijn bleke huid en ijsblauwe ogen. Hij droeg een legeruniform, met aan zijn riem een Beretta in een holster.

Beide mannen keken elkaar aan met een mengeling van respect en minachting. Allebei waren ze ingehuurd als gespierde hulpkrachten en ze hielden wederzijds een gewapende vrede in stand.

'Goedendag, Johansson,' zei Pablo. 'Ja, ja, het was een prima vlucht, dank je.'

Johansson wachtte niet totdat Pablo op zijn stoel zat, maar zette het golfkarretje ruw in beweging. Zwijgend reden de twee mannen over een verhard pad door de jungle. Ze kwamen bij een schaduwrijke open plek waar meer mannen in legerkleding waren. Rechts van hen was een piramidevormige stapel grauwe rotskeien. Een groep haveloze kerels in vuile en bezwete kleren was bezig de keien over te scheppen in kleine karren die dan over een pad weggeduwd werden. De golfkar reed een eind verder door de jungle en stopte voor een groot en raamloos betonnen gebouw. Het platte verstevigde dak was bedekt met vegetatie, en daardoor vanuit de lucht even onzichtbaar als de landingsplek voor de helikopter. Alleen twee rijen palmen aan weerszijden van de ingang maakten het gebouw minder ongenaakbaar.

Pablo sprong uit de golfkar. 'Bedankt voor de lift. En je hoeft niet te blijven wachten.'

'Reken maar niet op een langdurig bezoek,' antwoordde Johansson en hij reed weg.

Pablo beklom de treden naar de ingang en een lichte bries van het meer maakte de tropisch benauwde lucht minder drukkend. Een bewaker bij de ingang opende de deur en begeleidde Pablo naar binnen.

In contrast met het sobere uiterlijk was het interieur overweldigend luxueus. Het was ingericht als een residentiële woning, in heldere kleuren geschilderd en verlicht door veel lampen. Pablo en de bewaker liepen door een wit marmeren gang, langs een verzonken woonkamer met moderne kunst aan een wand en grenzend aan een zwembad achter een glazen tussenwand. De achterkant van de woning grensde aan een steile helling die oprees boven het meer. Door ramen van vloer tot plafond was een groot deel van Gatun Lake zichtbaar.

Pablo werd naar een grote werkkamer gebracht met uitzicht op de rotsige kustlijn in de diepte. In de verte voer een containerschip over het Panamakanaal in zuidelijke richting naar de Pacific. Pablo bleef even in de deuropening staan, tot hij de aandacht trok van de man die achter een antiek mahoniehouten bureau zat. Edward Bolcke keek over zijn leesbril naar Pablo en knikte dat hij verder mocht komen.

Bolcke droeg een wat ouderwets kostuum met stropdas, zijn zilvergrijze haar was perfect in model, zijn vingernagels waren keurig geknipt en zijn schoenen glanzend gepoetst. Zijn werkkamer was spartaans ingericht en het bureaublad bijna leeg. Bolcke zette zijn leesbril af, leunde achterover en sloeg zijn armen over elkaar. Met zijn bruine haviksogen keek hij strak naar Pablo.

Pablo ging op de stoel voor het bureau zitten en wachtte tot zijn opdrachtgever begon te spreken.

'Wat ging er verkeerd in Tijuana?' vroeg Bolcke, met een licht Duits accent.

'U weet dat Heiland zijn eigen boot tot zinken bracht tijdens onze eerste actie,' begon Pablo. 'Daardoor konden wij het materiaal niet van boord halen. De Amerikanen van NUMA waren ons voor, omdat wij zo snel geen bergingsvaartuig konden organiseren, en zij hebben het testmodel boven water gehaald. Wij konden het in beslag nemen, maar twee mannen wisten ons te volgen tot de Mexicaanse kust. Er was ook een vrouwelijke speurneus bij betrokken.'

'Ja, dat heb ik gehoord.'

Pablo was verrast over de opmerking van Bolcke. Hij schraapte zijn keel. 'Toen we op weg waren naar het vliegveld kwamen we in botsing met een cementauto. Daarbij is het apparaat vernield en Juan was op slag dood. Eduardo is omgekomen toen we probeerden te vluchten.'

'Jullie hebben het wel grondig verknald.' Bolcke vernauwde zijn ogen tot spleetjes. 'Nog een geluk dat er tot nu toe geen repercussies volgden.'

'Ik werk alleen met getrainde huurlingen uit Colombia, en ze hebben allemaal een valse identiteit zonder criminele achtergrond of strafblad. Er kan geen verband met u gelegd worden.'

'Dat komt goed uit, aangezien het tweetal dat jij naar Idaho stuurde ook gedood is.'

Pablo verstijfde in zijn stoel. 'Zijn Alteban en Rivera dood?'

'Ja. Ze zijn omgekomen bij een bizar verkeersongeluk, kort na hun vertrek uit Heilands zomerhuis.' Bolcke's gezicht verstrakte. 'Die vrouwelijke speurneus, zoals jij haar noemde, een zekere Ann Bennett, en de baas van NUMA, de man die jij kennelijk in Tijuana ontmoette, hebben die aanrijding veroorzaakt. Gelukkig kon ik al het researchmateriaal alsnog in Washington in veilig stellen.'

Bolcke trok een bureaulade open en haalde een dikke envelop te voorschijn. Hij schoof de envelop naar Pablo. 'Je hebt een prima betaaldag, vriend. Je eigen beloning, plus die van je vier dode kameraden.'

'Hun loon kan ik niet accepteren,' zei Pablo en hij boog zich naar voren om de envelop aan te nemen.

'Ik betaal voor een uitgevoerde opdracht, niet voor het resultaat. Maar gezien de gebeurtenissen heb ik besloten tot de bonus die ik je wilde betalen voor je uitstekende werk bij de Mountain Pass Mine.'

Pablo knikte en hield de envelop gretig vast. 'U bent altijd erg gul.'

'Zo gul zal ik anders niet zijn als er weer iets misgaat. Ik neem aan dat je een volgende opdracht accepteert?' Bolcke legde zijn handen gekruist op het bureau en keek Pablo strak aan.

Pablo ontweek de blik en keek naar Bolcke's handen. Die verraadden de man: het waren grote, pezige handen, gevlekt door de zon. Het waren niet de handen van een man die zijn werkzame leven in directiekamers doorbracht, zoals het uiterlijk van Bolcke deed vermoeden. Het waren handen van een man die jarenlang tussen rotsen had gegraven. Geboren en getogen in Oostenrijk had Edward Bolcke zijn hele jeugd in de Alpen gezocht naar goud en zeldzame mineralen. Dat was zijn afleiding, nadat zijn moeder met een Amerikaanse militair was vertrokken en hij bij zijn gewelddadige en aan alcohol verslaafde vader achterbleef. De bergtochten van de jonge Bolcke wakkerden zijn liefde voor geologie aan, die bekroond werd met zijn afstuderen als mijnbouwingenieur aan de universiteit van Leoben in Oostenrijk.

Bolcke vond een baan bij een kopermijn in Polen en al spoedig reisde hij de hele wereld over. Hij was werkzaam in tinmijnen in Maleisië, goudmijnen in Indonesië en zilvermijnen in Zuid-Afrika. Met zijn intelligentie en kennis was hij in staat de rijkste ertsaders op te sporen en overal steeg de productie en de winst van de mijnen waar hij werkte.

Maar in Colombia veranderde zijn leven door het lot. Bolcke werd aandeelhouder in een kleine zilvermijn in het district Tolima. Hij ontdekte dat in het gebied naast de mijnconcessie het veel waardevoller platina gedolven kon worden, en hij verkreeg de rechten dat gebied te exploiteren. Binnen enkele maanden was hij een rijk man. In Bogota vierde hij dat het fortuin hem toelachte en daar leerde hij de levenslustige dochter van een Braziliaanse industrieel kennen. Al spoedig trouwde Bolcke met haar.

Een aantal jaren leidde hij een rustig leven, zijn rijkdom groeide door de opbrengsten van de mijn. Tot hij op een dag thuis kwam in Bogota en zijn vrouw in bed betrapte met een Amerikaanse medewerker van het consulaat. Verblind door woede en razernij sloeg hij de Amerikaan met een hamer de schedel in. Zijn vrouw werd het volgende slachtoffer: met zijn gespierde handen wurgde hij haar zonder genade.

De advocaten van Bolcke wisten de jury zo ver te krijgen dat hij werd vrijgesproken van de moorden, omdat hij in een vlaag van verstandsverbijstering had gehandeld. Als vrij man verliet hij de rechtbank.

Bolcke werd wel vrijgelaten, maar door de gebeurtenissen werden oude psychologische wonden uit zijn kinderjaren weer opengereten. In zijn hoofd stak een bloeddorstige woede op, zonder nog af te zwakken. Hij wilde zich wreken en koos daarvoor de gemakkelijkste slachtoffers: weerloze jonge vrouwen. Hij zwierf 's avonds door de achterbuurten van Bogota op zoek naar jonge prostituees, die hij dan genadeloos sloeg om zijn innerlijke woede te koelen. Nadat hij eens bijna door een waakzame souteneur werd neergeschoten durfde hij niet meer in de achterbuurten te komen. Hij verkocht zijn aandelen in de platinamijn en vertrok uit Colombia.

Bolcke had ook geïnvesteerd in een slecht renderende goudmijn in Panama, en daar vestigde hij zich. Al jaren eerder had hij de organisatie van de mijn bestudeerd en hij begreep dat er inefficiënt gewerkt werd. De mijn was eigendom van een Amerikaans bedrijf met andere zakelijke belangen, en Bolcke moest de hele holding overnemen om de mijn te bemachtigen. Het contract kon hij alleen sluiten door een deel van de aandelen in de mijn als smeergeld door te geven aan de corrupte regering van Panama, in die jaren geleid door Manuel Noriega. Toen dictator Noriega door het Amerikaanse leger verjaagd was, kreeg Bolcke te maken met een nieuwe regering die de goudmijn opeiste als staatsbezit. Bolcke ging de juridische strijd aan, en na een aantal processen wist hij de mijn weer in eigendom te krijgen, maar tegen aanzienlijke kosten.

Bolcke gaf de Amerikanen de schuld van zijn zakelijke verliezen, en dat wakkerde zijn diepgekoesterde haat tegen het land nog meer aan.

De holding waar de goudmijn toe behoorde was een Amerikaans bedrijf, actief met wegtransport, enkele koopvaardijschepen en een kleine beveiligingsfirma. Wat eerst een hinderlijke bijkomstigheid was, bleek nu een geweldige kans om zich te wreken. Elke avond spookten de taferelen door zijn hoofd: visioenen van zijn vrouw met een Amerikaan in bed, dat hij als kind door zijn moeder in de steek was gelaten en door zijn werd vader geslagen, en elke ochtend werd hij woedend wakker. De overspelige echtgenote en haar minnaar, beiden al heel lang dood, bleven de objecten om zich op te wreken, en daarmee associeerde hij ook het land van herkomst. Die woede verliet hem nooit. Maar in plaats van zich in het wilde weg te wreken koos hij voor een nieuwe strategie. Met zijn kennis en ervaring, opgedaan tijdens de jaren in de mijnbouw, begon Bolcke zijn eigen economische oorlog uit wraakzucht.

De donkere ogen in Bolcke's verkilde gezicht keken onderzoekend naar de bezoeker, terwijl hij zijn handen plat op het bureau legde.

Pablo voelde zich slecht op zijn gemak. 'Ik wil liever niet meteen terug naar Amerika. Ik had begrepen dat ik een paar weken hier in Panama zou blijven, tot het begin van de volgende fase.'

'We hadden een verouderd tijdschema voor de levering en nu is de planning veranderd. Over vier dagen wordt de lading verscheept, dus je moet meteen terug en aan de slag.'

Pablo protesteerde niet. Als ex-marinier in het Colombiaanse leger volgde hij elke instructie op. Hij werkte al meer dan twaalf jaar voor de Oostenrijker, vanaf het moment dat hij werd ingehuurd om arbeidsonrust bij een mijn te beteugelen. Pablo's onvoorwaardelijke loyaliteit was al die jaren goed beloond, en ook steeds ruimer naarmate zijn opdrachtgever zich steeds minder aan de regels hield.

'Ik zal eerst een nieuw team moeten vormen,' zei Pablo.

'Daar is geen tijd voor. Je krijgt assistentie van twee Amerikaanse kerels.'

'Hulp van buiten is niet te vertrouwen.'

'Dat risico moeten we nemen,' zei Bolcke kortaf. 'Jij bent je hele team kwijtgeraakt. Ik kan een paar van Johanssons mannen meesturen, maar die kerels zijn niet getraind in dit soort werk. Mijn contactpersoon in Washington heeft me verzekerd dat deze twee Amerikanen betrouwbaar zijn. En trouwens,' Bolcke keek Pablo strak aan, 'zij hebben wel gedaan wat jouw team niet lukte. Ze hebben de informatie over supercavitatie weer in handen gekregen.'

Bolcke schoof een kleinere envelop naar Pablo.

'Dat is het telefoonnummer van onze man in Washington. Neem contact met hem op als je daar bent, en dan regelt hij een ontmoeting met je nieuwe assistenten. Alles is verder geregeld.'

'Dat komt voor elkaar.'

'Onze jet staat morgen klaar om je weg te brengen. Verder nog vragen?'

'De vrouwelijke onderzoeker en die lieden van NUMA, zijn zij een probleem?'

'Die vrouw is onbelangrijk.' Bolcke leunde achterover in zijn stoel en dacht even na over Pablo's vraag. 'Ik weet niet wat dat personeel van NUMA allemaal doet. Misschien is het wel verstandig om ze in de gaten te houden.' Bolcke keek weer naar Pablo. 'Dat regel ik wel. Ga aan het werk. Ik wacht in Peking tot je de bevestiging kunt melden.' Zijn blik werd donker en hij leunde naar voren. 'Ik heb er jarenlang aan gewerkt. Alles is nu gereed. Stel mij niet teleur, Pablo.'

Pablo maakte zijn schouders breed. 'Geen zorgen, Jefe. Het wordt een makkie.'

31

Ann kwam om zeven uur 's ochtends haastig het kantoor binnen, ze kon niet wachten om de suggestie van Pitt over een mogelijke kaping te onderzoeken. Ze ging eerst naar de vervanger van Joe Eberson: zijn functie als directeur Sea Platforms Technology bij DARPA was overgenomen door dr. Roald Oswald. Ze had de wetenschapper enkele dagen eerder ontmoet en het verbaasde haar niet dat hij al achter zijn bureau zat en aan een voortgangsrapportage werkte.

Ann stak haar hoofd om de deur. 'Mag ik de ochtendrust even verstoren?'

'Maar natuurlijk, mevrouw Bennett. Ik kan wel wat afleiding gebruiken als ik deze deprimerende vertraging lees in het bouwschema van onze nieuwe onderzeeboot.'

'Noem me maar Ann. Kan de nieuwe boot ook in gebruik worden genomen zonder de supercavitatieapparatuur?'

'Dat is het dilemma. Door het wegvallen van Eberson en Heiland loopt ons werk maanden vertraging op, misschien zelfs jaren. De prestaties van de nieuwe onderzeeboot zijn heel erg gering zonder die moderne technologie. Het is wel mogelijk het voortstuwingssysteem te testen, als we het apparaat ooit kunnen voltooien.'

'Maar wat houdt je tegen?'

'De aanvoer van essentiële materialen is ernstig vertraagd, heb ik gehoord.'

'Bedoel je daarmee soms zeldzame metalen?'

Oswald nam een slok van zijn koffie en keek Ann met zijn fletsblauwe ogen onderzoekend aan. 'Die vraag kan ik niet beantwoorden, omdat ik onvoldoende informatie heb. Maar het is inderdaad zo dat bepaalde zeldzame metalen een belangrijk element zijn in het ontwerp van de Sea Arrow. Met name voor de voortstuwing en voor de elektronische systemen en sonar. Waarom vraag je dat?'

'Ik onderzoek een mogelijk verband tussen de dood van dr. Heiland en een gekaapte lading monaziet met een hoge concentratie neodymium en lanthanum. Hoe belangrijk zijn die stoffen voor de Sea Arrow?'

'Heel belangrijk. In het nieuwe voortstuwingssysteem worden geavanceerde elektromotoren aangebracht die op hun beurt twee uitwendige straalpompen en ook de overige systemen van het vaartuig aandrijven. In beide componenten worden zeldzame metalen toegepast, maar vooral in de motoren.' Oswald nam weer een slok van zijn koffie. 'Daarbij worden permanente en zeer sterke magneten gebruikt die een enorme vooruitgang in efficiëntie en vermogen opleveren. Deze magneten worden gemaakt volgens bepaalde specificaties bij het Ames National Laboratory, en daarbij wordt een legering van enkele zeldzame metalen gebruikt, in elk geval neodymium.' Hij aarzelde even. 'Wij vermoeden dat het supercavitatiesysteem van Heiland deels ook gebruikmaakt van die zeldzame metalen. Ik denk dat jij iets op het spoor bent.'

'Waarom denk je dat?'

'De motoren van de Sea Arrow moeten nog aan boord geïnstalleerd worden. De eerste motor is inmiddels gebouwd in het Naval Research Lab in Chesapeake en klaar voor transport naar Groton. Maar de tweede motor kan niet afgebouwd worden, omdat er problemen zijn met de aanvoer van materiaal. Ik weet het niet precies, maar volgens mij is er vertraging door een tekort aan zeldzame metalen.'

'Kunt u uitzoeken welke materialen precies ontbreken?'

'Ik zal navraag doen, en dan laat ik het je weten.' Oswald leunde achterover en keek peinzend voor zich uit. 'Joe Eberson was mijn vriend. We gingen elke zomer samen vissen in Canada. Hij was een prima kerel. Je moet zijn moordenaars vinden.'

Ann knikte. 'Dat zal ik doen.'

Ze zat nog maar kort achter haar bureau toen Oswald haar belde en opsomde welke grondstoffen nog ontbraken voor het afbouwen van de Sea Arrow: gadolinium, praseodymium, samarium en dysporium. Boven aan de lijst stond neodymium, het element dat volgens Pitt in het stukje monaziet gesteente aanwezig was. Een vluchtige zoektocht maakte meteen duidelijk dat de marktprijzen voor deze stoffen enorm waren gestegen. Deskundigen hadden twee verklaringen voor de snelle prijsstijging. De eerste was dat door brand de winning bij Mountain Pass, de enige vindplaats in Californië, onmogelijk was. De tweede kende Ann al: de aankondiging van de directie dat de Mount Weld Mine tijdelijk de productie zou staken om het bedrijf te moderniseren en te vergroten.

Ann liet alle informatie bezinken en pakte de map die Fowler op haar bureau had gelegd. In de map zaten personalia en informatie over alle niet-militaire aanwezigen tijdens de rondleiding bij de Sea Arrow. Ze negeerde de informatie over de medewerkers van DARPA en ONR en bekeek de andere namen. Haar ogen werden groot toen ze de informatie las over Tom Cerny, de functionaris in het Witte Huis. Ze herlas de gegevens, schreef enkele gegevens op en maakte een fotokopie.

Fowler verscheen in de deuropening en kwam de kamer in met een beker koffie en een donut. 'Je bent al vroeg aan het werk. Waar gaat de speurtocht vandaag naartoe?'

'Als ik zeg: naar het zuidelijk deel van de Pacific, geloof je me dan?' Ze vertelde over de vermoedens van Pitt over de ertstanker in Chili en zijn plannen om het schip dat uit Australië onderweg was, te beschermen.

'Heeft die boot ook zeldzame grondstoffen aan boord?'

'Ja. Het schip heet Adelaide geloof ik, en is afkomstig uit Perth.'

'Je gaat toch niet met Pitt mee?'

'Dat heb ik wel overwogen. Maar hij vertrekt morgen al, en eerlijk gezegd heb ik het idee dat ik hier enige vorderingen maak.'

Ze schoof de informatie over Tom Cerny over het bureau. 'Ik wil niet meteen beweren dat er gelekt is uit het Witte Huis, maar kijk eens naar Cerny's verleden.'

Fowler las hardop een aantal feiten over Cerny. 'Ex-officier bij de Groene Baretten, werkzaam als militair adviseur in Taiwan, later in Panama en Colombia. Nam ontslag uit het leger en ging in dienst bij Raytheon, als manager bij de ontwikkeling van software voor geleide wapensystemen. Later naar Capitol Hill vertrokken als defensiespecialist. Was directielid bij drie bedrijven die leveren aan defensie voordat hij naar het Witte Huis kwam. Getrouwd met Jun Lu Yi, afkomstig uit Taiwan. Hij steunt ook een weeshuis in Bogota.' Fowler legde het papier terug. 'Interessante en afwisselende staat van dienst.'

'Hij had kennelijk ook te maken met enkele defensiesystemen die door de Chinese onderzoekers gekopieerd zijn,' zei Ann. 'Dat hij ook contacten heeft in Colombia trok vooral mijn aandacht.'

'Zeker de moeite waard. Ik neem aan dat jij wel discreet wat nader onderzoek kunt doen, zonder dat er alarmbellen gaan rinkelen?'

'Zeker. Ik wil mijn carrière nog niet op het spel zetten door lomp gedrag in het Witte Huis, maar ik kan wel wat uitzoeken. Hoe staat het met jouw interne naspeuringen?'

Fowler schudde meewarig zijn hoofd. 'Ik heb elke DARPA-medewerker die bij het programma betrokken is wel twee keer nagetrokken, maar eerlijk gezegd geen spoor van verdacht gedrag gevonden. Ik zal de dossiers aan jou doorgeven als ik klaar ben.'

'Bedankt, maar ik geloof je heus wel. Wat ga je nu doen?'

'Ik wil bezoeken op de werkvloer afleggen bij onze drie grootste onderaannemers. Heb je zin om mee te gaan? Dan gaat het ook sneller.'

'Ik wilde net bij een paar kleinere bedrijven gaan kijken. Deze drie trokken mijn aandacht.'

'Die zitten te laag in de voedselketen,' oordeelde Fowler. 'Waarschijnlijk hebben ze nauwelijks toegang tot defensiegeheimen.'

'Toch kan een beetje rondneuzen geen kwaad. Je weet nooit hoe een koe een haas vangt.'

Fowler glimlachte. 'Ga je gang. Ik ben vandaag hier aan het werk, dus je weet me te vinden.'

Later op de dag vond Ann iets interessants. Ze las rapporten van de FBI en bekeek de lijst met onderaannemers nog eens. De eerste twee bedrijven waren beursgenoteerd, dus was achtergrondinformatie gemakkelijk te vinden. Maar het derde bedrijf was van een particuliere ondernemer en dat vereiste meer speurwerk. Ze vond een artikel in een vakblad en rende ermee naar Fowlers kamer.

'Dan, kijk eens. Een van de onderaannemers, een bedrijf met de naam Secure Tek, levert beveiligde telefoonverbindingen voor technici die in afgelegen gebieden werken, zodat ze met elkaar kunnen overleggen. Dus dat bedrijf kan die gesprekken ook afluisteren.'

'Dat is waarschijnlijk niet zo eenvoudig als jij denkt.'

'Nog interessanter is dat Secure Tek deel uitmaakt van een kleine holding, gevestigd in Panama, die ook een transportbedrijf in de VS heeft en een goudmijn in Panama.'

'Oké, maar ik zie niet wat daar zo interessant aan is.'

'Dat bedrijf heeft een minderheidsbelang in Hobart Mining. En Hobart is eigenaar van de Mount Weld-mijn in Australië.'

'Ja, dan hebben ze hun activiteiten in de mijnbouw kennelijk uitgebreid.'

'Mount Weld is een van de grootste producenten van zeldzame mineralen buiten China. Dr. Oswald vertelde me vanochtend hoe essentieel die zeldzame grondstoffen zijn voor de ontwikkeling van de Sea Arrow. En ook dat het programma vertraagd is door gebrek aan dat materiaal. Er zou best eens een verband kunnen zijn.'

'Het lijkt me wat vergezocht,' zei Fowler hoofdschuddend. 'Wat kan de motivatie zijn? De eigenaar van de mijn zal juist blij zijn als we zijn producten kopen, en een van zijn beste afnemers niet tekort doen. Ik denk dat Dirk Pitt jou op een dwaalspoor heeft gebracht.'

'Misschien heb je gelijk,' zei Ann. 'We klampen ons aan elke strohalm vast.'

'Dat gebeurt wel vaker. Misschien ziet het er vroeg in de ochtend anders uit. Ik vind dat joggen helpt bij het oplossen van problemen. Elke ochtend ga ik hardlopen langs de Potomac, en dat werkt heel ontspannend op mijn geest. Dat moet jij ook eens proberen.'

'Bedankt voor de tip. Mag ik je nog een gunst vragen? Voeg Secure Tek toe aan de lijst bedrijven die je gaat bezoeken?'

'Dat doe ik met alle plezier,' zei Fowler.

Ann volgde het advies van Fowler op en onderweg naar huis ging ze in de fitnessclub een tijd op de lopende band rennen. Daarna bestelde ze bij een afhaalrestaurant een salade. Ze dacht aan Pitt en zodra ze thuis was belde ze hem op. Ze kreeg geen gehoor, en kon alleen via de voicemail uitvoerig verslag doen van wat ze ontdekt had en ze wenste hem veel succes met zijn reis.

Toen ze de telefoon neerlegde klonk een donkere stem in de hal. 'Je hebt toch wel netjes afscheid genomen?'

Ann sprong op van schrik. Ze draaide zich snel om en zag twee grote zwarte kerels uit haar donkere slaapkamer komen. Ze herkende de voorste man en begon meteen te trillen.

Clarence grijnsde kil toen hij de kamer uit kwam en een .45 pistool op haar hoofd richtte.

32

Zhou Xing had een boers gezicht. Zijn ogen stonden dicht bij el-kaar en hij had amper een kin. Zijn neus stond wat scheef, want die was lang geleden een keer gebroken. Een paar flaporen en een bloempotkapsel completeerden zijn boerse uiterlijk. En daarmee had hij het perfecte gezicht voor een geheim agent: Zhou was onopvallend en bovendien onderschatten zijn superieuren in het Chinese ministerie van Staatsveiligheid zijn sluwheid en vaardigheden.

Maar nu hoopte hij dat dit effect ook succes had in een minder elitaire omgeving. Gekleed in de stoffige en versleten kleding van een ongeschoolde arbeider leek hij op de meeste inwoners van Bayan Obo, een stad in Binnen-Mongolië, en even stoffig en haveloos. Zhou stak een drukke weg met veel bussen en vrachtverkeer over en liep naar een kleine kroeg. Buiten kon hij de stemmen in het etablissement al horen. Hij haalde diep adem en trok de houten deur open. Op de deur hing een verbleekte afbeelding van een rood everzwijn.

De geur van goedkope tabak en verschaald bier drong in Zhou's neusgaten toen hij naar binnen ging en met zijn geoefende ogen scherp om zich heen keek. Er stonden een stuk of tien tafels in de benauwde ruimte, bevolkt door ruwe mijnwerkers in hun vrije tijd. Een dikke, eenogige barkeeper schonk de glazen in voor de stevig drinkende gasten. De enige versiering in de bar was de opgezette kop van een everzwijn, met een vacht vol kale plekken.

Zhou bestelde een glas *baijiu*, de plaatselijk favoriete sterke drank, en ging in een hoekje zitten om de klandizie te observeren. In groepjes van twee of drie mannen waren de meesten bezig zich te verdoven na een dag hard werken. Hij keek van het ene naar het andere geharde gezicht, zoekend naar een geschikt slachtoffer en zijn blik viel op een brutale, luidruchtige jongeman die voortdurend tegen een zwijgende grote kerel aan het hetzelfde tafeltje praatte.

Zhou wachtte tot de spreker zijn glaasje bijna leeg had en liep toen naar het tafeltje. Hij deed alsof hij struikelde en stootte met zijn elleboog tegen de drinkende man, zodat het glas uit zijn hand vloog.

'Hé! Mijn glas!'

'Duizendmaal excuus, beste man,' zei Zhou slissend. 'Kom mee naar de bar, dan krijg je een nieuw glas.'

De jonge mijnwerker besefte dat hij een gratis drankje kreeg en hij stond snel op, enigszins onvast op zijn benen. 'Ja, we nemen er nog een.'

Even later keerde Zhou met een volle aardewerken fles baijiu terug naar het tafeltje.

'Ik ben Wen,' zei de jongeman. 'En deze zwijgzame kerel is Yao.'

'Mijn naam is Tsen,' zei Zhou. 'Werken jullie allebei in de mijn?'

'Uiteraard,' beaamde Wen en hij liet zijn biceps rollen. 'We hebben onze spierkracht niet opgebouwd met kippen plukken.'

'Wat is jullie taak in de mijn?'

'Hoezo? We zijn krakers,' zei Wen lachend. 'We storten de ruwe erts in de eerste kraakmolen. Die apparaten zijn zo groot als een huis en kunnen brokken steen zo groot als een hond vermalen tot dit formaat.' Hij balde zijn vuist voor Zhou.

'Ik kom uit Baotou,' zei Zhou, 'en ik zoek werk. Wordt er nog personeel gevraagd voor de mijn?'

Wen strekte zijn arm uit en kneep in Zhou's arm. 'Voor een kerel zoals jij? Je bent veel te mager voor het werk in de mijn.' Hij lachte schamper en druppels speeksel spetterden over de tafel. Toen hij het beteuterde gezicht van Zhou zag kreeg hij toch een beetje medelijden. 'Er raken wel mijnwerkers gewond, en dan wordt er vervanging gezocht. Maar waarschijnlijk kom je op een wachtlijst.'

'Ik begrijp het,' zei Zhou. 'Nog een baijiu?'

Zonder op antwoord te wachten vulde hij de glazen weer bij. Yao, de zwijgzame mijnwerker, keek hem met doffe ogen aan en knikte. Wen pakte zijn glas en dronk het in een teug leeg.

'Zeg, ik heb gehoord dat er ook een illegale ertsmijn actief is in Bayan Obo,' zei Zhou en hij nam een slokje.

Yao verstrakte en keek argwanend naar Zhou. 'Nee hoor. Alle erts komt uit dezelfde mijn.' Wen veegde zijn mond af met zijn mouw.

'Het is een gevaarlijk onderwerp,' zei Yao, die nu voor het eerst sprak. Hij had een zware stem.

Wen haalde zijn schouders op. 'Het gebeurt later pas.'

'Wat bedoel je?' vroeg Zhou.

'De explosies, het graven, het kraken, dat gebeurt allemaal onder toezicht van het staatsbedrijf waarbij Yao en ik in dienst zijn,' zei Wen. 'Maar na het kraken doen andere handen een greep in de pot.'

'Van wie zijn die handen?'

Yao zette zijn glas met een klap op tafel. 'Jij stelt wel veel vragen, Tsen!'

Zhou boog zich naar Yao toe. 'Ik ben alleen maar op zoek naar werk.'

'Yao wordt een beetje nerveus, want zijn neef is daar vrachtwagen-chauffeur.'

'Hoe gaat dat dan?'

'Ik denk dat ze sommige chauffeurs steekpenningen betalen,' zei Wen. ''s Nachts wordt die ruwe erts met trucks naar de kraakmolens gebracht en een lading gekraakt erts naar een afgelegen gedeelte van het terrein. Dan komt Jiang met zijn eigen trucks om het spul af te voeren. Kijk, daar komt hij.' Wen wees naar een gezette man met een nors gezicht die de bar binnen stapte. De man liep wankelend naar het tafeltje.

'Jiang, ik vertelde net aan deze vriend hoe jij warme erts uit de mijn haalt.'

Jiang haalde meteen uit en gaf Wen een klap tegen de zijkant van zijn hoofd, zodat hij bijna van zijn stoel viel. 'Jij moet niet zoveel kletsen, Wen! Je bent erger dan een oud wijf.' Jiang keek onderzoekend naar Zhou en toen hoofdschuddend naar zijn neef Yao. Hij liep om de tafel heen en ging dicht bij Zhou staan. Opeens greep hij hem bij zijn kraag en trok hem ruw overeind.

Zhou verzette zich niet en glimlachte alleen onderdanig.

'Wie ben jij?' vroeg Jiang, met zijn gezicht bijna tegen dat van Zhou.

'Ik ben Tsen. Ik ben een boer uit Baotou. En wie bent u?'

Jiangs ogen schoten vuur om die brutale vraag. 'Luister naar mij, boerenpummel.' Hij hield de kraag van Zhou stevig vast. 'Als jij ooit nog over de akkers van Bayan Obo wil lopen, dan kun je maar beter doen alsof je hier nooit geweest bent. Je hebt niemand gezien of gesproken, begrepen?' Jiangs adem stonk naar knoflook en tabak, maar Zhou gaf geen krimp. Met een brede grijns knikte hij naar Jiang. 'Ook goed. Maar als ik hier nooit geweest ben, dan heb ik ook geen tachtig yuan betaald voor drankjes met deze heren.' Hij hield zijn hand vragend op alsof hij geld verwachtte.

Jiangs gezicht liep rood aan. 'Waag het niet ooit nog in deze bar te komen. En nu wegwezen!' Hij liet Zhou's kraag los om zijn dreigement met een vuistslag kracht bij te zetten, maar hij stond te dichtbij en moest eerst achteruit stappen.

Zhou had de beweging verwacht en haakte zijn voet achter Jiangs kuit, zodat hij achterover struikelde. Toch wist hij nog uit te halen met zijn rechtervuist. Zhou dook naar links en de slag trof zijn schouder. Jiang verloor zijn evenwicht en tuimelde achterover.

Zhou greep zijn tegenstander vast en duwde hem naar de tafel. Met een klap sloeg Jiangs hoofd tegen de rand van de tafel en de man viel bewusteloos op de vloer.

Toen Yao dat zag sprong hij overeind en probeerde zijn armen om Zhou heen te slaan. Maar de lenige Zhou ontweek de aanval en trapte genadeloos tegen Yao's knie. De grote man kromp ineen en Zhou kreeg de kans hem een aantal keren hard tegen zijn hoofd te slaan. De laatste vuistslag raakte zijn keel. Yao zakte op zijn knieën en greep naar zijn keel alsof hij bang was te stikken.

Het werd stil in de bar en alle ogen waren op Zhou gericht. De aandacht trekken was dom, maar soms was dat onvermijdelijk.

'Niet knokken!' riep de barman. Maar hij was te druk bezig glazen in te schenken om de vechtersbazen eruit te gooien. Zhou knikte in zijn richting en pakte nonchalant zijn glas van de tafel en nam een slok. De andere gasten hervatten hun gesprekken en negeerden de twee mannen op de vloer.

Wen had als verstijfd naar het korte gevecht gekeken en bleef roerloos op zijn stoel zitten. 'Jij bent wel snel met je vuisten, voor een boer,' stamelde hij.

'Ja, door het vele zwoegen.' Zhou wapperde met zijn handen. 'Wat denk je, zou onze vriend Jiang ons op nog een paar drankjes trakteren?' vroeg hij.

'Ja...' bracht Wen uit.

Zhou doorzocht de zakken van de bewusteloze man en haalde zijn portemonnee tevoorschijn. Zodra hij de identiteitskaart zag prentte hij de volledige naam en het adres van Jiang in zijn geheugen. Hij stopte de portemonnee weer in de broekzak, nadat hij een biljet van twintig yuan had gepakt. Hij gaf het geld aan Wen. 'Neem jij er maar twee,' zei Zhou. 'Het is al laat en ik moet gaan.'

'Zoals je wilt.' Wen ging moeizaam rechtop zitten.

'Ik zie je wel bij de mijn,' zei Zhou.

'Bij de mijn?' herhaalde Wen. Hij keek niet-begrijpend op, maar de tengere boer uit Baotou was al verdwenen.

33

Jiang Xianto, de vrachtwagenchauffeur, kwam de volgende ochtend om half zeven uit zijn etagewoning. Hij had een verband om zijn hoofd en liep voorzichtig om bij elke stap zo min mogelijk pijnscheuten in zijn schedel te voelen. Als hij daar niet door was afgeleid had hij zijn tegenstander uit het Rode Everzwijn misschien gezien: zittend in een Toyota uit een Chinese fabriek. De auto stond aan de overkant van de straat geparkeerd. Zhou zat achter het stuur en las de krant. Hij glimlachte voor zich uit toen hij Jiang moeizaam over straat zag lopen. Dat hij de vorige avond Jiang tegen de grond had geslagen deed hem geen plezier, maar hij voelde evenmin medelijden. Zhou had meteen gezien wat voor type Jiang was: een opvliegende loser die zwakkere mannen graag kwelde om zich zelf beter te voelen.

De vrachtwagenchauffeur liep naar een bushalte waar al veel mensen stonden te wachten. Jiang drong voor in de rij en toen de bus stopte ging hij snel op een van de weinige vrije plaatsen zitten. Zhou startte de auto, mengde zich in het verkeer en volgde de bus op enige afstand.

Toen de bus na een tijd bij een sjofel appartementencomplex aan de zuidkant van de stad stopte, waren de meeste passagiers al uitgestapt. Zhou parkeerde de auto om de hoek achter het stalletje van een straatventer en zag Jiang uit de bus stappen. Hij sloot de auto af en trok een hoed diep over zijn ogen.

Jiang liep een eindje door een zijstraat en sloeg toen een steeg in met overal rommel op de grond. De lucht was kil door de ochtendbries en Jiang trok de rits van zijn jas dicht toen hij bij een groot hekwerk kwam, met roestig prikkeldraad erboven. Hij kroop door een opening in het hek en liep langs stapels lege pallets over het stoffige terrein. Aan de achterkant stonden vijf grote trucks, elk met een canvas huif, en een gedeukte pick-up onder een roestig afdak. Bij de wagens dronken ruwe kerels hete thee uit kartonnen bekers.

'Jiang,' zei een van de mannen, 'heeft jouw vrouw je haar vanochtend met een wok gekamd?'

'Ik zal jou kammen met een bandenlichter,' antwoordde Jiang nors. 'Waar is Xao?'

Een lange man in een zware duffelse jas kwam tevoorschijn tussen twee trucks. 'Zo Jiang, je bent weer te laat. Als dat zo doorgaat kun je weer greppels gaan graven.' Hij wendde zich naar de anderen. 'Mannen, we zijn klaar voor vertrek.'

De chauffeurs kwamen in een kring bij hem staan en Xao haalde een opgevouwen papier uit zijn zak.

'We lossen de lading bij Kade 27,' zei Xao. 'Ik rij de voorste truck, dus jullie volgen mij want we gaan via een dienstingang het terrein op. We worden daar om acht uur verwacht en we moeten geen vertraging oplopen.'

'Waar stoppen we om te tanken?' vroeg een man met een versleten wollen muts op zijn hoofd.

'In Changping, zoals altijd.' Xao keek rond of er nog vragen waren en knikte daarna naar de trucks. 'Kom op, we gaan rijden.'

Xao, Jiang en drie andere mannen liepen naar de grote trucks en de overigen stapten in de pick-up. Jiang stapte in de achterste truck en startte de motor. Zwarte rookwolken werden via de uitlaatpijp naar buiten geblazen. Hij draaide aan de verwarmingsknop en wachtte tot de rij voor hem in beweging kwam. Even later schakelde hij in de eerste versnelling en de truck kwam met een schok in beweging. In de zijspiegel zag hij een donkere schim opdoemen.

De trucks passeerden een geopend hek, onder toezicht van een dikke kale man met een Russisch Makarov-pistool onder zijn jas. Toen Jiang bij de poort kwam trapte hij op de rem. 'Controleer de lading!' riep hij naar de bewaker en hij bonkte op het portier om zijn aandacht te trekken.

De bewaker knikte en liep naar de achterkant van de truck. Toen hij naar binnen tuurde kreeg hij een gelaarsde voet van Zhou tegen zijn kaak. Door de klap rolde de man achterover, maar tijdens zijn val trok hij de Makarov. Hij richtte het pistool op de truck, maar Zhou was met een sprong bovenop hem. Hij schopte het pistool opzij en dook naar voren. Met zijn elleboog beukte hij opnieuw tegen de kaak van de bewaker. Er klonk een akelig krakend geluid en de bewaker bleef liggen.

Zhou was met een sprong overeind en draaide zich razendsnel om. Jiang was uit de cabine gekomen en hield het mes dat hij aan zijn broekriem droeg dreigend omhoog. Zhou zag het lemmet even blinkend gericht op zijn borstkas. Hij probeerde weg te duiken, maar de punt van het mes drong door zijn mouw en Zhou voelde het scherpe metaal door zijn rechterbiceps snijden.

Hij negeerde de snijwond en ramde met zijn linkervuist tegen Jiangs slaap. Jiang vloekte hartgrondig toen hij besefte dat hij opnieuw vocht met de man die gisteren zijn schedel had laten kraken.

Zhou gunde hem geen tijd om daarover na te denken. De Makarov lag te ver weg om te grijpen, en Zhou bleef met blote handen vechten. Na een vuistslag trapte hij Jiang tegen zijn dijbeen. Jiang probeerde vervolgens met het mes de buik van zijn tegenstander te raken. Zhou was daarop voorbereid. Met zijn linkerhand greep hij Jiangs pols en kon de aanval afweren. Gebruikmakend van Jiangs beweging trok hij hard aan de pols met het mes in de vuist en Jiang schoot naar voren. Zhou draaide mee en ramde met zijn volle gewicht tegen Jiangs arm. Het was alsof de arm uit de kom werd getrokken en de man wankelde naar voren. Het mes viel op de grond en een seconde later had Zhou het wapen opgeraapt, en wilde een aanval doen op Jiangs hoofd. Zhou wilde de man doden en kon dat ook, maar hij bedacht zich. Jiang zou meer lijden als hij wegteerde in een kale cel. Zhou draaide het mes om en beukte met het heft tegen Jiangs hoofd. Voor Jiangs ogen werd alles zwart. Zhou boog zich hijgend over de man. Een telefoontje naar de politie en het zou voor deze kerel een onaangename ervaring zijn om weer bij te komen. Maar eerst moest Zhou het konvooi weer inhalen.

De trucks waren uit het zicht verdwenen. Zhou raapte de Makarov op en stopte het wapen in zijn zak. Daarna draaide hij Jiang op zijn buik en trok de bewusteloze zijn jas uit. Met het mes sneed hij een reep stof los van het shirt om als verband te gebruiken. Zhou's rechterarm was nat en kleverig, maar het bloeden was al gestopt. Hij moest zichzelf tijdens het rijden dan maar verbinden.

Zhou klauterde in de cabine en gaf gas, zodat de twee mannen achter de vrachtauto met een deken van stof werden bedekt. Even later reed Zhou van het terrein en naar de hoofdweg van Bayan Obo. De mijn lag ten noorden van de stad en dus reed hij zo snel als mogelijk in die richting. Terwijl hij als een dolle door het verkeer bewoog en links en rechts inhaalde, veroorzaakte hij een kakofonie van getoeter en woedende kreten.

Bij de noordelijke stadsrand was het minder druk en de weg helde omhoog tussen de dorre heuvels. Op een hoog punt zag hij de karavaan een eind voor hem en het duurde niet lang voordat hij weer aansloot bij de achterste auto van de colonne.

Zhou volgde de pick-up met daarin een aantal kerels, en de rij trucks passeerde de hoofdingang van de Bayan Obo-mijn, om drie kilometer verder via een onverharde weg naar het terrein te rijden. Aan de zuidkant lag een deel van de omheining op de grond en zo konden ze het mijncomplex bereiken. Voor hen lagen enkele enorme open mijnputten. De trucks reden eromheen en naderden het gedeelte waar de meeste activiteiten plaatsvonden. De pick-up zwenkte opzij en ging voor naar een door brand gedeeltelijk verwoeste loods die kennelijk niet meer in gebruik was. De zware auto's stopten achter het gebouw, waar een grote berg gekraakt erts lag.

De georganiseerde diefstal was simpel: tijdens bepaalde nachtdiensten week elke derde truck vol gekraakt erts van de route af en loste de lading achter de verlaten loods. Met steekpenningen werden chauffeurs en boekhouders omgekocht zodat de productiecijfers van de mijn werden aangepast, en dan lag het erts voor het oprapen. Het konvooi trucks kon steeds na enkele dagen een grote hoeveelheid erts weghalen en achteroverdrukken.

De mannen stapten uit de pick-up en openden een achterdeur in de loods, waar een verrijdbare transportband stond. Ze duwden het gevaarte naar de berg erts en de motor werd aangesloten op een draagbaar aggregaat. Zhou zag hoe de voorste truck achteruit reed tot onder het hoogste deel van de transportband. De mannen begonnen erts op de lopende band te scheppen, zodat het materiaal in de laadruimte werd gestort. Na een kwartier was de eerste truck geladen en de volgende auto reed achteruit tot onder de transportband.

Zhou veegde het bloed van zijn arm en bond het geïmproviseerde verband opnieuw om de steekwond. Hij voelde zich een beetje duizelig door het bloedverlies en om op krachten te komen at hij een paar rijstballen, die in een papieren zak op de bijrijdersstoel lagen. Hij verruilde zijn jack voor dat van Jiang en zette de kraag op. Door tegen de raampjes te hijgen besloeg het glas, zodat de andere mannen hem niet konden zien terwijl hij op zijn beurt wachtte.

Toen de vierde truck geladen was en wegreed wenkte Xao dat hij naar de transportband moest rijden. Zhou hield zijn handen hoog bij het stuurwiel, om zijn gezicht te verbergen toen Xao voor de truck stond en aanwijzingen gaf om achteruit te rijden.

Het erts werd met geraas als van een lawine in de laadbak gestort. Minuten verstreken en Zhou hield zijn adem in, bang dat iemand hem zou aanspreken. Eindelijk verstomde het roffelende geluid en de transportband kwam tot stilstand. Zhou keek in de zijspiegel en hij zag dat de mannen de transportband weer terug in de loods duwden. Xao tikte met zijn knokkels op het spatbord en liep naar zijn eigen truck. De leider van het konvooi klom in de cabine van de eerste truck, stak zijn arm uit het geopende raampje en wees naar voren. De motoren van de andere trucks werden gestart en er vormde zich een rij achter Xao.

De zwaarbeladen trucks reden langzaam over het onverharde pad tot ze bij de hoofdweg kwamen. Ze reden in zuidelijke richting door de stoffige nederzetting die bij het mijnbouwcomplex was verrezen. Nadat dit bastion van beschaving gepasseerd was, reed het konvooi verder over de kale steppen van Binnen-Mongolië die Djengis Khan acht eeuwen eerder had veroverd. Zhou dacht dat de lading bij het dichtstbijzijnde spoorwegdepot gelost zou worden. Maar ze bereikten enkele uren later de dichtbevolkte stad Baotou en reden verder naar het oosten.

Het konvooi volgde de drukke Jingzhang autoweg naar Peking. Voor de hoofdstad werd gepauzeerd bij een truckstop in een buitenwijk van Changping toen de schemering inviel. De zwakke wind wakkerde aan en liet zand van de Gobiwoestijn opdwarrelen. Zhou bond een sjaal die hij in een zak van Jiangs jas vond voor zijn gezicht en hij hield zich tijdens het tanken afzijdig van de andere chauffeurs.

Langzaam kwamen de trucks weer in beweging. Ze baanden zich een weg door het drukke stadsverkeer langs de westkant van Peking om de grootste opstoppingen te vermijden, en daarna verder in zuidoostelijke richting.

Het was bijna twee uur rijden naar de havenstad Tianjin. Xao leidde de karavaan trucks door een wirwar van straten naar het centrum van de handelshaven.

Ze arriveerden bij een oude loods en stopten in een onverlichte zij-straat. Twee mannen doken op en pakten een zak vol yuan aan die Xao ze door het geopende raampje gaf. Een poort werd geopend en de trucks reden door de loods tot op de kade naast een vrachtschip. De lichten van het schip beschenen de kade. Een groot transportbandsys-teem strekte zich uit van de kade tot boven het geopende ruim van het schip. Xao reed zijn truck achteruit naar de lopende band. Een ploeg havenarbeiders schepte de lading erts uit de vrachtauto op de lopende band. Zhou zag het even aan en wist genoeg. Via het portier aan de passagierskant stapte hij uit de cabine en sloop naar de achterkant van de truck.

Een bootsman van het vrachtschip controleerde op de kade de trossen waarmee het schip was afgemeerd en hij keek naar Zhou, die zich voordeed als vermoeide chauffeur. Zhou strekte zijn armen uit en geeuwde nadrukkelijk, terwijl hij naar de man toe liep.

'Goedenavond,' zei hij met een lichte buiging. 'Dit is wel een mooi schip.'

'Ach, de Graz is oud en vermoeid, maar ze vaart nog pittig als een getergde stier door de golven.'

'Waar gaan jullie naartoe?'

'We brengen een lading naar Shanghai en dan gaan we naar Singa-pore.' De bootsman keek Zhou onderzoekend aan in het schijnsel van de deklichten en hij zag een vochtige rode streep op Zhou's jas. 'Is alles in orde?'

Zhou keek naar de bloedige streep en grinnikte.

'Dat is remolie, gemorst toen ik het reservoir van de truck bijvulde.' Zhou zag dat Xao's truck gelost was en de volgende wagen kwam aan-rijden. Hij knikte naar de zeeman en glimlachte. 'Behouden vaart,' zei hij en liep weg.

De bootsman keek hem verbaasd na. 'En hoe moet het met jouw truck?'

Zhou negeerde de vraag en verdween snel over de donkere kade.

34

De motor voor de voortstuwing van de Sea Arrow leek op een verlengde limousine die door een overmaatse autoband stak. Het limousinegedeelte had een rechthoekige vorm en kon water inzuigen om dat door drie cardanisch beweegbare straalpijpen aan de achterkant weer te lozen. In het midden zat een dikke ring, als een donut, waarin de geavanceerde straalpomp was ondergebracht. Met deze machine kon de onderzeeboot enorme snelheden behalen. Het omhulsel van de hele motor was bedekt met een laag glad, zwart en waterafstotend materiaal, waardoor het geheel een kil en futuristisch uiterlijk had.

Felle lampen beschenen het prototype van de scheepsmotor die met een hijskraan van de blokken op de vloer werd getild en neergelaten op een dieplader. Een legertje arbeiders sjorde het gevaarte met staalkabels vast en overdekte het met canvas. De trekker van een bedrijf dat was gespecialiseerd in bijzondere transporten werd voor de trailer gemanoeuvreerd en vastgekoppeld.

Het was half zes 's ochtends, toen de oplegger uit de hangar van het Naval Research Laboratory in Chesapeake Beach reed. De bossen en akkers waren nat van ochtenddauw onder een loodgrijze hemel toen het transport langs de baai landinwaarts reed.

'Hoe laat komen we aan in Groton?' vroeg de bijrijder in de cabine, die een geeuw onderdrukte.

De chauffeur keek op zijn horloge. 'Volgens de gps om zeven uur. Maar als het op de Beltway erg druk is zal het wel later worden.'

In het dunbevolkte zuiden van Maryland was er nauwelijks een ochtendspits in de richting van Washington. Na een flauwe bocht in de weg zagen de mannen in de cabine een zwarte rookpluim in de verte boven de weg. De chauffeur minderde vaart en schakelde terug.

'Staat daar een auto in brand?' vroeg de bijrijder.

'Zo te zien wel. Het lijkt me een oud karretje.'

De auto was een twintig jaar oude Toyota Camry, met een gedeukte en gekraste carrosserie. Het voertuig stond midden op de weg en vlammen lekten langs de verkreukelde motorkap. De truckchauffeur stopte op een paar meter afstand van de brandende auto en keek om zich heen, zoekend naar slachtoffers. Een witte bestelbus stond wat verder in de berm, maar bij het wrak was niemand te zien.

'We moeten dat vuur blussen,' zei de chauffeur en de bijrijder tastte achter zijn stoel naar een brandblusser.

Een daverende klap deed beide mannen overeind schieten van hun stoel toen de kop van een zware hamer het raampje aan de kant van de bijrijder verbrijzelde. Met een gehandschoende hand werd een traangasgranaat door het gebroken raampje naar binnen gesmeten.

Een ogenblik later was de cabine gevuld met scherpe witte rook die de mannen naar adem deed happen. Hun ogen brandden alsof er hete lava in werd gegoten en ze graaiden naar de portierkrukken om in paniek uit de auto te vluchten.

De chauffeur was als eerste buiten en hij sprong op de weg. Een kerel met een skimasker voor zijn gezicht taserde de chauffeur, zodat die stuiptrekkend op de grond viel. Aan de andere kant van de truck had de bijrijder zijn pistool getrokken, maar met dichtgeknepen ogen omdat het traangas zo hevig prikte zag hij de tweede overvaller niet die ook gewapend was met een tasergun.

Een derde man droeg een gasmasker en hij klom in de cabine om de nog rokende traangasgranaat naar buiten te gooien. Snel ging hij achter het stuur zitten en met een mes sneed hij de bekleding boven zijn hoofd open. Hij rukte de bekleding weg en vond een elektriciteitsdraad die hij meteen doorsneed, zodat de gps-zender op het dak van de cabine de bewegingen van de truck niet meer kon doorseinen. Ruw schakelde hij in de eerste versnelling en reed langzaam naar voren tot de brede verchroomde voorbumper het brandende autowrak raakte. Hij gaf volgas en stuurde iets naar rechts. De truck schoof de Toyota opzij alsof het een insect was en het brandende wrak rolde in de greppel langs de weg.

De chauffeur stuurde het gevaarte over de smalle weg en voerde de snelheid op. Hij draaide het raampje open, waardoor de laatste resten traangas uit de cabine verdwenen. Pablo deed zijn gasmasker af en gooide het op de stoel naast hem. Hij keek op zijn horloge en grijnsde. Binnen twee minuten had hij een van Amerika's grootste defensiegeheimen gekaapt. Hij haalde zijn mobiel tevoorschijn en toetste een reeks cijfers in, tevreden denkend aan de beloning die hij voor dit karwei zou opstrijken.

35

Pablo reed de truck met oplegger nog twee kilometer over de hoofd-weg en sloeg toen een smalle onverharde zijweg in. De hobbelige en smalle landweg liep tussen velden waar slaperige koeien stonden. Een kilometer verder lag een grote vijver met daarnaast de ruïne van een verlaten boerderij. De zwartgeblakerde resten waren het gevolg van brand, tientallen jaren eerder. Een verwaarloosde schuur hing er scheef bij en zag eruit alsof hij bij de eerstvolgende noordoosterstorm helemaal om zou waaien. Pablo reed naar de schuur en door een grote opening naar binnen.

In de schuur zag hij een grote stapel hooibalen, en daarnaast een kleine vorkheftruck. Hij parkeerde de oplegger naast de hooibalen en stapte uit om onder het dekzeil te kijken. Een paar minuten later kwam de witte bestelbus aan en twee grote, zwarte kerels sprongen uit de auto.

'Hebben jullie die chauffeurs onschadelijk gemaakt?' vroeg Pablo.

De eerste man knikte. 'Clarence heeft ze aan elkaar geboeid om de stam van een eik langs de weg. Een boer zal die twee vandaag of mor-gen wel vinden.'

'Mooi zo. Kom, we gaan aan het werk. We hebben een strak tijd-schema.'

De twee ingehuurde helpers trokken de dekzeilen van de motor van de Sea Arrow. Ze trokken allebei werkhandschoenen aan en Clarence startte de vorkheftruck. Met de beweegbare klem die aan de vork was bevestigd, begon hij het hooi naar de oplegger over te brengen. De tweede man stond op de dieplader en duwde de balen in positie rond de grote scheepsmotor. Intussen ontkoppelde Pablo de trekker. Hij reed de trekker opzij en kwam even later met een andere trekker aanrijden, een blauwe Kenworth. Binnen enkele minuten was de nieuwe trekker aan de oplegger gekoppeld. Pablo inspecteerde de oplegger grondig. Er was een kans dat er een tweede gps-zender was aangebracht, maar dat bleek niet het geval. Hij verwisselde de kentekenplaat aan de achterkant van de oplegger. De twee mannen waren bijna klaar met het opbouwen van een muur van hooibalen om de motor van de Sea Arrow. Pablo hielp mee het dekzeil over de balen te leggen en vast te maken aan de zijkanten van de oplegger. De vrachtwagencombinatie was nu perfect vermomd als een hooitransport.

Clarence, de grootste van de twee helpers, trok zijn handschoenen uit en liep naar Pablo. 'Zo, wij zijn klaar met ons werk,' zei hij met schorre stem. 'Heb jij het geld voor ons?'

'Ja,' zei Pablo. 'En hebben jullie de documentatie?'

'Achter in de bus. En een extra cadeautje voor je,' zei hij grijnzend.

'Leg de documentatie in de cabine van de truck, dan haal ik het geld.'

Clarence opende de achterklep van de bestelbus en haalde de plastic bak tevoorschijn met daarin de supercavitatieontwerpen van Heiland. Hij volgde Pablo naar de Kenworth trekker en zette de emmer op de bijrijdersstoel. Pablo tastte achter de leuning en gaf de helper een dikke envelop.

De grote man scheurde de envelop open en hij zag een aantal bundels biljetten van honderd dollar. 'Dat ziet er goed uit,' zei hij tevreden en hij stopte de envelop in zijn binnenzak. 'Als je nu je cadeautje aanpakt, dan kunnen wij weg.'

Pablo keek hem vragend aan. Clarence gebaarde met zijn duim naar de bestelbus en liet Pablo de achterklep openen. De andere helper keek grijnzend toe.

Pablo tuurde in het laadruim en zijn ogen schoten vuur. Op de vloer van de bestelbus lag Ann Bennett, vastgebonden en met tape over haar mond geplakt. Een woedende grimas verscheen op haar gezicht toen ze Pablo aankeek, en meteen daarna volgde er een schok van herkenning. De Colombiaanse terrorist was wel de laatste persoon die ze hier verwacht had. Haar felheid verdween en ze probeerde verder weg te kruipen in de auto.

Pablo keek Clarence aan. 'Wat doet zij hier?'

'We kregen een telefoontje dat we haar moesten oppikken,' zei Clarence. 'En wij mochten haar niet afmaken, daarom is ze nu hier.'

Pablo tastte in zijn binnenzak en haalde een Glock te voorschijn. Hij richtte op het interieur van de bestelbus.

'Hé! Schiet haar niet lek in de auto,' zei Clarence. 'Die is gehuurd.'

'Oké.' Pablo draaide zich razendsnel om en vuurde met de Glock recht in Clarence's gezicht. De zwarte man viel dood achterover en zijn kameraad deed een uitval naar Pablo.

Maar de Colombiaan was sneller. Snel vuurde hij drie kogels af op de borst van zijn belager. De stervende man kon alleen nog maar Pablo's kraag grijpen en vasthouden, zodat de schutter op zijn knieën werd getrokken.

Ann schreeuwde, maar het geluid werd gesmoord in haar dichtgeplakte mond. Pablo keek haar even aan en stak de Glock kalm in de holster. Hij strekte zijn hand uit en trok Ann ruw naar buiten. Ze rolde tegen een achtergebleven baal hooi. 'Ik vrees dat het zinloos is om jou hier te doden.' Ann zag vol afschuw hoe Pablo de twee doden in het laadruim van de bestelbus tilde en de achterdeuren sloot. Hij gooide de met bloed besmeurde envelop vol bankbiljetten naar Ann en keek haar dreigend aan.

'Verroer je niet.'

Een ogenblik later reed Pablo de bestelbus met gierende banden uit de schuur, zodat er stof en hooi opstoven. Hij reed een klein eindje verder en stuurde de auto in een bepaalde richting. Daarna stopte hij. Hij draaide de raampjes open en haalde de contactsleutel van de sleutelbos. Daarna zocht hij op de grond naar een platte steen. Toen hij een geschikte steen had gevonden, legde hij die op het gaspedaal dat onder het gewicht tot op de bodem werd ingedrukt. Pablo klom uit de bestelbus en stak zijn arm door het open raam om de contactsleutel te draaien. Nog voor de motor veel toeren maakte drukte hij de versnellingspook in vooruit en sprong zelf weg van de auto.

De achterwielen spinden door het rulle zand en de bestelbus schoot over de weg naar voren. Na twintig meter raakte de auto van de weg en dook een kleine greppel in. Door de snelheid klom de auto de greppel weer uit, ploegde door een strook land en plonsde even later in de grote vijver. Een eenzame gans fladderde geschrokken op toen de bestelbus een muur van groen water opwierp. Al snel stroomde de auto vol water en verdween onder de oppervlakte. Luchtbellen die naar boven borrelden gaven nog even aan waar de auto naar de bodem was gezonken.

Pablo wachtte niet langer en haastte zich terug naar de schuur. Hij pakte de envelop en gooide die in de cabine van de trekker. Daarna liep hij naar Ann. Zonder een woord te zeggen droeg hij haar naar de cabine en legde haar in het compartiment achter de voorstoelen.

'Maak het je gemakkelijk,' zei hij. Hij startte de motor en zette de auto in de eerste versnelling. 'We hebben een lange rit voor de boeg.'

36

De helikopter naderde snel en scheerde laag over de boomtoppen. Even later vloog het toestel boven de hangars en verraste de wachtende hoogwaardigheidsbekleders, die langs de startbaan zaten. Het was een militaire helikopter, de romp was hoekig en bedekt met een speciale coating zodat het toestel bijna onzichtbaar was op de radar. De speciale vijfbladige hoofdrotor en een kleinere rotor waren gemaakt van composietmateriaal. Deze rotors reduceerden het geluidsniveau aanmerkelijk en bevorderden de onzichtbaarheid op radarschermen. Een luchtvaartdeskundige zou meteen zien dat deze helikopter een Stealth Hawk was, een van de ingrijpend aangepaste Amerikaanse legerhelikopters van het type UH-80 Black Hawk, die ook werden gebruikt bij de actie om Osama bin Laden te arresteren. Maar deze helikopter was tot de laatste schroef in China gebouwd.

Het toestel raasde over de Yangcun luchtmachtbasis, ten zuiden van Peking en koerste enkele keren heen en weer om daarna weer te verdwijnen. De toekijkende generaals en hoge defensieambtenaren gingen staan en applaudisseerden voor de laatste triomf op technologisch gebied. Het gejuich verstomde toen een voorman van de Partij het podium beklom en een lofrede hield op de grootheid van China. Edward Bolcke boog zich naar een man met priemende ogen en in een uniform dat behangen was met medailles. 'Schitterende helikopter, generaal Jintai!'

'Ja, zeg dat wel,' antwoordde Jintai. 'En we hadden uw hulp niet eens nodig om het toestel te bouwen.'

Bolcke negeerde de stekelige opmerking en grijnsde instemmend.

Hij had net een telefoontje van Pablo uit Maryland gekregen en voelde zich zelfverzekerd. Het publiek moest geduldig nog enkele langdradige toespraken aanhoren, voordat men naar een hangar werd geleid waar een buffet was aangericht. Bolcke volgde de generaal, een vicevoorzitter van de Centrale Militaire Commissie. De generaal sprak met andere hooggeplaatsten van het Volksbevrijdingsleger. Na enkele vragen aan een collega-generaal over zijn nieuwe woning in Hongkong wendde Jintai zich weer naar Bolcke.

'Ik ben klaar met die beleefdheidsgesprekken,' zei hij tegen de Oostenrijker. 'Wij hebben zaken te bespreken, nietwaar?'

'Zoals u wilt,' antwoordde Bolcke.

'Prima. Ik zoek onze chef spionage, en dan kunnen we discreet praten.' Jintai tuurde langs de gezichten tot hij een slanke man zag met een bril en een glas Heineken. Tao Ling had een leidinggevende functie bij het ministerie van Staatsveiligheid, waar de activiteiten van China's spionage en contraspionage werden geregeld. Tao was in gesprek met Zhou Xing, de geheim agent uit Bayan Obo, die kalm om zich heen keek naar de verzamelde hoogwaardigheidsbekleders. De man met het boerse gezicht maakte Tao subtiel duidelijk dat Jintai naar hem keek.

'Tao, goed je te zien,' zei de generaal. 'Luister, we hebben een zakelijk voorstel te bespreken met onze oude bekende Edward Bolcke.'

'Ach ja, onze oude bekende Bolcke,' reageerde Tao scherp. 'Nou, ik ben wel nieuwsgierig naar wat hij in de aanbieding heeft.'

Gevolgd door Zhou liepen de mannen door de hangar naar een kantoortje. Er was een kast met likeuren en een schaal *dim sum* voor de heren klaargezet. Jintai schonk voor zichzelf een glas whisky in en ging evenals de anderen aan een teakhouten vergadertafel zitten.

'Heren, mag ik u feliciteren met de nieuwste ontwikkelingen,' zei Bolcke. 'Dit is een bijzondere dag voor de Chinese defensie. Al is het een kleine stap.' Bolcke zweeg even om zijn beledigende opmerking te laten bezinken. 'Maar ik wil voorstellen dat morgen een echt revolutionaire dag wordt, voor wat de landsverdediging betreft.'

'Gaat u het Russische en Amerikaanse leger voor ons castreren?' vroeg Jintai, en hij dronk grinnikend het laatste restje whisky.

'In zekere zin wel.'

'U bent een mijnwerker en een kruimeldief, Bolcke. Wat bedoelt u precies?'

Bolcke vernauwde zijn ogen tot spleetjes en keek de generaal aan. 'Ik ben inderdaad mijnbouwer. Ik ken de waarde van zeldzame mineralen, zoals goud, zilver... en zeldzame elementen.'

'Wij weten ook wat de waarde is van zeldzame grondstoffen,' zei Tao. 'En daarom manipuleren we de prijzen door u als tussenhandelaar te gebruiken en aankopen te doen op de markt.'

'Het is algemeen bekend dat China bijna een monopolie heeft op de productie van zeldzame mineralen en metalen,' zei Bolcke. 'Maar dat monopolie wordt bedreigd door twee grote mijnen buiten uw grondgebied. De Amerikanen hebben onlangs de Mountain Pass weer in bedrijf gebracht, en de Australische Mount Weld-mijn wordt uitgebreid.'

Jintai keek hem minachtend aan. 'Wij zullen altijd dominant blijven.'

'Misschien. Maar u kunt de markt niet langer controleren.'

Bolcke haalde een grote foto uit zijn aktetas. Het was een foto van enkele smeulende gebouwen in een woestijngebied naast een open mijngroeve.

'Dit zijn de restanten van de Amerikaanse mijn bij Mountain Pass,' zei Bolcke. 'De productie is vorige week vanwege brand stilgelegd. De komende twee jaar zal daar geen ons aan zeldzame grondstoffen gedolven worden.'

'Weet u meer over die brand?' vroeg Tao.

Bolcke keek hem zwijgend aan, met een vage grijns op zijn gezicht.

'Dit is de Mount Weld-mijn in Australië, waar ik sinds kort aandeelhouder ben.'

'Ik heb gehoord dat de productie daar tijdelijk stilgelegd is om de mijn te moderniseren,' merkte Tao op.

'Dat is juist.'

'Dit is allemaal heel interessant,' zei Jintai, 'maar wat hebben wij daarmee te maken?'

Bolcke haalde diep adem en keek scheef naar de generaal. 'Het heeft te maken met twee acties die u gaat beginnen. In de eerste plaats schrijft u een cheque van vijfhonderd miljoen uit, zodat ik die Australische mijn bij Mount Weld kan kopen. En ten tweede verbiedt u meteen dat China zeldzame grondstoffen uitvoert.'

Het bleef even stil en toen begon Jintai te grinniken: 'En heeft u nog andere wensen?' Hij kwam overeind uit zijn stoel om nog een glas whisky te halen. 'Gouverneur van Hong Kong worden, bijvoorbeeld?'

Tao keek geboeid naar Bolcke. 'En waarom zouden we die twee dingen doen?'

'Economie en veiligheid,' zei Bolcke. 'Samen kunnen we de wereldmarkt van zeldzame stoffen controleren. Zoals u weet ben ik tussenhandelaar van de overige productie, in India, Brazilië, Zuid-Afrika, die ik aan u verkoop. Ik kan gemakkelijk langetermijncontracten afsluiten, voordat u export verbiedt. Wat Mount Weld betreft, als u mijn aankoop financiert, betaal ik terug met erts dat u met enorme winsten kunt verkopen, als u dat wilt. Als de Amerikanen uitgeschakeld zijn is de wereldproductie in Chinese handen.'

'Wij controleren het grootste deel van de markt nu al,' merkte Jintai op.

'Dat is waar, maar u kunt niet álles controleren. De brand bij Mountain Pass was niet toevallig. Mount Weld heeft niet uit eigen keus de productie opeens stilgelegd. Dat is allemaal een gevolg van mijn invloed.'

'U bent altijd een gewaardeerde handelspartner geweest wat betreft mineralen en Amerikaanse defensietechnologie,' zei Tao. 'Dus de prijzen worden opgedreven en wij profiteren uiteindelijk het meest bij de verkoop van zeldzame grondstoffen.'

'Nee,' zei Bolcke. 'Het kan nog gunstiger. Met de totale controle over de markt kunt u elke industrie die gebruikmaakt van zeldzame elementen dwingen de productie naar China te verplaatsen. Elke smartphone en laptop, elke windturbine en ruimtesatelliet zal van u zijn. En technologie is het sleutelwoord. Bijna elke geavanceerde techniek maakt tegenwoordig gebruik van zeldzame grondstoffen, en daardoor krijgt u een dominante positie bij de fabricage van consumentenproducten en, nog belangrijker, nieuwe wapensystemen.'

Bolcke keek strak naar Jintai. 'Zou u niet liever zelf de meest geavanceerde gevechtshelikopter presenteren dan een imitatie van andermans ontwerp?'

De generaal knikte zwijgend.

'In plaats van achter westerse techniek aan te lopen zal China leidend zijn. Door de totale controle over de aanvoer van zeldzame mineralen kunt u meteen een einde maken aan de militaire voorsprong van het Westen. De nieuwe generatie Amerikaanse raketten, lasers, radars en zelfs scheepsmotoren, zijn allemaal afhankelijk van zeldzame stoffen. Door de aanvoer af te snijden kunt u die technologische kloof dichten. China zal niet langer westerse techniek kopiëren, maar het Westen zal uw werk namaken.' Bolcke verzamelde de foto's en deed ze terug in zijn aktetas. 'Zoals ik al zei, het is een kwestie van economie en veiligheid. Die gaan hand in hand. En op beide terreinen kunt u de wereld domineren.'

De woorden raakten een gevoelige snaar bij Jintai, omdat hij zich altijd aan de inferieure wapens van het Volksleger had geërgerd.

'Misschien is dit wel een goed moment om in actie te komen,' zei hij tegen Tao.

'Misschien,' herhaalde Tao. 'Maar zal dat geen spanningen geven met onze westerse handelspartners?'

'Dat is mogelijk,' gaf Bolcke toe. 'Maar wat kan het Westen daartegen doen? Om de eigen zwakke economieën overeind te houden heeft het Westen geen andere keus dan samen te werken met China.'

De chef spionage stak een sigaret op met een kostbare aansteker. 'En welk voordeel heeft dat voor u, Bolcke?'

'De winstgevendheid van mijn tussenhandel in mineralen zal toenemen. En ik vertrouw erop dat u mij toestaat een deel van de productie bij Mount Weld met een mooie winst aan bevriende zakenpartners te leveren.' Bolcke zei niets over zijn plan om aan de groeiende zwarte markt te leveren, en ook niet dat hij de mijn kon kopen voor een bedrag dat tweehonderd miljoen dollar lager was.

Tao knikte. 'We zullen deze urgente kwestie met voorrang bespreken in het politbureau,' beloofde hij.

'Dank u. Ik hoop dat de uitkomst voor beide partijen gunstig is, en ik heb nog iets aan te bieden. In het verleden heb ik geheime defensietechniek via mijn Amerikaanse beveiligingsbedrijf aan u doorgegeven, en daar hebt u mij genereus voor beloond.'

'Ja,' zei Jintai. 'We hebben al gebruikgemaakt van dat systeem om mensenmassa's te beheersen, bij rellen in de westelijke provincies.'

'Op twee van mijn schepen heb ik dergelijke apparaten geïnstalleerd, en die hebben na wat aanpassingen een dodelijke kracht. Ik wil die aanpassingen graag met u delen, als u belangstelling hebt. Maar deze techniek is kinderspel vergeleken bij wat ik u nu kan aanbieden.'

Bolcke legde twee foto's op tafel.

'Dit is een impressie van de Sea Arrow,' zei Bolcke, en hij wees naar de eerste glanzende afbeelding. 'De Sea Arrow zal de meest geavanceerde stealth-onderzeeboot ter wereld zijn.'

Jintai keek nieuwsgierig en Tao knikte begrijpend.

'De Sea Arrow kan met een extreem hoge snelheid varen, dankzij een complex voortstuwingssysteem gebaseerd op supercavitatie.' Bolcke wees naar de tweede afbeelding. 'De Amerikaanse onderzeese vloot zal daarmee generaties voorliggen op uw schepen.'

Jintai's gezicht kreeg een lichte blos. 'Wij liepen altijd al drie stappen achter.'

'Maar nu niet meer,' zei Bolcke met een sluwe grijns. 'Amper een uur geleden bemachtigde ik de motor die volgende week volgens plan in de Sea Arrow geïnstalleerd moest worden. En bovendien heb ik nu de originele ontwerptekeningen en specificaties van het supercavitatiesysteem in de onderzeeboot. Van die documenten bestaan geen kopieën.' Bolcke boog zich trots over de tafel. 'De Amerikanen kunnen een dergelijke motor alleen bouwen met zeldzame mineralen. En zonder de technische informatie over supercavitatie is hun onderzeeboot waardeloos.'

De Chinese ambtsdragers deden hun best niet al te gretig te lijken.

'En u wilt de inhoud van deze documenten met ons delen?' vroeg Tao met geveinsde onverschilligheid.

'Ik heb uit betrouwbare bron vernomen dat de Amerikanen in het geheim meer dan een miljard dollar hebben besteed aan de ontwikkeling van de Sea Arrow. Als we het eens zijn over de andere zaken die we besproken hebben, dan ben ik bereid de motor en de documenten aan u te verkopen voor vijftig miljoen dollar extra.'

Tao knipperde niet met zijn ogen. 'Wanneer kunt u de motor leveren?'

'De motor en de papieren arriveren over vijf dagen per schip in Panama. Daar wil ik de overdracht graag regelen.'

'Het is een aantrekkelijk voorstel,' zei Tao. 'We zullen er serieus over nadenken.'

'Uitstekend,' zei Bolcke. Hij verzamelde de foto's en keek op zijn horloge. 'Ik moet het vliegtuig naar Sydney halen. Daar worden verkennende gesprekken gevoerd over de aankoop van Mount Weld, dus ik wacht uw antwoord in spanning af.'

'Wij zullen dit zo snel mogelijk afhandelen,' zei Jintai.

De generaal liet een adjudant komen en Bolcke werd naar buiten geleid, nadat de mannen elkaar de hand had geschud. Jintai schonk voor zichzelf en voor Tao nog een glas whisky in.

'Nou, Tao, onze Oostenrijkse vriend heeft wel een sterk verhaal.

Omdat onze economie er goed voorstaat, hebben we de middelen om de markt in onze greep te krijgen. En waarom zouden we geen technologische sprong vooruit maken om onze veiligheid voor de komende eeuw te garanderen?'

'Het kan wel economische wrijving veroorzaken waar de premier niet blij mee is,' peinsde Tao hardop, 'maar ik ben het met je eens dat we het risico moeten nemen.'

'Zal hij protesteren tegen de lening en de contante betalingen?'

'Niet als ik uitleg wat de waarde is van de Sea Arrow-technologie. We hebben al geprobeerd met bedrijfsspionage in dat project door te dringen, maar zonder succes. Ik twijfel niet aan het bedrag dat Bolcke noemde, en het is mogelijk dat hij de researchkosten nog onderschat.' Hij keek peinzend naar de whisky in zijn glas. 'We moeten doen wat we kunnen om dat systeem in handen te krijgen.'

Jintai glimlachte. 'Dat is dan afgesproken. Wij zullen het voorstel eensgezind bij de premier aanbevelen.'

'Maar er is wel een probleem met de Oostenrijker.' Tao keek naar Zhou, die tijdens de bespreking had gezwegen. 'Vertel de generaal eens wat je hebt meegemaakt.'

Zhou schraapte zijn keel. 'Generaal, ik moest de diefstal van zeldzame mineralen uit onze mijn in Bayan Obo onderzoeken. Daar ontdekte ik dat een georganiseerde bende misdadigers systematisch gekraakt erts verdonkeremaande en naar Tianjin vervoerde. Ik volgde zo'n illegaal transport en het erts werd aan boord van het vrachtschip de Graz geladen.' Hij zweeg even en met een blik vroeg hij Tao of hij verder moest spreken.

'Moet ik de naam van dat schip kennen?' vroeg Jintai.

'De Graz,' zei Tao, 'is eigendom van Bolcke's rederij.'

'Dus Bolcke orkestreert de diefstal van onze zeldzame mineralen?'

'Ja,' beaamde Tao. 'Hij werd enkele jaren geleden als adviseur naar de mijn gehaald, en zo kreeg hij de kans de diefstal te organiseren. Maar het is nog erger.' Hij knikte naar Zhou.

'Ik heb een aantal havenregisters bekeken om de route van dat vrachtschip zien,' zei Zhou. 'Van Tianjin voer de Graz naar Shanghai, en daarna naar Hong Kong. Daar werd dertig ton gekraakt bastnasiet gelost. Die lading was door ons ministerie van Handel aangekocht op de open markt. De levering werd geregeld door Habsburg Industries, een firma van Bolcke.'

'Dus Bolcke verkoopt onze eigen voorraad zeldzame mineralen aan ons?' Jintai sprong bijna uit zijn stoel.

Zhou knikte.

'Wat een hebzuchtig zwijn!' Hij hapte naar adem en wendde zich naar Tao. 'Wat doen we nu?'

Tai drukte zijn sigaret uit in de asbak en keek Jintai aan.

'Die Amerikaanse technologie moeten wij tot elke prijs in handen krijgen. We sturen Zhou naar Panama om de aankoop daar te regelen.'

'En de zeldzame mineralen? Staken we de export en financieren we de aankoop van die mijn?'

'De export wordt gestopt. Wat betreft het financieren van de aankoop van die mijn...' Een sluwe trek verscheen op zijn norse gezicht. 'We zullen Bolcke met gelijke munt terugbetalen.'

37

In de lucht hing de geur van plumeriabloesem vermengd met het aroma van kerosine, toen Pitt en Giordino de terminal van Honolulu International Airport verlieten. De heldere zon en de tropische wind verdreven meteen de vermoeidheid van de twaalf uur durende vliegreis uit Washington. Giordino wenkte een taxi en ze stapten in voor de korte rit naar Pearl Harbor.

De straten met aan weerszijden palmbomen riepen bij Pitt een golf aan herinneringen op. Hij had tijdens zijn eerste jaren bij NUMA veel tijd doorgebracht op Hawaï. Hier was hij verliefd geworden op Summer Moran, een beeldschone jonge vrouw. Hoewel het al tientallen jaren geleden was dat hij haar voor het laatst had gezien, stond haar knappe gezicht met de stralende ogen hem nog even helder voor de geest als de hemel boven hem. De overleden moeder van zijn beide kinderen had haar laatste rustplaats op een begraafplaats met uitzicht op de oceaan aan de andere kant van het eiland.

Pitt schudde de herinneringen van zich af toen ze bij de ingang van de marinebasis kwamen. Een jonge korporaal wachtte hen op bij de bezoekersingang en tilde hun koffers in een jeep. Ze reden naar de kades en stopten naast een vaartuig met een slanke, afgeronde opbouw waarvan het bovenste deel leek afgesneden met een scherp mes.

'Wat is dat?' vroeg Giordino. 'Een veerboot op steroïden?'

'Je zit er niet ver naast,' zei Pitt. 'Het ontwerp van de Fortitude is gebaseerd op een snelle veerboot die gebouwd werd op een Australische werf.'

'Is het een catamaran?' vroeg Giordino, toen hij zag dat de ronde boeg werd ondersteund door twee rompen.

'Ja, en gemaakt van aluminium. De Fortitude wordt voortgestuwd door waterstraalaandrijving. Het schip is onderdeel van het Military Sealift Command en bestemd voor snel transport van troepen en materieel. De marine bouwt een kleine vloot van dit type schepen.'

Toen ze hun bagage uit de jeep hadden getild kwam een man in legerkleding naar ze toe. 'Bent u mijnheer Pitt?'

'Jawel, ik ben Pitt.'

'Luitenant Aaron Plugard, van de Coast Guard Maritime Safety.'

De man schudde Pitts hand met een ijzeren greep. 'Mijn mannen zijn al aan boord van de Fortitude en we kunnen meteen uitvaren.'

'Hoe groot is uw team, luitenant?'

'Ik geef leiding aan een eskader van acht man, allemaal getraind in de bestrijding van piraterij. Als er een poging tot kaping wordt gedaan, dan verhinderen wij dat.'

Plugard en zijn mannen behoorden tot een weinig bekend onderdeel van de marine dat snel kon interveniëren op zee. In feite was het een arrestatieteam op zee, en de teamleden waren getraind in contraterrorisme, riskant enteren van schepen op volle zee en het speuren naar explosieven.

'Ik heb een vraag, mijnheer Pitt,' zei Plugard. 'We hebben een krat van NUMA ontvangen met daarin twaalf hightech Hazmat-pakken. We hebben die krat al aan boord gebracht.'

'Die pakken zijn voor uw mannen,' zei Pitt. 'En elk teamlid moet zo'n pak dragen als we aan boord van de Adelaide gaan. We vermoeden dat bij een aanval mogelijk gebruik wordt gemaakt van een aangepast en veel krachtiger microgolvensysteem, zoals door het leger ontwikkeld om mensenmassa's te beheersen.'

'Ik ken dat wapen,' zei Plugard. 'We zullen de noodzakelijke voorzorgsmaatregelen nemen.'

Pitt en Giordino gingen aan boord van het slanke schip, en ze werden begroet door kapitein Jarrett van de Fortitude, een vroeg grijs geworden marinecommandant. Hij ging de NUMA-mannen voor naar de brug, waar hij de geplande route toonde op een navigatiemonitor.

'Het is de bedoeling dat we de Adelaide hier ontmoeten,' zei Jarrett en hij wees naar een plek ten zuidoosten van Hawaï. 'Dat is ongeveer elfhonderd zeemijlen verwijderd van Oahu. We koersen naar de Adelaide als we dichterbij zijn, maar we moeten dat schip binnen vierentwintig uur inhalen.'

'Vierentwintig uur?' vroeg Giordino hoofdschuddend. 'Heeft deze boot dan vliegtuigmotoren?'

'Nee, maar wel vier krachtige turbodiesels. Onder gunstige omstandigheden halen we een snelheid van 45 knopen. En omdat we weinig lading aan boord hebben, moet die snelheid zeker haalbaar zijn.'

'Waarom zou je dan nog per vliegtuig gaan en de frisse zeewind missen?' zei Giordino.

'Inderdaad. De Fortitude is ontworpen om een bataljon binnen twee dagen naar de andere kant van de Atlantische Oceaan te brengen.' Jarrett keek naar een chronograaf. 'Als de heren geen bezwaar hebben, dan gaan we nu uitvaren.'

De dieselmotoren van de Fortitude werden gestart. De landvasten werden losgemaakt en het honderdtien meter lange vaartuig manoeuvreerde door de nauwe ingang van de haven van Pearl Harbor naar open zee en zette koers naar het zuidoosten.

Het schip voer langs Waikiki en Diamond Head en meerderde vaart. De catamaranrompen rezen op uit het water naarmate de snelheid toenam. De zee was kalm, zodat Jarrett bijna volgas kon varen. Pitt keek met ontzag naar de navigatiemonitor en zag dat het vaartuig sneller dan veertig knopen voer.

Na enkele uren verdween het laatste eiland van Hawaï achter de horizon en ze raasden over de uitgestrekte kalme oceaan. Pitt en Giordino stonden aan dek en bespraken met Jarrett en zijn team de defensieve maatregelen die genomen moesten worden voor de confrontatie. Nadat ze in de grote mess gedineerd hadden, ging iedereen naar zijn hut voor de nacht.

Pitt merkte de volgende ochtend dat de motoren van de Fortitude minder toeren maakten, toen hij met Giordino het ruim bekeek. De twee mannen klommen naar de brug en ze zagen de Adelaide op twee mijl afstand voor de boeg.

Het was een droge bulkcarrier, tweehonderd meter lang, met een groen geschilderde romp en een goudkleurige opbouw. Een zwart gevlekte schoorsteen en roest bij het gat voor het anker wezen op een lange staat van dienst, maar verder leek het schip goed onderhouden. De grote vrachtboot sneed door de golven, en lag diep in het water omdat de vijf laadruimen tot aan de luiken gevuld waren.

'Haar gezagvoerder weet van onze komst en jullie kunnen aan boord gaan,' meldde Jarrett.

'Bedankt voor de snelle vaart, kapitein,' zei Pitt. 'Dit schip is een juweel.'

'Kunnen uw mensen niet in de buurt blijven?' vroeg Giordino aan Jarrett. 'Als ze daar geen drank hebben, dan moet dat wel hier van boord komen.'

'Het spijt me, maar we worden binnen zesendertig uur weer bij de kust verwacht.' Jarrett nam afscheid van beide mannen. 'Ik heb de sloep voor u laten strijken. Veel succes en behouden vaart.'

Plugard verzamelde zijn mannen aan dek. Pitt en Giordino en het team daalden af naar de overdekte sloep om naar het vrachtschip te varen. Langs de romp van de Adelaide hing een touwladder. Plugards mannen klauterden snel omhoog, kennelijk niet gehinderd door de zware uitrusting en de wapens die ze droegen. Pitt wuifde naar de stuurman van de sloep toen hij afstapte en Giordino volgde op de touwladder.

Twee dekmatrozen in slecht passende overalls wachtten hen op aan dek. 'Uw hutten zijn aan die kant,' zei een van de matrozen en hij wees naar de opbouw van het vrachtschip. 'De kapitein verwacht u over twintig minuten in de mess.'

De twee matrozen gingen de bezoekers voor en de motoren van de Adelaide maakten meer toeren, zodat het schip weer vaart maakte. Op de tweede verdieping van de opbouw keek Giordino naar de Fortitude, die met hoge snelheid wegvoer in noordoostelijke richting. En opeens verlangde hij hevig naar koud bier.

38

De kapitein van de Adelaide was heel anders dan Pitt verwacht had. Hij was geen doorleefde zeebonk zoals meestal aan boord van vrachtschepen, maar een magere jongeman met nerveus heen en weer schietende ogen. Hij stapte de mess in en keek even koel naar Pitt, Giordino en Plugard, toen schudde hij hen de hand en ging ook aan tafel zitten.

'Mijn naam is Gomez. Ik hoorde dat u een kaping verwacht.' Als deze waarschuwing hem zorgen baarde dan liet hij dat niet blijken.

'We hebben een patroon ontdekt in overvallen op schepen die de Pacific bevaren,' zei Pitt. 'Alle schepen vervoerden een lading zeldzame mineralen, zoals uw schip ook transporteert.'

'Dan bent u verkeerd ingelicht,' zei Gomez. 'Dit schip is geladen met mangaanerts.'

'Mangaan?' vroeg Giordino verbaasd. 'U kreeg in Perth toch een lading monaziet aan boord?'

'We zijn inderdaad uit Perth vertrokken, maar met een lading mangaan.'

'De rederij gaf ons andere informatie,' merkte Pitt op.

Gomez schudde zijn hoofd. 'Dan is er een fout gemaakt. De elektronische vrachtbrief moet per ongeluk verwisseld zijn met die van een ander schip van de maatschappij. Zulke dingen gebeuren nu eenmaal. Ik zal via de marifoon het schip oproepen waarmee u gebracht werd, om u weer van boord te halen.'

'Dat is niet mogelijk,' zei Pitt. 'De Fortitude heeft een heel strak vaarschema.'

'En bovendien,' voegde Giordino eraan toe, 'zijn wij misschien niet de enigen die verkeerd geïnformeerd werden.'

'Zo is dat,' zei Plugard. 'Ik moet er niet aan denken dat ik mijn team weer van boord haal om later te horen dat uw schip in problemen is gekomen. Wij blijven aan boord tot u afmeert in Long Beach, dus we houden ons aan het oorspronkelijke plan.'

'Zoals u wilt,' zei Gomez, maar er klonk ergernis door in zijn stem. 'Ik vraag u wel op het hoofddek en in de hutten op de tweede verdieping te blijven.'

'Al en ik zullen afwisselend wacht lopen op de brug en de luitenant waarschuwen als we een ander schip zien.'

Gomez begreep dat de vastberaden toon van Pitt geen tegenspraak duldde en hij knikte. 'Zoals u wilt. Maar op de brug mogen geen wapens gedragen worden.' Gomez stond op. 'Ik moet weer aan het werk. Welkom aan boord en ik ben ervan overtuigd dat u van een rustige en routineuze zeereis zult genieten.'

Nadat Gomez was verdwenen keek Giordino hoofdschuddend naar Pitt en Plugard. 'Nou, wat denken jullie daarvan? Geen bijzondere lading en een onaangename kerel als kapitein tijdens deze reis.'

'Daar kunnen we nu weinig aan veranderen,' zei Pitt. 'En als wij ons vergissen, dan staan ons rust en routine te wachten. Niet slecht, toch?'

Zodra Pitt aan boord van de Adelaide stapte was hij meteen alert geweest. Er klopte iets niet aan de kapitein en zijn bemanning. Hij was vaak genoeg aan boord van koopvaardijschepen geweest om te weten dat bemanningen heel verschillend konden zijn. En een koele ontvangst aan boord was ook niet ongebruikelijk. Maar omdat er mogelijk een groot gevaar voor dit schip dreigde, zou de bemanning juist blij moeten zijn met extra beveiliging of op zijn minst nieuwsgierig naar de achtergrond van dat dreigende gevaar. Pitt en beide anderen werden aan boord duidelijk gezien als een hinderlijke aanwezigheid. Matrozen leken elke beweging van de drie passagiers met argusogen te volgen, maar tegelijk weigerden ze zelfs maar een oppervlakkig praatje te maken.

Op de brug werden Pitt en Giordino brutaal genegeerd. Elk verzoek om informatie was aan dovemansoren gericht. Gomez liet amper blijken dat hij de waarnemers zag staan en weigerde zelfs met Pitt aan dezelfde tafel te eten. De kapitein bleef zo veel mogelijk in zijn eigen hut als hij geen dienst had.

Tijdens de tweede avond aan boord ijsbeerde Pitt op de brug en nog steeds werd zijn aanwezigheid genegeerd. Rond middernacht, kort voor het einde van de wacht, verscheen er een bemanningslid en na een snelle blik op Pitt ging de man dicht naast Gomez staan om op fluistertoon met de kapitein te spreken.

Pitt zag op het radarscherm dat een ander schip een eind voor hen in dezelfde richting koerste. Hij ging dichter bij het scherm staan om de AIS-registratie van het schip te lezen. Het Automatisch Identificatie Systeem werkt via satellieten en was verplicht aanwezig op alle vrachtschepen groter dan driehonderd ton. De snelheid, koers en de identiteit van elk schip verschijnt dan op de radarschermen. Maar bij deze stip op het scherm was geen AIS-registratie te zien. 'Die boot heeft de AIS uitgeschakeld,' zei Pitt tegen Gomez. 'Dat is wel een beetje verdacht.'

'Soms gaat het signaal verloren, of het is een marineschip,' antwoordde Gomez. 'Het is onbelangrijk.'

De kapitein kwam naast de roerganger staan en fluisterde hem iets in zijn oor. Daarna liep hij naar de andere kant van de brug. Pitt negeerde Gomez en bleef de snelheid en de koers van de Adelaide volgen. Het verbaasde hem niet dat de stip van het mysterieuze schip op de radar eerst langzamer bewoog en toen van het scherm verdween. Veertig minuten verstreken in gespannen stilte en toen kwam Giordino op de brug om Pitt af te lossen. 'En? Varen we deze avond fijn op de mooie golven?'

'We varen eerder op golven van emotie.' Pitt maakte aanstalten om weg te gaan, en hij meldde aan Giordino dat eerder een ander schip op de radar te zien was geweest. De roerganger werd ook door een collega afgelost, maar Gomez bleef op zijn post. Pitt keek nog een keer naar het radarscherm en opeens viel hem iets op. De koers was veranderd: eerst voer het schip in noordoostelijke richting, maar nu meer in zuidoostelijke richting.

'Waarom varen we naar het zuidoosten?' vroeg Pitt.

'Op deze breedtegraad is een sterke tegenstroom,' zei Gomez. 'We koersen ongeveer twee dagen wat zuidelijker, om snelheid te houden. En dan verleggen we de koers naar Long Beach.'

Pitt herinnerde zich dat de noordelijke equatoriale zeestroom zich een eind verder zuidelijk van hun positie bevond, maar hij protesteerde niet. Hij keek argwanend naar Gomez en verliet de brug. Hij ging op weg naar zijn hut op de tweede verdieping, maar liep eerst naar buiten om aan dek frisse lucht in te ademen. Op de trap kwam hij Plugard tegen die haastig de treden beklom. De luitenant van de kustwacht keek hem geagiteerd aan.

'Jij bent al vroeg uit de veren,' zei Pitt.

'Ik zoek twee mannen van mijn team. Ze hebben zich niet gemeld voor hun wacht. Heb je ze gezien op de brug?'

'Nee. Ik zou maar eens in de mess kijken. Ze drinken misschien een kop koffie om wakker te blijven.'

Plugard mompelde iets en verdween in de richting van de mess.

Pitt ging naar het dek en voelde de nachtelijke kilte, omdat een stevige bries was opgestoken. Na enkele uren wachtlopen op de brug in een onaangename sfeer was de frisse lucht verkwikkend. Pitt strekte zijn benen door over de lengte van het schip naar de boeg te lopen. Daar bleef hij bij de reling staan en tuurde naar de horizon. Even verscheen er een vaag licht in de verte, dat weer verdween en opdook met de bewegingen van de Adelaide op de golven. Het mysterieuze schip bevond zich nog recht vooruit en bijna buiten zicht en bereik van de radar.

Pitt bleef minutenlang kijken, tot hij zeker wist dat het schip op dezelfde positie bleef liggen. Hij liep weer terug in de richting van het dekhuis. Hij bleef staan bij het voorste ruim en zag wat gruis op het dek liggen. Bij het laden van mangaanerts was gemorst naast het luik. Pitt raapte een vuistgroot brok op en hield het in het licht van een deklamp. Met de zilverige kleur leek dit brok identiek aan het monaziet dat hij aan boord van de Tasmanian Star in Chili had gevonden.

Gomez loog over de lading mangaan, maar waarom? En waarom gedroeg de bemanning zich zo vreemd? En dan was er nog het schip recht voor hen in de verte. Pitt kreeg opeens een onaangenaam gevoel in zijn maagstreek.

Plugard. Hij moest Plugard meteen waarschuwen. Pitt liep verder over het dek, maar bleef met een ruk staan toen opeens enkele gedaanten uit het dekhuis kwamen. Pitt dook opzij achter een dekluik en zag dat twee mannen een derde man tussen hen in meetrokken. Ze liepen dwars over het dek en werden even fel verlicht. Pitt zag twee gewapende bemanningsleden en de slappe gestalte die ze meetrokken was Plugard. Er glansde bloed op zijn voorhoofd.

De mannen sleepten de gewonde naar de bakboordzijde van het dekhuis en openden een deur. Plugard werd naar binnen gesleept.

Zodra het drietal uit het zicht was sprintte Pitt naar de andere kant van het dekhuis. Hij draafde de trappen op en rende naar de vier hutten van het kustwachtteam.

Pitt bonsde op de eerste deur en duwde die open, maar er was niemand in de hut. Toen hij zag dat in de tweede hut ook niemand aanwezig was begon hij het ergste te vrezen. De derde en vierde hut waren ook verlaten, maar toen hij weer naar de gang wilde lopen hoorde hij gefluister. Pitt deed een stap naar achteren in de hut en verborg zich achter de open deur. Door een kier zag hij twee gewapende bemanningsleden over de vloer kruipen en voor de deur van Pitts hut stoppen. Ze hielden hun wapens in de aanslag, een van de mannen draaide de deurkruk en daarna stormden ze de hut in.

Zodra ze zagen dat er niemand in de hut was keerden ze terug naar de gang en spraken op gedempte toon Spaans met elkaar. Een van de mannen beende weg naar de trap en zijn maat bleef achter. Toen sloop de man Giordino's hut in. Ook daar was niemand en de man keerde terug, waarbij hij alle andere hutten inspecteerde.

Pitt hield zijn adem in toen de schutter dichter bij de hut kwam waar hij zich achter de deur verstopt had. De loop van een automatisch geweer verscheen in de deuropening en de man stapte de hut in. Pitt wachtte een seconde en kwam toen met een sprong in beweging. Met al zijn kracht ramde hij de deur tegen de indringer en de man werd met geweld tegen de wand van de hut gesmeten. Pitt had het brok erts nog steeds in zijn hand en hij beukte ermee op de zijkant van het hoofd van de man, die meteen bewusteloos raakte en op de vloer in elkaar zakte, nog voordat hij de trekker kon overhalen.

Pitt sleepte de gewapende man de hut in en spitste zijn oren om te horen of de andere kerel in de buurt was. Hij hoorde niets en pakte de AK-47 van de bewusteloze man. Daarna liep hij naar de gang en sloot de hutdeur achter zich. Even later was hij bij de trap en hij wilde naar beneden gaan om Plugard te bevrijden, toen er opeens de knal van een geweerschot weergalmde.

Pitt dacht dat er boven in het dekhuis werd geschoten en als dat op de brug was, dan kon dat maar ding betekenen. Giordino.

Hij draafde snel en zo geruisloos mogelijk de treden op. Hij bleef staan voor de deur van de brug en omdat de lichten gedoofd waren tijdens het varen in de nacht verspreidden alleen de instrumentenpanelen een vage gloed. Een console belemmerde het zicht, maar alles leek rustig op de brug. Misschien was er toch ergens anders een schot gelost. Pitt zag alleen de roerganger en hij sloop naar binnen.

'Mijnheer Pitt,' klonk de stem van Gomez opeens. 'Ik dacht al dat u naar uw collega zou komen.' De kapitein kwam overeind uit zijn gehurkte houding. Hij hield zijn arm uitgestrekt en in zijn hand hield hij een pistool in de aanslag. Het wapen was niet op Pitt gericht, maar op Giordino, die op de vloer lag en zijn been vasthield.

'Laat dat wapen vallen, anders zijn jullie allebei dood,' waarschuwde Gomez.

Pitt zag vanuit zijn ooghoeken iets bewegen. De gewapende man die hij eerder had gezien dook achter een andere console op en hij richtte de loop van zijn AK-47 op Pitts rug. Pitt begreep dat Giordino gewond was en zijn ogen vlamden van woede. Zwijgend liet hij zijn wapen vallen.

39

De president rolde een onaangestoken sigaar tussen zijn duim en wijsvinger. 'Waarom?' vroeg hij, en er klonk ergernis door in zijn stem. 'Waarom staken de Chinezen opeens de export van zeldzame mineralen?'

Er viel een ongemakkelijke stilte in het Oval Office.

'Ik vermoed dat het gebeurt om te onderhandelen,' zei de minister van Buitenlandse Zaken. 'Ze kunnen het inzetten als ruilmiddel bij onze protesten tegen hun handelsbetrekkingen met Iran, of om hun weigering de vaste wisselkoers van de yuan los te laten.'

'Hebben ze dat laten blijken?'

'Nee, het Chinese ministerie maakte alleen een toespeling dat het besluit genomen is "om strategische redenen".'

'O, zeker,' merkte vicepresident Sandecker schamper op. 'De strategie om onze economie te torpederen.' Omdat hij zelf een liefhebber van sigaren was, keek hij afgunstig naar de president.

'Het is wel een driest besluit,' oordeelde de minister van Buitenlandse Zaken. 'Ik had verwacht dat er eerst onderhandeld zou worden over deze kwestie, maar kennelijk vinden de Chinezen dat niet in hun belang.'

De president wendde zich naar zijn nationale veiligheidsadviseur Dietrich, een vrouw met gitzwart haar. 'Hoe ernstig zijn de gevolgen voor ons?'

'Meer dan negentig procent van onze import van zeldzame mineralen komt uit China,' antwoordde ze. 'Een groot aantal bedrijven zal zwaar getroffen worden, vooral in de sectoren elektronica en alternatieve energiewinning. Eigenlijk zal elke hightech-industrie geraakt worden door deze exportstop.'

'Gaat het alleen over hogere prijzen?' vroeg Tom Cerny.

'Omhoog schietende prijzen zijn het eerste gevolg. Voordat er alternatieven worden gevonden zullen er tekorten ontstaan, of deze grondstoffen worden echt onbetaalbaar. Hoe dan ook, de vraag zal wegvallen, en daarmee gaan veel banen verloren. Dit kan een serieuze economische recessie veroorzaken.'

'En hoe staat het met de andere bronnen van die zeldzame stoffen?' vroeg de president. 'Ik weet dat wij een mijn in Californië hebben. Dus beweer niet dat de China de enige producent is.'

'De Mountain Pass Mine is een paar jaar geleden in bedrijf gekomen en men was daar juist bezig de productie te vergroten,' zei Dietrich. 'Maar kort geleden is een deel van het complex waar erts wordt verwerkt, door brand verwoest. In feite is de mijn voor onbepaalde tijd stilgelegd. En dat was onze enige binnenlandse bron.'

'Is bekend wat de oorzaak van die brand was?' vroeg Sandecker.

'Eerst dacht men dat het toeval was, maar de directie heeft de FBI gevraagd te onderzoeken of het mogelijk brandstichting was.'

'En wie zijn de buitenlandse leveranciers?' vroeg de president.

'Een deel komt uit andere landen dan China,' zei Dietrich. 'Australië leverde het grootste aandeel, en kleinere hoeveelheden komen uit Rusland, India en Maleisië. Maar er is nu ook een probleem in Australië, want de directie van de mijn heeft aangekondigd leveringen tijdelijk te staken in verband met uitbreiding van het bedrijf.'

De president legde zijn sigaar in een asbak. 'Dus wij staan machteloos en onze economie komt krakend tot stilstand?'

'Dat is de helft van het verhaal,' zei Sandecker. 'De plotselinge schaarste is ook een zware klap voor onze defensie-industrie.'

'Wat de vicepresident zegt is juist,' vulde Dietrich aan.

'En waar vallen de zwaarste klappen?' vroeg de president.

'Vooral de marine wordt zwaar getroffen. In het voortstuwingssysteem van de Zumwall-jager en de nieuw stealth-kruiser is de toepassing van zeldzame mineralen essentieel. Die ontwikkelingen komen dus opeens stil te liggen. Ik wacht nog op een rapport van de luchtmacht, maar ik heb al begrepen dat dit grote gevolgen heeft voor de nieuw Joint Fighter en ook voor de bouw van nieuwe satellieten.'

'En daarbij gaat het om projecten met een miljardenbegroting,' voegde Cerny eraan toe.

'Ik krijg de indruk dat de Chinezen hun monopolie gebruiken omdat ze een kans zien ons op militair gebied in te halen,' zei de president.

De andere aanwezigen knikten zwijgend.

'Als we de Chinezen nou eens duidelijk maken dat hun exportstop onacceptabel is?'

De minister van Buitenlandse Zaken draaide ongemakkelijk op zijn stoel. 'Die vlieger gaat niet op, vrees ik. De Chinese leiders zijn nooit onder de indruk van dreigementen. En als wij een handelsoorlog beginnen, dan zullen wij de verliezer zijn. Als China niet langer onze obligaties wil opkopen, dan hebben we een nog groter probleem.'

'Dus onze economie duikt omlaag, al kunnen we ons dat nu bepaald niet permitteren,' concludeerde de president. 'Bovendien offeren we onze militaire superioriteit op door vertraging bij de ontwikkeling van nieuwe oorlogsbodems, gevechtsvliegtuigen en spionagesatellieten.'

'Er is nog een slachtoffer,' zei Sandecker. Hij boog zich naar de president en zei met gedempte stem: 'De Sea Arrow.'

De president knikte begrijpend. 'Ja, inderdaad.' Hij liep naar zijn bureau en staarde door de hoge ramen minutenlang naar buiten. Toen hij zich weer omdraaide naar de anderen klonk verslagenheid in zijn stem. 'Zoek uit wat de Chinezen willen, en geef toe aan hun eisen,' zei hij zacht.

40

Na de diefstal van de scheepsmotor van de Sea Arrow werd meteen een landelijke zoekactie gestart. Wegblokkades werden aangebracht op de belangrijke wegen van Washington naar het noorden en het zuiden. Teams van de FBI werden naar de luchthavens in de omgeving gestuurd en naar elke haven aan de oostkust, omdat men vermoedde dat de zware machine per schip het land uit gesmokkeld zou worden. De bewaking in het noordoosten bij de grensovergangen naar Canada werd ook verscherpt.

Maar de gestolen motor zou niet op die plaatsen gevonden worden. Het gevaarte was in westelijke richting naar Appalachia weggevoerd, ver van de belangrijke havens en vliegvelden, verstopt op een grote oplegger vol balen hooi. Toen de truck de stad Lexington in Kentucky naderde minderde Pablo vaart, steeds alert op passerende politieauto's.

Ann was achter in de cabine met een pols vastgeketend aan het frame van de stoel. Ze kon zich een beetje uitstrekken op de smalle bank, maar het kostte haar moeite om uit het raampje te kijken. Ze reden verder zonder dat er iets gezegd werd. Omdat Pablo haar spervuur van vragen koppig genegeerd had, besloot ze haar krachten te sparen. Na enig piekeren kon ze het verband leggen tussen Pablo's diefstal van de documentatie van de Sea Arrow en het grote apparaat dat met hooibalen gecamoufleerd was: dat moest de nieuwe motor van de onderzeeboot zijn.

Pablo was tevreden over de afstand die was afgelegd: bijna zeshonderd kilometer in zeven uur. Hij stopte de combinatie op een rustige weg en liet Ann uitstappen om haar benen te strekken.

Even later reden ze door Lexington en Pablo stopte bij een tank-station. Nadat hij de tank gevuld had opende hij de cabinedeur en keek naar Ann.

'Wil je iets eten?'

'Ja graag. Ik heb erge honger.'

'Ik kom zo terug.' Hij deed de cabinedeur dicht en op slot.

Ann zag hem langs de benzinepompen lopen en het tankstation binnengaan. Ze keek om zich heen, zoekend naar iemand die haar kon helpen. Het was laat in de avond en ze zag maar één persoon in de buurt: een bebaarde truckchauffeur die bezig was de voorruit van zijn combinatie met stationair draaiende motor schoon te lappen.

Ze zwaaide naar de man en schreeuwde zo hard ze kon. Maar achter de getinte ramen van de cabine was ze bijna onzichtbaar en haar ge-smoorde kreten werden overstemd door het motorgeronk. Ann stak haar hand uit naar de claxon van de truck, maar ze kon haar vingers niet ver genoeg strekken om te toeteren. De chauffeur met baard klom in zijn cabine en reed weg, zich niet bewust van Anns ellendige toe-stand. Ze zocht in de cabine naar iets wat ze als wapen kon gebruiken. Maar er was niets. Ook het handschoenenkastje was leeg. Op de bij-rijdersstoel lagen alleen een wegenkaart en een laptop. Ann deed een greep naar de laptop.

Ze kon het apparaat met haar vrije hand vastpakken. Snel opende ze de klep en zette de laptop aan. Het opstarten leek een eeuwigheid te duren en Ann keek even naar buiten. Pablo stond bij de kassa af te rekenen. Ze had maar heel weinig tijd om een bericht te versturen en hulp te vragen, als er tenminste wifi bij dit tankstation beschikbaar was. Eindelijk verscheen het icoon met de vraag of ze wilde inloggen bij het netwerk van Lexington Diesel & Dine.

'Ja!' riep ze onwillekeurig en ze klikte op het icoon. Een paar se-conden later verscheen een internetzoekpagina op de monitor.

Anns vreugde was maar van korte duur. Toen ze weer uit het raam keek zag ze dat Pablo het gebouw al verliet. Met bonzend hart moest ze snel beslissen. Er was geen tijd om in te checken bij haar e-mail account of een bericht naar de website van NCIS te sturen. Hoewel ze wanhopig was kreeg ze opeens een ingeving. Ze typte snel vier letters in het zoekvak en wachtte. Zodra een nieuw scherm geopend werd scrollde ze naar de onderkant van de pagina en vond het contact-formulier. Ze klikte het open en typte snel een bericht. Toen ze opkeek zag ze Pablo op drie meter afstand van de truck. Anns vingers vlogen over de toetsen en ze drukte op 'verzenden' toen ze hoorde dat het slot van de cabine geopend werd. Ze klapte de laptop dicht en smeet het apparaat op de stoel naast die van Pablo. Op dat moment opende Pablo de cabinedeur.

Haar hart bonsde wild en ze voelde haar gezicht rood worden toen Pablo in de cabine klom en op zijn stoel ging zitten. Hij draaide zich naar haar om en keek haar vragend aan. 'Ham en kaas of tonijn?' vroeg hij, en hij hield twee sandwiches omhoog.

'Liever tonijn.' Ze slaakte een zucht en pakte een sandwich aan. Pablo startte de motor en reed weer naar de hoofdweg. Na de korte pauze was Pablo meer ontspannen. Hij draaide zijn hoofd even over zijn schouder naar Ann. 'Jij bent verliefd op mij,' grinnikte hij.

'Wat?'

'Jawel, jij moet wel verliefd op me zijn, omdat je telkens weer op-duikt.'

'Ik heb hier niet om gevraagd,' zei ze kwaad. 'Laat me toch gaan.'

Pablo lachte schaterend. 'Jij bent veel te slim om je zomaar te laten gaan... En te aantrekkelijk om te doden.'

Ann voelde walging opkomen, maar ze wilde het gesprek gaande houden. 'Vervoeren we de motor van de Sea Arrow?' vroeg ze.

'Mogelijk.'

'Waarom heb je de mannen die jou hielpen gedood?'

'Ze waren niet langer nuttig, en bovendien wisten ze te veel. Zo, dit verhoor heeft wel lang genoeg geduurd.' Hij deed de radio aan en draaide het volume omhoog zodra hij een lokale bluegrass-radio-zender had gevonden. Ze reden door heuvelachtig gebied in het wes-ten van Kentucky, luisterend naar songs van Flatt & Scruggs.

Vier uur later bereikten ze Paducah. Pablo stopte bij een tankstation in een buitenwijk van de stad en hij telefoneerde kort. Na enkele mi-nuten kwam een roestige pick-up aanrijden, bestuurd door een zwaar getatoeëerde kerel. Pablo volgde de oude auto naar de oever van de ri-vier. Een sleepboot en een platte aak geladen met zeecontainers lagen afgemeerd aan de kade. Pablo manoeuvreerde de combinatie langs de donkere boot en stopte.

Het was allang middernacht geweest en het was naargeestig stil op de kade. Pablo koppelde de oplegger los van de trekker en parkeerde de trekker op een plek verder weg van de oever. Toen hij terugkwam had de getatoeëerde kerel al kabels onder de trailer aangebracht en met een rijdende hijskraan op de kade tilde hij het gevaarte aan boord van de platte schuit. Pablo sprong aan boord en hielp met het vast-sjorren van de trailer en liep daarna naar de trekker om Ann te halen.

Ann deed alsof ze slaperig was toen hij haar losmaakte van het stoelframe en haar handen weer voor haar middel aan elkaar boeide. Ze zag nu pas dat de handboeien voorzien waren van een sensor. Pablo trok haar mee naar de kade.

De lichtjes van Paducah fonkelden rechts van Ann op de rechter-oever van de Ohio Rivier, met diepzwart en traag stromend water. Pablo hield haar arm stevig vast terwijl hij haar naar de sleepboot bracht. De verweerde boot was vastgemaakt aan de achtersteven van de platte schuit, gereed om weg te varen over de rivier. Een smalle loop-plank was uitgelegd over het water. Ann aarzelde even, maar Pablo gaf haar een duwtje.

Ze was niet bang om over de loopplank te gaan. Ze was wel bang voor wat haar te wachten stond. Eerst was ze vastgeketend in een truck, nu werd ze geboeid aan boord van een sleepboot gebracht, en wat zou er daarna gebeuren? Ze was nog het meest bezorgd over wat er zou volgen als de handboeien werden afgedaan. Die angst zette haar aan in actie te komen.

Mentaal zette ze zich schrap en ze haalde diep adem toen Pablo haar weer een por gaf. Ann deed alsof ze wankelde en stapte op de loopplank. Met haar knieën tegen elkaar sprong ze naar voren. De loopplank veerde door en gaf haar extra lift, zodat ze over de reling kon springen. Pablo strekte zijn hand uit, maar kon alleen naar haar wegglippende enkel grijpen. Ann strekte haar armen voor zich uit en dook in het water. En spatte maar weinig water op en ze verdween onder de modderige oppervlakte van de rivier.

41

Het magazijn van de Adelaide was een donker en benauwd warm hok. Pitt rook bedorven vlees en een zweetlucht toen de deur openzwaaide en hij met Giordino onder dreiging van pistolen naar binnen werd geduwd. Pitt had gewankeld onder het gewicht van zijn gewonde vriend die hij naar het hoofddek sjouwde en het was moeilijk om niet onder die zware last te bezwijken. Pitt zag een stuk canvas in een hoek liggen en legde Giordino daar voorzichtig op neer toen de deur achter hen dicht werd gesmeten en afgesloten.

'Heeft een van jullie een medische achtergrond?' vroeg Pitt. Hij keek langs de gezichten van het kustwachtteam. De mannen zaten ineengedoken op de vloer.

Een jongeman kwam overeind en liep naar Pitt.

'Jij heet toch Simpson, nietwaar?' vroeg Pitt.

'Ja, inderdaad. Ik kan helpen.' Hij knielde naast Giordino en zag de groter wordende bloedvlek onder zijn rechterbeen. 'Is hij neergeschoten?'

'Ja.' Pitt scheurde de broekspijp open. 'Hij heeft veel bloed verloren.'

Simpson bekeek de bloederige wond op Giordino's dijbeen en drukte die met zijn handpalm dicht. 'Ik heb iets nodig wat als verband kan dienen.'

Pitt trok zijn shirt uit en scheurde de mouwen los, om er daarna lange repen van te maken. Iemand reikte een fles water aan en Simpson maakte de wond schoon. Hij pakte een strook stof en vormde er een verband van. Met de andere stroken stof verbond hij de wond.

Giordino opende zijn ogen en keek om zich heen. 'Waar gaan we naartoe?'

'Naar de kroeg, om bier te drinken,' antwoordde Pitt. 'Ga eerst slapen, dan wekken we je als het bier goed koud staat.'

Giordino grijnsde scheef en dommelde toen weer in slaap.

Simpson spreidde een stuk canvas over Giordino uit en zei tegen Pitt: 'Hij heeft geluk. Er zijn twee verwondingen te zien en kennelijk is de kogel er dwars doorheen gegaan. Waarschijnlijk is het bot niet geraakt, maar wel een belangrijke ader, en daarom heeft hij zoveel bloed verloren. Hij kan daardoor in shock zijn. We moeten hem wel goed in de gaten houden.'

'Hij is een geharde kerel,' zei Pitt.

'Voorlopig is alles nu onder controle. Het grootste gevaar is dat hij in dit smerige hol een infectie oploopt.'

Pitt zag in het schaarse licht dat Simpson een blauwe plek op zijn kaak had. 'Wat is er met jou gebeurd?'

'Iemand viel me aan toen ik door de gang liep op weg naar mijn wacht. De hufter sloeg mij met een ketting. Ik had meer geluk dan sommige andere jongens.'

Pitt keek om zich heen in de ruimte die verlicht werd door een enkele flikkerende lamp. Het team van de Kustwacht zat bij elkaar en een andere groep, de oorspronkelijke bemanning van de Adelaide meer verspreid naar achteren. Twee langwerpige vormen, gewikkeld in canvas waren opzij gelegd en verspreidden de akelige stank.

'De kapitein en nog iemand,' zei Simpson. 'Ze werden gedood tijdens de aanval voordat wij aan boord kwamen.'

Pitt knikte en richtte zich naar het team van de kustwacht. Alle mannen hadden verwondingen en kneuzingen. Plugard zat tussen hen met zijn rug tegen de wand en keek glazig voor zich uit.

'Hoe is Plugard eraan toe?'

'Ze hebben hem behoorlijk hard op zijn hoofd geslagen,' zei Simpson. 'Hij heeft een hersenschudding, maar verder is hij ongedeerd.'

Pitt liep naar de andere groep. De mannen waren afgemat, maar kennelijk niet gewond. Een breedgeschouderde zeeman met een grote, grijze snor kwam overeind en stelde zich voor.

'Frank Livingstone, scheepsofficier,' zei hij met een zwaar Australisch accent. 'Hoe is het met je kameraad?'

'Schotwond aan zijn been. Veel bloed verloren, maar het komt wel weer goed.'

'Jammer dat ik niets kon doen. Onze eerste stuurman was ook scheepsarts. Hij ligt daar naast de kapitein.' De grote man wees naar de in canvas gewikkelde lijken.

'Hoe is dit schip overvallen?'

'Een snelle vrachtvaarder kwam naast ons varen. Dat gebeurde drie dagen geleden, tijdens de avondwacht. Die boot kwam zo dichtbij dat onze roerganger zich lam schrok. Er kwam geen reactie op onze marifoonoproepen en daarom ging de kapitein met de eerste stuurman aan dek. Dat andere schip had midscheeps een soort radartoestel opgesteld, en met dat apparaat werden onze kapitein en de stuurman gedood.' Zijn gezicht vertrok van afschuw. 'Zoiets heb ik nooit eerder gezien. Het leek wel alsof ze levend gekookt werden. Kort daarna kwam een groep gewapende kerels met een sloep en we werden geenterd. We konden het niet verhinderen en sindsdien zitten we in dit hok opgesloten.'

'Jammer dat we te laat kwamen,' zei Pitt. 'Maar ik vermoed dat die overvallers gewaarschuwd waren over onze komst en dat ze daarom eerder in actie kwamen.'

Livingstone's ogen lichtten even wraakzuchtig op. 'Wie zijn "ze"?'

Pitt schudde zijn hoofd. 'Ze maken deel uit van een criminele bende die al een aantal bulkcarriers geladen met erts van zeldzame mineralen heeft gekaapt.'

'Wij zijn geladen met spul dat monaziet wordt genoemd,' zei Livingstone. 'Dus ze hebben wat ze zochten. Enig idee waar we naartoe varen?'

Pitt keek om zich heen om zeker te zijn dat geen van de anderen hem kon horen. 'We denken dat het erts meestal op zee wordt overgeladen en dat daarna het lege schip tot zinken wordt gebracht. Minstens twee andere bulkcarriers zijn in dit zeegebied gezonken.'

Livingstone knikte begrijpend, maar niet met de berusting van iemand die gedoemd is te verdrinken op een zinkend schip. 'Hoe groot waren de bulkcarriers die hier gekaapt werden?'

'Niet erg groot. Het waren oudere vrachtschepen, misschien tienduizend ton. Waarom vraag je dat?'

'De Adelaide meet veertigduizend registerton. Voordat ik in dit hok werd opgesloten kon ik de boot van de kapers goed zien, en dat was een kleintje vergeleken bij ons schip. Niet meer dan de helft van onze lading zou in het ruim passen.'

'En hier aan boord bestond de hele lading uit monaziet?'

'Tot de laatste kilo. Nee, ik geloof niet dat de Adelaide afgezonken wordt, want deze lading is te waardevol.'

Pitt keek naar de gewonde en uitgeputte mannen in de bedompte ruimte.

'Ik hoop heel erg dat het klopt wat je zegt.'

42

Het duurde maar een paar seconden voordat Ann in paniek raakte. Ze was soepel in de Ohio-rivier gedoken, ze bewoog haar voeten snel, met haar handen voor zich uitgestrekt door het water dat warmer was dan ze had verwacht. Ze wilde haar handen gebruiken en naar boven zwemmen, maar dat was onmogelijk omdat haar polsen geboeid waren.

Angstig besefte ze dat ze kon verdrinken.

'Rustig... Rustig...' herhaalde een stem in haar hoofd. Met bonkend hart dwong ze zichzelf stil te blijven en zich even mee te laten voeren door de stroom. Dat kalmeerde haar zenuwen en met haar aan elkaar gebonden handen begon ze het water weg te drukken om naar boven te komen. Maar het water was inktzwart en ze wist niet meer wat onder of boven was.

Het werd meteen duidelijk toen ze met haar schouder langs de roestige onderkant van de dekschuit schuurde. Ze duwde zich weg en liet zich weer meedrijven om dan langzaam aan de oppervlakte te komen en de koele nachtlucht in te ademen.

Het water in de rivier stroomde hier sneller en ze zag dat ze wegdreef van de dekschuit en de sleepboot. Pablo rende over de kade en tuurde scherp naar het water. Zodra hij Anns hoofd boven water zag trok hij zijn Glock uit de holster. Ann haalde meteen diep adem en verdween weer onder de oppervlakte. Ze wist niet of hij op haar zou schieten, maar wilde geen gemakkelijk doelwit zijn.

Nu zwom ze behendiger onder water en ze kon bijna een minuut lang haar adem inhouden. Met haar benen trappelend en met haar armen zwaaiend bewoog ze met de stroom mee. Toen ze weer boven kwam om adem te halen was ze al ruim honderd meter verwijderd van de boot en in het donker onzichtbaar vanaf de kade. Pablo was uit het zicht verdwenen. Ze richtte haar aandacht op de rivier stroomafwaarts, op zoek naar een plek om aan land te gaan en hulp te zoeken. Maar de kade was bij de rand van de stad en de oever van de rivier was donker en verlaten. Aan de overkant van het water waren op de oever de lichtjes van het stadje Metropolis te zien. Ann verlangde naar veiligheid en ze begon met al haar kracht in de richting van de lichtjes te zwemmen. Ze hield het een paar minuten vol, ondanks de stroming, en besefte toen dat haar pogingen om naar de overkant te zwemmen tevergeefs waren. De rivier was bijna twee kilometer breed en de stroming zou haar tot een eind voorbij de lichtjes voeren voordat ze de andere oever kon bereiken.

Omdat ze nauwelijks haar geboeide handen kon gebruiken werd ze snel moe. Ze draaide zich op haar rug en rustte uit door zich mee te laten drijven. Naar de hemel kijkend zag ze in de verte een paar rode knipperlichten. Ze draaide zich weer om en begreep toen dat het waarschuwingslichten voor vliegtuigen waren. Tijdens de korte flitsen zag ze dat de lampen boven aan hoge fabrieksschoorstenen waren bevestigd. Dat kon alleen een energiecentrale zijn. Terwijl ze langs de lichtjes van Metropolis dreef probeerde ze weer terug te zwemmen naar de oever dicht bij haar. Op de kant was het overal donker en Ann begon het koud te krijgen. Ze voelde zich alleen en in de steek gelaten. Maar ze bleef naar de rode knipperlichten kijken en kwam langzaam dichterbij. Onder aan de hoge schoorstenen was het terrein eerst vaag verlicht, maar geleidelijk zag ze verschillende felle lichten die de energiecentrale beschenen. Ann zag tussen de bomen op de oever een opening: daar was een smal kanaal afgesplitst van de rivier. Ze begon uit alle macht in de richting van het kanaal te zwemmen. De stroming van de Ohio Rivier probeerde haar mee te trekken langs de zijtak, maar ze kon zich los worstelen uit het zuigende water en even later zwom ze in stilstaand water. Het smalle kanaal diende om water aan te voeren voor de stoomturbines van de energiecentrale, die tweehonderd meter verder op de oever verrees.

Uitgeput van haar laatste gevecht tegen de stroming van de rivier bereikte Ann de oever van het kanaal. Ze bleef een paar minuten op de modderige oever zitten om op adem te komen en klom toen verder omhoog naar het pad dat langs het kanaal liep.

Ze rilde in haar natte kleren en begon naar de energiecentrale te lopen. De geur van brandende steenkool drong in haar neus. Toen ze dichter bij het complex kwam zag ze geparkeerde auto's staan. Dankbaar besefte ze dat er een nachtploeg aan het werk was. Koplampen bewogen links van haar en ze zag een witte pick-up langzaam van het parkeerterrein wegrijden. Op het dak van de auto was een oranje zwaailicht ingeschakeld. Ann liep sneller naar de auto en ze begon met haar geboeide handen naar de chauffeur te zwaaien, zodra ze dacht dat ze te zien was.

De pick-up reed opeens veel sneller en kwam hobbelend over het pad langs het kanaal aanrijden, om vlak voor Ann te stoppen. Stof warrelde hoog op rond de auto. Ann hield haar vastgebonden handen omhoog en ze liep naar het open raampje aan de kant van de bestuurder.

'Alsjeblieft! Help me!'

Haar stem begaf het toen ze zag dat Pablo zijn hoofd naar buiten stak. In zijn ene hand hield hij een gps-ontvanger die gekoppeld was aan Anns handboeien en in zijn andere hand hield hij zijn Glock strak op haar gericht.

'Zo, schat,' zei hij met zijn schorre stem. 'Nu kun je mij helpen.'

DEEL III

Panama run

43

Summer Pitt keek op van het clipboard op haar schoot en tuurde door de perspex koepel van de onderzeeboot. Er was alleen duisternis en ze kreeg het gevoel dat ze opgesloten zat in een kast. 'Kan de buitenverlichting ook aan?' vroeg ze. Haar tweelingbroer zat op de stoel achter het instrumentenpaneel en bewoog een rij schakelaars. Een batterij heldere led-lampen flitste aan, zodat er een gloed over het inktzwarte water viel. Toch was er nog steeds weinig te zien, behalve de losse deeltjes die met het water langs het ronde venster spoelden. Summer kreeg nu wel een indruk van de snelheid waarmee ze afdaalden.

'Ben je nog altijd bang in het donker?' vroeg haar broer.

Summer had de teint en het rossige haar van haar moeder, maar Dirk Pitt junior leek veel op zijn vader. Hij had dezelfde lange en slanke gestalte, even donker haar en dezelfde nonchalante glimlach.

'Hier in de diepte kún je aangevallen worden door iets wat je niet ziet,' zei ze, en ze keek op de monitor van de dieptemeter. 'Nog vijftig meter naar de bodem.'

Dirk reguleerde de ballasttanks om langzamer te dalen en het vaartuig bleef stil hangen toen de zeebodem onder hen omhoog leek te komen. De zee was hier honderd meter diep en de bodem, schaars bewoond door kleine vissen en schaaldieren, had een bruinige kleur.

'De breuklijn moet op een koers van 65 graden liggen,' zei Summer.

Dirk schakelde de straalbuizen in en de onderzeeboot bewoog in noordoostelijke richting. Aan de stuurknuppel kon hij voelen dat er een sterke dwarsstroom over de bodem stond. 'De Agulhas Current is vandaag pittig en wil ons kennelijk naar Australië duwen.'

De krachtige Agulhas zeestroom liep langs de oostkust van Afrika in zuidelijke richting. Bij de zuidpunt van Madagaskar, waar Dirk en Summer op dat moment onder water voeren, vloeide de stroom samen met de Oost-Madagaskarstroom en andere stromingen in de Indische Oceaan, waardoor onvoorspelbare draaikolken onder water konden ontstaan. 'Waarschijnlijk zijn we flink afgedreven tijdens het dalen,' merkte Summer op. 'Maar als we deze koers aanhouden, dan kruisen we de breuklijn.' Ze drukte haar neus tegen het perspex venster en tuurde naar de licht glooiende zeebodem die onder hen voorbij schoof. Na een paar minuten zag ze vaag maar onmiskenbaar een rif oprijzen.

'Kijk! Daar is die verhoging.'

Dirk steeg wat en manoeuvreerde de onderzeeboot drie meter boven de rand. 'Klaar voor de video.'

Summer schakelde een paar aan de romp gemonteerde camera's in en controleerde het beeld op een monitor.

'Camera's zijn nu aan,' meldde ze. 'Vaar langs die rand.'

Dirk stuurde de onderzeeboot naar voren en volgde het rif op de zeebodem. Ze werkten samen met een researchschip van NUMA dat het zeegebied eerder had afgetast met sonar, om een actieve breuklijn in de aardkorst voor de kust van Madagaskar te onderzoeken. Het doel was beter te kunnen voorspellen hoe zeebevingen een tsunami konden veroorzaken. De videobeelden gaven de geologen aan boord van het schip een referentie voor het gebied. Later zou de onderzeeboot weer naar de zeebodem afdalen en kleine sensoren plaatsen waarmee seismische activiteit nauwkeurig geregistreerd kon worden.

Voor het wetenschappelijke project was een combinatie van talenten nodig en dat paste bij de tweeling. Dirk had maritieme techniek gestudeerd, Summer was gespecialiseerd in oceanografie, en beiden hadden ze hun vaders liefde voor de zee geërfd. Ze waren allebei enkele jaren eerder ook bij NUMA gaan werken en genoten van de mogelijkheid over de hele wereld te reizen om de geheimen van de zee te ontrafelen. Het werk was nog leuker als ze met hun vader samen onderzoek deden, zoals niet lang geleden bij Cyprus. Daar hadden ze een schat aan antieke voorwerpen gevonden die met Jezus in verband werden gebracht.

'We volgen nu acht kilometer lang een onderzees rif waar geen einde aan komt,' zei Dirk na twee uur varen. De sterke dwarsstroom eiste voortdurend bijsturen en dat begon zijn tol te eisen. Dirk voelde vermoeidheid in zijn armspieren opkomen.

'Je vindt het toch niet saai worden?' vroeg Summer.

Dirk tuurde naar de eentonig bruine zeebodem die onder hen voorbij schoof. 'Ik zou het wel best vinden als er nu een grote haai of een reusachtige inktvis opdook.'

Ze volgden het rif nog een uur, tot Dirk zich zorgen maakte over de resterende capaciteit van de accu's.

'Schuin tegen die dwarsstroom varen heeft de motoren extra belast. Ik denk dat we deze expeditie binnenkort moeten afbreken.'

Summer controleerde de afgelegde afstand. 'Wat dacht je van nog zeshonderd meter verder varen? Dan hebben we precies twaalf kilometer gevaren.'

'Oké.'

Zodra ze de laatste honderden meters hadden afgelegd, stopte Dirk de onderzeeboot. Summer schakelde de videocamera's uit.

Dirk begon de ballasttanks leeg te blazen om naar de oppervlakte te stijgen, toen Summer opeens iets zag achter het ronde venster. 'Is dat een scheepswrak?'

Het schijnsel van de buitenverlichting reikte niet ver genoeg, maar Dirk zag ook een vage vorm. 'Dat is mogelijk.' Hij stopte de ballastpomp en voer weer recht naar voren.

Een zwart silhouet werd steeds groter en kreeg langzaam duidelijk de vorm van een scheepsromp. Toen ze dichterbij kwamen werd duidelijk dat het gezonken schip recht op de bodem lag en opmerkelijk intact leek. Ze naderden de romp van het mysterieuze wrak midscheeps op een meter boven de zeebodem. De rode verf op de romp reflecteerde helder in het licht van de schijnwerpers en elk klinknagel en naad was duidelijk zichtbaar.

'Het lijkt wel alsof die boot nog maar kort geleden gezonken is,' zei Dirk. Hij stuurde langzaam langs de romp omhoog tot boven de reling rond het dek. Daar zagen ze drie geopende luiken op het voordek. Dirk stuurde naar de boeg van het gezonken schip, rakelings over de open ruimen met daarin alleen zeewater. Ze keken langs de spitse boeg naar beneden, maar nergens was schade aan de romp te zien. Weer terug varend langs de reling aan stuurboord naar het dekhuis op het achterschip stegen ze omhoog tot aan de brug. Van dichtbij keken ze door de ramen van de brug naar het kale interieur van de brug.

'Zo te zien is de meeste navigatieapparatuur weggehaald,' zei Dirk. 'Dat maakt deze schuit rijp voor de sloop.'

'Iemand moet Lloyd's in Londen waarschuwen,' zei Summer. 'Ik heb nog nooit zo'n fris wrak gezien. Deze boot moet nog maar kort geleden gezonken zijn.'

'Niet langer dan een paar maanden geleden, te oordelen aan de geringe aangroei.'

'Waarom zou iemand een goed onderhouden vrachtschip naar de sloop brengen?'

'Dat is moeilijk te zeggen. Misschien is deze boot tijdens zwaar weer op sleeptouw naar een reparatiewerf vergaan.' Dirk controleerde de lading van de accu's. 'Het wordt hoog tijd om naar boven te gaan, maar laten we eerst kijken wat de naam van dit schip is.'

Hij manoeuvreerde de onderzeeboot rond het dekhuis naar de achtersteven en daalde een paar meter. Een gebogen vlaggenstok hing over de reling en de kleuren van de vlag waren vervaagd. Toen ze zich zeven meter achter het vrachtschip bevonden keerde Dirk om de naam te kunnen lezen. Hij richtte de schijnwerpers op de achtersteven. 'Wel allemachtig...' zei hij zacht. 'Dit schip is dus toch gedumpt.'

Over de rode achtersteven liep een brede, horizontale, roestige band waar eerst de naam en thuishaven van het schip vermeld waren. Maar de letters waren opzettelijk weggeslepen en het vrachtschip was naamloos naar de diepte gezonken.

44

Het NUMA-researchschip Alexandria lag op vier mijl afstand toen de kleine onderzeeboot weer aan de oppervlakte verscheen. Summer vroeg via de marifoon om opgehaald te worden. Terwijl de onderzeeboot met de zeestroom mee dobberde keken Summer en Dirk naar de stoffige bruine kust van Madagaskar. De kust leek te rijzen en te dalen door de onrustige deining op zee.

De Alexandria, zoals alle NUMA-schepen met een turkooizen romp die helder oplichtte in de felle zon, arriveerde al spoedig bij de wachtende onderzeeboot. Een gespierde kerel met een grote snor en een zwaar Texaans accent gaf aanwijzingen bij het aan boord takelen van de onderzeeboot die op het achterdek werd gezet. Jack Dahlgren opende het luik aan de achterkant van de onderzeeboot en verwelkomde Dirk en Summer in de frisse buitenlucht. 'Hebben jullie lekker gezwommen?'

'Dat zeker,' antwoordde Summer en ze hield een externe harde schijf omhoog. 'We hebben prima beeldmateriaal van het rif en we kunnen geschikte plekken aanwijzen om die bodemsensoren te plaatsen.' Ze klauterde langs Jack en haastte zich naar de maritieme geoloog aan boord, om samen naar de opnamen van de zeebodem te kijken.

'Dus we moeten de boot meteen gereed maken voor de volgende duik?' begreep Dahlgren met een bedenkelijke trek op zijn gezicht.

Dirk klopte op zijn schouder. 'Ik vrees van wel, vriend.'

Dirk hielp Dahlgren de zware accu's voor de aandrijving van de onderzeeboot te verwisselen. Terwijl ze bezig waren op het achterdek naderde een grote patrouilleboot vanaf de kust. De patrouilleboot cirkelde in een wijde boog om de Alexandria heen en twee nonchalant geklede mannen op de open brug keken misprijzend toe.

Toen de Alexandria weer in beweging kwam verdween de patrouille-boot met grote snelheid naar de kust.

'Ik vraag me af wat die kerels uitspoken,' zei Dahlgren. 'Ze leken bepaald niet op ambtenaren van de havendienst.'

Dirk keek naar de verdwijnende patrouilleboot en naar de kust in de verte. 'Ik dacht dat de kust hier een verlaten woestijngebied was.'

'Toen jullie onder water waren kwam hier een klein vrachtschip voorbij. Kennelijk voer dat schip naar de kust, dus daar moet dan toch een haven zijn.'

Toen ze klaar waren met het verwisselen van de accu's werkten ze de checklist voor de volgende onderwaterexpeditie af. Daarna gingen ze naar Summer in een van de laboratoria in het schip. Ze had een krat gevuld met kleine bodemsensoren die de bewegingen en trillingen bij de breuklijn moesten registreren en doorseinen. Elke sensor zat in een roestvrijstalen omhulsel waar een feloranje markeervlag aan was bevestigd.

'We hebben een prima gebied verkend,' zei Summer. 'Nu willen we weer naar beneden gaan en langs de route die we eerder volgden tien sensors in de bodem begraven, met een tussenruimte van vijfhonderd meter.' Ze keek Dahlgren aan. 'Kun jij ons weer naar dezelfde plek in zee brengen?'

'Je vraagt wel veel. Ga maar gauw aan boord, voordat ik jullie zo over de reling gooi.' Dahlgren verdween uit het laboratorium om met de kapitein te overleggen.

'Waarom doet hij zo geprikkeld?' vroeg Summer.

'Ik maakte de fout hem te vertellen over het scheepswrak dat we ontdekten,' zei Dirk. 'Hij baalt enorm dat wij dat wrak vonden met zijn duikboot zonder dat hij daar zelf bij was.'

Summer schudde meewarig haar hoofd. 'Jongens en hun speelgoed...' Summer pakte het krat met sensoren en droeg die naar een rek aan de voorkant van de onderzeeboot. Toen het krat daar vastgemaakt was klom ze aan boord en ging naast Dirk zitten. Hij bekeek de checklist voor vertrek.

Dahlgren stak even later zijn hoofd door het geopende luik. 'Wat mij betreft kunnen jullie vertrekken.'

'We zijn er klaar voor,' antwoordde Dirk. 'Zorg dat een paar blikjes bier koud staan, als we terugkomen.'

'Dat zouden dan wel eens lege koude blikjes kunnen zijn. Anders nog iets?'

'Ja. Zoek uit welke schepen de afgelopen vijf jaar vergaan zijn ten zuiden van Madagaskar.'

'Doe ik. Succes met het uitzaaien van die sensoren.'

Dahlgren sloot het luik en hees de onderzeeboot over de achtersteven van de Alexandria. Hij wachtte tot het bericht van de brug kwam dat ze op de gewenste plek waren en liet toen de onderzeeboot zakken. Zodra de haak los was kreeg Dirk een teken dat hij de ballasttanks kon vullen en het kleine, gele vaartuig verdween onder de golven.

Na enkele minuten kwam de zeebodem in zicht en Dirk stuurde dezelfde noordoostelijke koers als tijdens de vorige duik. Deze keer waren ze na vijftig meter varen al bij het onderzeese rif.

'Mijn complimenten voor Jack,' zei Summer. 'Hij heeft heel knap rekening gehouden met de stroom.'

'Zullen we de eerste sensor plaatsen?' vroeg Dirk.

Summer controleerde hun berekende positie. 'We moeten nog dertig meter naar het oosten varen om onze vorige route precies te volgen.' Dirk stuurde bij en hij liet de onderzeeboot zakken op een vlak gedeelte van de zeebodem naast het rif. Hij schakelde de straalpijpen uit, zodat het opgewervelde zand neerdaalde. Summer nam het van hem over en ze activeerde een paar robotarmen. Ze groef met een metalen arm een gat en met de andere arm pakte ze een sensor uit het krat. Ze bracht de sensor in het gat en schoof zand over de roestvrijstalen huls, tot alleen de oranje markeervlag zichtbaar was.

'Dat ging prima,' zei Dirk. Hij schakelde de straalaandrijving weer in en voer met volle snelheid langs het rif.

'Heb je zoveel haast omdat je ergens op tijd moet zijn?' vroeg Summer.

'Ik wil nog een keer bij dat wrak kijken als we hiermee klaar zijn.'

Summer glimlachte. Ze had daar ook aan gedacht en daarom een extra harde schijf meegenomen om het wrak te filmen. Ze voeren langs de breuklijn en plaatsten de overige negen sensoren langs de route. Toen de laatste sensor was ingegraven, berekende Dirk hun positie ten opzichte van het scheepswrak. Hij voer nog een eindje verder en al snel rees het donkere silhouet voor hen op. 'Kijk, het wrak ligt nog op dezelfde plek.'

'Deze keer kan ik opnames maken,' zei Summer en ze schakelde de camera's in.

Dirk steeg terwijl ze de romp naderden en hij koerste meteen naar het hoofddek. Ze voeren dwars boven het dek en Summer filmde de open ruimen met de ontbrekende luiken. Hij wilde het schip identificeren en draaide in de richting van de hoge opbouw van het schip, omdat de videobeelden een aanwijzing konden opleveren over de ouderdom van het schip en waar het gebouwd was.

Ze voeren langzaam voor het dekhuis en de brug, tot bij de schoorsteen die naar achteren helde. Koopvaardijschepen hadden vaak het logo of de vlag van de rederij op de schoorsteen, maar deze was effen zwart geschilderd.

'Vreemd dat er geen roetsporen zijn,' merkte Summer op. 'Het lijkt wel alsof die schoorsteen pas geverfd is.'

'Dat is gedaan om de identiteit te verbergen.'

'Vaar nog wat dichterbij,' zei Summer, die naar voren leunde om de schoorsteen beter te bekijken.

Terwijl Dirk voorzichtig manoeuvreerde activeerde Summer een van de robotarmen en schraapte ermee over de zwarte verf. Er verscheen een decimeters lange streep.

'Alsjeblieft, niet je initialen in die verf krassen,' zei Dirk. 'Ik wil niet dat een agent van Lloyd's om twee uur 's nachts bij mij aanklopt.

'Ik wil alleen zien wat er onder die zwarte verf zit.'

Schilfers verf dwarrelden weg in het stromende zeewater en ze zagen duidelijk een okerkleur.

'Die schoorsteen was eerst goudkleurig, of er was een gouden band op geschilderd,' zei Summer.

'Dan hebben we weer een goudklompje gevonden.'

Ze filmden het wrak nog gedurende een half uur en legden zo veel mogelijk details vast van de indeling aan dek, de rompvorm en de bouw, om de identiteit te bepalen.

'De accu's zijn al bijna tot reserve uitgeput,' zei Summer.

'Ik denk dat we hier niet meer te weten komen,' zei Dirk. 'En trouwens, Jack zal het zeker niet waarderen als we pas in het donker weer boven water komen.' Hij pompte de ballasttanks leeg en ze begonnen te stijgen. Een paar minuten later kwamen ze aan de oppervlakte. De onregelmatige westenwind veroorzaakte woelige golven. De zon daalde al achter een wolkenbank bij de horizon met vurige oranje en roze kleuren. De brekende golven spoelden over het ronde perspex venster en Dirk zag een boot naderen. Het was dezelfde patrouilleboot die hij en Dahlgren eerder hadden gezien.

'Zo te zien wacht er iemand op ons.' De boot draaide in hun richting en voer steeds sneller. 'Het lijkt me verstandig de Alexandria te vragen ons op te pikken.'

'Ik geloof dat ik onze boot daar aan de horizon zie,' zei Summer. Ze rekte haar nek om boven de golven beter te kunnen zien. 'De afstand is nog wel een aantal mijlen.'

Ze wilde de zendknop van de marifoon indrukken, maar verstarde opeens. 'Dirk, wat doe je?'

Haar broer koerste naar de patrouilleboot, die met grote snelheid naderde. Het vaartuig was op amper dertig meter afstand en zou van koers moeten veranderen of vaart moeten minderen. Maar dat gebeurde niet.

'Ze willen ons rammen!' riep Summer.

Dirk had de straalaandrijving al geactiveerd, maar met een maximumsnelheid van drie knopen kon de onderzeeboot zelfs een zeeschildpad niet inhalen. Er was geen tijd de aanstormende patrouilleboot te ontwijken of snel onder water te duiken. Dirk deed het enige wat hij kon doen: hij koerste recht op het naderende vaartuig af.

Summer keek hem aan alsof hij krankzinnig was geworden en zette zich schrap voor de naderende klap.

Dirk bleef strak naar de patrouilleboot kijken en stuurde recht naar de scherpe boeg, alsof hij zelfmoord wilde plegen. Hij wachtte tot het andere vaartuig heel dichtbij was en drukte toen de joystick van de besturing opzij terwijl hij tegelijk de straalaandrijving aan stuurboord in zijn achteruit schakelde.

De onderzeeboot reageerde traag en Dirk vreesde dat hij te laat was. Maar na een korte aarzeling zwenkte de boot naar stuurboord en schoot op het laatste moment rakelings langs de patrouilleboot.

Zoals Dirk had gehoopt, had de roerganger de koers vastgezet en de man reageerde te laat op zijn manoeuvre. Daarom raakte de patrouilleboot de onderzeeboot maar met een lichte klap. Dirk en Summer voelden de schok en hun vaartuig sidderde toen een van de straalpijpen door de aanvaring werd vernield. Door de botsing werd de stroomvoorziening even onderbroken en vielen de elektrische systemen van de onderzeeboot uit. Dirk probeerde de straalaandrijving weer in te schakelen en keek door het ronde raam naar de langszij varende patrouilleboot. Een man in groene legerkleding stond bij de reling en richtte een machinegeweer op de onderzeeboot. Maar de man vuurde niet en grijnsde alleen dreigend.

Summer moest zich beheersen om geen obsceen gebaar naar de man te maken. 'Dat scheelde weinig.' Ze richtte haar aandacht op de marifoon. 'Kunnen we onder water duiken?' vroeg ze.

'Ik doe mijn best.' Dirk liet de ballasttanks al vol stromen voor de aanvaring, maar na de stroomonderbreking moest hij de pompen weer inschakelen. Ze hadden maar heel kort tijd voordat de patrouilleboot zou keren voor een tweede aanval.

'We hebben nog geen stroom voor de marifoon,' zei Summer en ze drukte vergeefs op de resetknop van de zekeringen achter haar stoel. Ze keek door het ronde venster. De ballasttanks stroomden vol water en de onderzeeboot begon te zinken. Ze waren bijna onder de golven verdwenen.

'Die boot is al gekeerd en nu vlak bij ons,' zei Summer kortaf. Snel ging ze weer op haar stoel zitten en maakte haar veiligheidsgordel vast.

'Kom op! Naar beneden!' Dirk drukte de stuurknuppel uit alle macht naar voren. Omdat de straalaandrijving maar voor de helft werkte was de daalsnelheid gering.

Ze konden het geronk van de motoren van de patrouilleboot horen en de boot was recht boven hen. De onderzeeboot was al onder de oppervlakte gezakt en de scherpe boeg van de patrouilleboot sneed boven hen, maar de romp raakte hen vol.

De krakende botsing veroorzaakte een explosie van luchtbellen toen het ronde perspex venster aan stukken brak en de ballasttanks losgerukt werden van de romp. De onderzeeboot bonkte onder de romp van de patrouilleboot en raakte gehavend door de harde klappen, om uiteindelijk opzij te kantelen.

De gele romp bleef even zweven en daalde daarna in een trage, dodelijke spiraal naar de zeebodem.

45

De kleine onderzeeboot kreunde en kraakte spookachtig naarmate de waterdruk steeds groter werd. Het vaartuig botste met de neus tegen de zeebodem en wierp een grote, bruine wolk zand op. Maar door de stroming over de bodem vervaagde de bruine wolk snel en de gehavende romp bleef stil liggen.

Dirk was duizelig van de tollende afdaling, alsof hij in een wasmachine had gezeten. Omdat de ballasttanks verdwenen waren maakte de onderzeeboot ontelbaar veel omwentelingen tijdens het zinken. Een monitor was losgeraakt en tegen Dirks hoofd geslagen. Hij tastte voorzichtig naar zijn voorhoofd en voelde een snee. Maar behalve de snijwond en enkele blauwe plekken was hij ongedeerd en dankbaar dat hij nog leefde.

De achterkant van de onderzeeboot was het zwaarst getroffen door de aanvaring met de patrouilleboot: de straalpijpen, de ruimte voor de accu's en de zuurstoftanks, alles was beschadigd. Het bolle perspex venster vertoonde overal dunne barsten, maar was niet in stukken gebroken. Door een tiental kleine lekkages stroomde ijskoud zeewater naar binnen, maar in de cabine was nog steeds lucht aanwezig.

'Gaat het?' vroeg Dirk. In het donker tastte hij naar een kleine zaklantaarn in een klem op het bedieningspaneel, maar die bleek verdwenen.

'Ja,' antwoordde Summer met bevende stem. 'Ik geloof van wel.'

Dirk maakte zijn stoelgordel los en viel voorover in het koude water. Het vaartuig was bijna verticaal op de zeebodem beland en Dirk kon zich nergens aan oriënteren. Van verschillende kanten klonken sissende geluiden. Dirk wist niet of het sissen veroorzaakt werd door naar binnen dringend water of door lekgeraakte zuurstoftanks. Hij klom over de rugleuning van zijn stoel en tastte naar een vak waarin een reservelamp was opgeborgen. De meeste mensen zouden in paniek raken wanneer ze opgesloten zaten in een koude, donkere en langzaam vol water stromende onderzeeboot. Maar Dirk voelde een merkwaardige kalmte, omdat hij getraind was voor dit soort noodsituaties. Er was ook een persoonlijk element in zijn vastberaden houding: een jaar eerder verloor hij een vrouw van wie hij gehouden had, bij een terroristische aanslag in Jeruzalem. En door die tragedie was Dirk veranderd: hij vond het moeilijker om opgetogen te zijn, en hij bekeek de wereld met een killere, meer cynische blik. Meer dan in het verleden beschouwde hij de dood nu eerder als een metgezel dan als een dreiging.

'We moeten wachten tot de cabine vol water staat voordat we het luik kunnen openen,' zei hij kalm. 'Met de duikflessen moeten we naar de oppervlakte zwemmen.'

Hij vond op de tast een bergvak en haalde een zaklantaarn tevoorschijn. Zodra hij de lamp aanknipte scheen hij op zijn zuster. Een blik was genoeg om te weten dat er iets ernstig mis was. Haar ogen waren groot van angst en pijn en hij zag een starre grimas op haar gezicht. Ze maakte haar stoelgordel los en probeerde overeind te komen, maar ze kon alleen onder een vreemde hoek gebogen staan.

Dirk richtte de lichtbundel op haar rechterbeen, geklemd tegen haar stoel. Een kleine bloedvlek was zichtbaar op haar broekspijp boven de enkel. 'Dit is geen goed moment om vast te zitten,' zei Dirk.

Summer probeerde zich te bewegen en met dichtgeknepen ogen trok ze haar been op, maar tevergeefs. 'Mijn voet zit klem,' zei ze. 'Muurvast.'

Dirk kroop dichterbij om beter te kijken. Door de aanvaring was een van de zuurstoftanks naar voren gedrukt en door een vloerplaat gebroken. Een stuk plaatstaal was omgekruld en klemde Summers enkel tegen het frame van de stoel. Het water in de cabine was al tot boven haar enkel gestegen toen Dirk met zijn handen naar de vloerplaat tastte. 'Kun je naar voren trekken?'

Ze probeerde het, maar schudde haar hoofd. 'Het gaat echt niet.'

Dirk kroop om haar heen. 'Ik probeer de stoel weg te trekken.' Met zijn rug tegen de wand gedrukte zette hij zich schrap en drukte met beide voeten tegen de stoel. Hij kon niet veel kracht zetten vanwege zijn schuine houding in de cabine. Het stoelframe bewoog een beetje, maar niet genoeg om Summers been te bevrijden. Dirk probeerde onder een andere hoek tegen de stoel te duwen en te wrikken, maar zonder succes.

'Ik kan niet genoeg kracht zetten,' hijgde hij.

'Oké,' zei Summer kalm. Ze probeerde haar angst onder controle te houden en het voor haar broer niet moeilijker te maken. 'Het water stijgt, pak de duiktanks.'

Dirk zag dat het water inmiddels al tot Summers middel was gestegen. De lekken waren groter geworden en de cabine stroomde steeds sneller vol zeewater. Hij liet zijn benen in het ijskoude water zakken en klauterde over de stoelen naar de achterkant van de cabine. Hij zocht een krat met materiaal om in een noodgeval uit de onderzeeboot weg te komen: twee duikflessen met maskers en regulators.

Hij gaf een duikfles door aan Summer en maakte de andere met banden op zijn rug vast. Daarna rommelde hij in een gereedschapskist en vloekte inwendig omdat de tangen en klemmen voor kleine elektrotechnische reparaties bestemd waren. Het grootste stuk gereedschap was een klauwhamer en hij vond ook een korte zaag. De zaag deed Dirk meteen denken aan Aron Ralston, de moedige mountainbiker die zijn eigen arm afzaagde toen hij klem raakte onder een zwaar rotsblok. Summers voet amputeren met de korte zaag was, hoe gruwelijk ook, misschien de enige manier om haar leven te redden.

'Heb je iets bedacht?' vroeg Summer, toen Dirk met het gereedschap weer over de stoelen klauterde.

'Ik probeer dat stoelframe opzij te wrikken, zodat je voet losraakt.'

Hij gaf de zaklamp aan haar en hoopte dat ze de zaag niet zou zien.

'Oké,' antwoordde Summer, en ze huiverde in het koude water dat al tot haar borst was gestegen.

Dirk zette zijn duikmasker met de regulator op en dook onder water. Hij ramde de steel van de hamer in de opening bij Summers enkel en besefte meteen dat de hefboomwerking gering was. Toch zette hij zich schrap en duwde met zijn volle gewicht tegen de hamersteel. Het frame bewoog een beetje, maar zonder weg te buigen. Dirk deed nog enkele pogingen, maar zonder resultaat. Om de zware vloerplaat te verbuigen was veel meer kracht nodig, en hij had geen geschikt hulpmiddel. Hij trok de hamer terug en beukte tegen het stoelframe, zodat een kleine deuk ontstond.

Toen hij weer boven kwam zag hij dat het water al tot Summers kin was gestegen. Ze had haar duikmasker opgezet en gaf de zaklamp teleurgesteld aan Dirk. Hij richtte de lichtbundel op het toegangsluik. Nog even en dat zou ook onder water staan. Hij bewoog de lamp en achter het ronde raam zag hij een silhouet. Hij voelde dat Summer zijn arm greep en ze hief haar hoofd boven water om iets te zeggen.

'Ga maar zonder mij.' Er klonk geen paniek in haar stem, alleen berusting. Ze wist dat Dirk alles had geprobeerd, en als tweeling hadden ze een onderlinge band die anderen niet kenden. Ze vertrouwden elkaar onvoorwaardelijk en Summer wist dat Dirk zijn leven zou opofferen om haar te redden. Dirk keek haar strak aan en schudde zijn hoofd.

'Zaag mijn voet dan af!' riep ze. 'Doe het nu!' Ze had de zaag al gezien. Dirk kon alleen maar bewondering koesteren, vooral toen ze een bandana uit een zak van haar jumpsuit haalde en die strak om haar kuit bond.

Dirk moest wachten tot ze haar hoofd weer boven water had voordat hij kon antwoorden. 'Ik heb nog geen zin om voor dr. Kildare te spelen,' zei hij met een geforceerde glimlach. 'Wacht even.'

Voor ze het goed en wel besefte had Dirk het luik geopend en hij zwom uit de cabine, haar alleen achterlatend in het donker.

46

Summer kon zich niet herinneren dat ze ooit eerder zo bang was geweest. Ze zat in de val, alleen in de donkere oceaan en haar hart bonkte als bezeten. Toen het interieur van de onderzeeboot vol water was gestroomd, had Dirk het luik kunnen openen en hij zwom weg met de waterdichte zaklamp. Summer rilde onbeheerst van angst in het koude water en ze voelde haar vingers en oren gevoelloos worden.

Maar het ergst was de akelige stilte. Ineengedoken hoorde ze alleen het bonzen van haar hart en het gorgelende geluid van haar ademhaling door de regulator. Blijven ademen was haar grootste zorg. Ze wist dat ze op deze diepte veel meer zuurstof gebruikte dan dicht bij de oppervlakte. In de duikfles zat misschien voor enkele minuten voldoende zuurstof. En als de fles niet helemaal gevuld was? Een duivelse stem in haar hoofd vroeg of elke ademhaling haar laatste kon zijn. Ze kneep haar ogen stijf dicht en probeerde te ontspannen door de pauze tussen elke ademhaling zo lang mogelijk te maken. Toen ze voelde dat haar hartslag vertraagde, opende ze haar ogen en zag dat het rondom haar nog aardedonker was, alsof een zwarte mantel over haar hoofd was getrokken. Summer had nooit last van claustrofobie, maar nu kreeg ze het benauwende gevoel dat ze in een heel kleine en heel donkere kast was opgesloten.

Ze vroeg zich af of haar broer van gedachten was veranderd en naar de oppervlakte zwom, en toen zag ze een vage gloed achter de perspex koepel. Het licht werd feller en ze zag dat een zaklamp op haar gericht werd. Het leek alsof Dirk urenlang weg was geweest, maar in werkelijkheid waren het maar een paar minuten.

Toen hij even later door het geopende luik naar binnen klauterde zag ze dat hij een lange ijzeren staaf met aan het eind een koperen bal droeg: het was de losgeraakte vlaggenstok van het gezonken schip. De kleine onderzeeboot was naast het wrak op de bodem beland en Dirk had het gevaarte gezien door het perspex venster.

Dirk kroop naar voren en wrikte de paal tussen de vloerplaat en het stoelframe waar Summers voet tussen geklemd zat. Hij greep het andere uiteinde stevig vast en trok als een olympisch roeier. Het metaal onder de stoel verboog meteen en Summer kon haar voet wegtrekken. Ze omhelsde Dirk en maakte toen het duikgebaar voor 'omhoog' door haar duim op te steken.

Dirk scheen naar het open luik en duwde Summer naar boven. Ze hadden gevaarlijk veel tijd op honderd meter diepte doorgebracht en ze wisten allebei dat ze nu moesten opschieten. Summer wachtte buiten tot Dirk ook door de opening kwam en ze haakten hun armen in elkaar om tegelijk naar boven te zwemmen. Met kalme slagen stegen ze langzaam naar oppervlakte en de uitgeblazen luchtbellen gebruikten ze om hun stijgsnelheid te bepalen. Te snel omhoog gaan was gevaarlijk en Dirk hield de opborrelende luchtbellen scherp in de gaten, om ervoor te zorgen dat ze trager naar boven gingen.

Het leek een eeuwigheid te duren. Summer was blij met de lichaamsbeweging die haar koude botten verwarmde, al was ze zo gedesoriënteerd dat ze meende af te dalen naar de diepte in plaats van steeds hoger te komen. De zinsbegoocheling kwam door de kou en haar verdoofde ledematen, hield ze zichzelf voor. Ze klemde zich vast aan Dirk die als een robot bewoog en kennelijk niet gehinderd werd door de kou en de duisternis.

Op een diepte van vijftig meter werd het aanmerkelijk lichter onder water omdat er daglicht tot deze diepte kon doordringen. Op veertig meter werd het water veel warmer en toen ze gestegen waren tot vijfentwintig meter onder de oppervlakte was Dirks duikfles leeg. Dat verbaasde hem niet. Omdat hij naar het wrak was gezwommen en weer teruggekeerd was had hij al verwacht dat zijn zuurstofvoorraad eerder uitgeput zou raken dan die van Summer. Hij bewoog zijn hand horizontaal langs zijn keel om Summer te waarschuwen en hij gooide zijn duikfles en regulator weg. Summer gaf haar regulator aan hem en ze ademden afwisselend, waarbij ze onwillekeurig sneller naar de oppervlakte zwommen.

Dirk keek omhoog en hij zag ver boven hun hoofden een zilveren rimpeling. Ook al raakte Summers duikfles ook leeg, ze konden de oppervlakte bereiken. Maar nu dreigde een ander gevaar: caissonziekte. Blootstelling aan de grote druk diep onder water vormt kleine bellen stikstof in het lichaamsweefsel. En als die niet heel geleidelijk verdwijnen, kunnen deze gasbelletjes blokkades in de aderen veroorzaken, met soms fatale afloop.

Dirk schatte dat ze ongeveer vijftien minuten in het water hadden doorgebracht. Volgens de officiële richtlijnen voor duikers moesten er tijdens het opstijgen enkele decompressiestops worden ingelast, maar die luxe konden Dirk en Summer zich niet permitteren. Ze zwommen verder omhoog, tot ongeveer zeven meter onder de oppervlakte en pauzeerden daar. Hun natuurlijke drijfvermogen en de stroming maakten het moeilijk op dezelfde diepte te blijven. Om de beurt ademden ze tien seconden lang uit Summers duikfles, tot ze haar regulator uitspuugde en naar boven wees. Tegelijk schoten ze naar boven en ademden voor de laatste keer onder water uit. Hun hoofden doken op tussen de witte kammen van de golven. De zon was al onder en de hemel had een grauwe kleur. Door de omstandigheden zouden ze bijna onzichtbaar zijn vanaf een passerend schip, zelfs als er actief naar hen gezocht werd. Summer haalde diep adem en keek haar broer aan. 'Een vlaggenstok?'

'Ik wist niets beters te vinden. Hoe is het met je voet?'

'Mijn voet is oké, maar ik heb wel pijnlijk kramp in mijn enkel.' Ze keek hem bezorgd aan. 'Ik denk dat we veel te kort gepauzeerd hebben voor decompressie.'

'Dat klopt. We gingen veel te snel naar boven. Voel je ergens tintelingen?'

'Ik ben nog te verdoofd om iets te voelen.'

'Misschien kunnen we straks we in de decompressiekamer aan boord van de Alexandria slapen,' zei Dirk, en hij tuurde naar de horizon. 'Dat is ons volgende probleem.'

Even later zagen ze het NUMA-schip ver naar het westen. De donkere kustlijn van Madagaskar was dichterbij en meer noordelijk zichtbaar.

'De Alexandria vaart bovenstrooms, dus zwemmend komen we daar nooit,' zei Dirk.

'Waarschijnlijk zijn ze hier al voorbij gevaren en zoeken ze nu met sonar naar de onderzeeboot. We zijn al afgedreven naar Australië als ze weer deze kant op varen.'

'Dan moeten we naar de kust. Zin in een flink eind zwemmen?'

'Heb ik dan een andere keus?' Summer keek even naar de kustlijn en begon te zwemmen. Zij en Dirk waren allebei geoefende zwemmers en hadden een goede conditie. Onder normale omstandigheden zou de zwemtocht naar de kust weinig meer dan een vermoeiende uitdaging zijn. Maar na de beproevingen in de onderzeeboot en de ontberingen in het ijskoude water werd het een zware opgave.

Al gauw voelden beide zwemmers vermoeidheid, en Summer constateerde verbaasd dat haar armen en benen als lood aanvoelden.

De woelige zee maakte het ook moeilijk. Ze werden door de brekende golven telkens heen en weer gesmeten en ze kregen veel zout water binnen. Naar de kust zwemmen betekende ook dat ze de stroom moesten trotseren. Bij elke zwemslag naar de kust dreven ze een even grote afstand af naar het oosten en verder weg van de Alexandria.

Ze zwommen naast elkaar en telkens pauzeerden ze na tien minuten. Terwijl hij watertrapte haalde Dirk de zaklamp tevoorschijn en zwaaide met de lichtbundel naar het researchschip. Tijdens de derde pauze glipte de zaklamp uit zijn verdoofde vingers en verdween naar de diepte. Het NUMA-schip leek verder weg dan ooit en alleen de deinende lichten waren nog te zien aan de horizon.

Dirk keek naar Summer. 'Kom op, nog maar anderhalve kilometer.'

Ze wilde haar armen en benen dwingen naar voren te ploeteren, maar die leken een eigen wil te hebben. In haar linkerbeen stak een brandende pijn op, die geleidelijk weer verdween, evenals elk gevoel in haar armen en benen. Summer moest steeds vaker uitrusten en Dirk besefte dat ze het niet lang meer kon volhouden.

'Doe maar alsof we in Hawaï zijn,' zei hij. 'We zwemmen zo snel we kunnen naar Waikiki.'

'Oké,' bracht ze moeizaam uit. De schemering viel in en Dirk zag de moedeloze blik in haar ogen. Hij greep haar vast en bleef met één arm doorzwemmen, al voelde hij zijn eigen krachten snel afnemen. De kou drong tot in zijn botten door en hij klappertandde even heftig als Summer.

Dirk voelde haar lichaam verslappen en het was duidelijk dat ze echt niet meer vooruit kon. Hij besefte dat ze onderkoeld raakte. Ze moesten allebei zo snel mogelijk het water uit, en al was hij buiten adem, hij bleef hij voortdurend tegen Summer praten. Hij moedigde haar aan en stelde telkens vragen, maar er kwam geen antwoord. Toen ze helemaal niet meer zwom draaide hij haar op haar rug en trok haar mee door het water. Hij besefte dat hij nu hoe dan ook moest doorzetten.

Dirk hield vol, met één arm malend door het water. Zijn spieren protesteerden maar hij negeerde de uitputting en bleef door het water bewegen. Langzaam kwam de kust dichterbij en hij hoorde de brekende golven op het strand. Dat geluid spoorde hem aan nog sneller te zwemmen met zijn laatste krachten.

Een golf brak over ze heen en Dirk kwam proestend weer boven water. Summer kuchte het zoute water uit en door een volgende brekende golf werden ze naar voren gestuwd. Dirk hield Summer stevig vast en rollend door de woeste branding werden ze op de kust gesmeten. Geduwd door de achter hem brekende golven wankelde Dirk over het zandstrand en hij sleepte Summer achter zich aan. Hij trok haar tot voorbij de vloedlijn en zakte zelf uitgeput op het zand.

'Hoe gaat het?' hijgde hij moeizaam.

'K...k...koud,' fluisterde Summer.

Het was positief dat ze nog kon spreken, maar Dirk wist dat hij haar zo snel mogelijk droog moest krijgen. De nachtelijke lucht was nog warm en dat was gunstig. Zodra hij zijn krachten een beetje hervonden had krabbelde Dirk overeind en keek om zich heen. Ze waren beland op een kaal gedeelte van de kustlijn aan de zuidkant van Madagaskar, dicht bij de onbewoonde natuurgebieden bij kaap Sainte Marie. Het was donker op de kust en meer naar het binnenland ook. Dirk had geen idee hoe ver de eerstehulppost was, maar dat was onbelangrijk: hij miste de energie om op zoek te gaan.

Hij keek naar de zee en zag alleen de duisternis van de verlaten oceaan. De kustlijn boog af naar het westen, zodat de lichten van de Alexandria onzichtbaar waren geworden. Hij keerde zich weer naar het land en liep een eind over het strand, op zoek naar een schuilplaats. Het zand onder zijn voeten was hard en ging over in een rotsige helling. Nergens was iets wat beschutting kon bieden.

Dirk keerde terug naar Summer en zag een hogere rots bij de rand van het strand. De hoogte was ongeveer drie meter en aan de lijzijde was enige beschutting tegen de kille zeewind. Een betere plek om te rusten kon hij niet vinden. Hij vond droog zeewier en verzamelde zoveel hij kon en spreidde dat uit in de luwte van de rots. Daarna liep hij naar Summer en droeg haar naar het geïmproviseerde bed. Het zeewier droogde Summers huid en Dirk ging op het strand nog meer zoeken. Met wat hij gevonden had droogde hij Summer zo goed mogelijk af en legde ook zeewier op de grond. Toen hij ging staan stootte hij aangekoekt zand van de rots en er werd een vage streep zichtbaar. Hij besteedde er geen aandacht aan en trok zijn overall uit. Rillend stond hij in de wind, tot zijn huid droog was. Toen ging hij naast Summer liggen, om haar nog meer te beschutten tegen de kille wind. Ze mompelde een beetje en haar lichaam voelde niet langer ijskoud aan. Nu ze enige beschutting hadden gevonden dacht Dirk dat Summer spoedig weer op krachten zou komen.

Dirk voelde hoe uitgeput hij was en zijn oogleden werden zwaar. Een maansikkel verscheen van achter een wolk en verlichtte het strand met een zilverig schijnsel. Boven zijn hoofd zag Dirk het materiaal dat onder het zand op de rots begraven lag en hij herkende een reeks verbleekte zwarte letters. Zijn vermoeide geest probeerde een naam te vormen, en vaag deed het woord hem ergens aan denken, voordat hij in slaap viel.

Barbarigo.

47

Summer werd wakker door een schrapend geluid dicht bij haar oor. Ze knipperde met haar ogen en zag iets groots op een meter afstand van haar hoofd bewegen.

'Dirk!' Ze schoot overeind en gaf haar slapende broer een por.

Hij werd meteen wakker, ging rechtop zitten en grijnsde toen hij zag waar Summer zo van geschrokken was. Het was een grote zeeschildpad.

'Heb je zin in schildpadsoep voor het ontbijt?'

Het bejaarde reptiel keek misprijzend naar Dirk, alsof het zijn vraag had begrepen. De schildpad liet zijn kop zakken en met trage bewegingen kroop hij verder over het strand.

Summer schoot in de lach om haar eigen schrik toen ze de grote schildpad nakeek. 'Hoe zou iemand zo'n mooi dier kwaad kunnen doen?'

'Dat hangt ervan af hoe hongerig je bent.' Dirk stond op en keek om zich heen in het daglicht. Het zandstrand was effen met aan de rand brokkelige oprijzende kalksteenheuvels naar het binnenland. Er was weinig vegetatie op de kust, omdat er jaarlijks slechts enkele centimeters neerslag viel.

Summer ging rechtop zitten. 'Zie jij de Alexandria?'

Dirk tuurde over de zee maar zag alleen golven met witte schuimstrepen tot aan de horizon. Nergens was het NUMA-schip te zien en ook geen andere schepen. 'Ik denk dat we verder naar het oosten zijn afgedreven dan ze aan boord denken. Als we langs de kust lopen, kunnen we misschien de aandacht trekken.'

Dirk kon niet weten dat Jack Dahlgren en twee matrozen de hele nacht langs de kust naar hem en Summer hadden gezocht, met een Zodiac voorzien van een sterk zoeklicht. De rubberboot was zelfs twee keer langs het strand gevaren waar Dirk en Summer sliepen. Het ruisen van de branding had het geluid van de buitenboordmotor overstemd.

'Dirk?'

Aan haar stem hoorde hij dat er iets mis was. 'Wat is er?'

'Ik kan mijn linkerbeen niet bewegen.'

Dirks gezicht werd bleek, want hij begreep meteen wat er aan de hand was: Summer was toch getroffen door caissonziekte. Meestal zijn pijnlijke gewrichten en ledematen daarvan een duidelijk symptoom, maar soms ook verlammingsverschijnselen. En een verlamd been betekende dat er een gasbelletje vast zat in de wervelkolom.

Snel knielde hij naast haar. 'Weet je het zeker?'

Summer knikte. 'Ik heb helemaal geen gevoel meer in mijn linkerbeen. Maar mijn rechterbeen is wel goed.' Ze keek haar broer bezorgd aan.

'Heb je veel pijn?'

'Nee, maar ik heb wel hulp nodig om weer aan boord te komen.'

Ze beseften allebei dat ze onmiddellijk in een decompressietank behandeld moest worden om helemaal te herstellen, en het was een geluk dat de Alexandria zo'n ruimte aan boord had, waarschijnlijk de enige in een straal van honderden mijlen. Maar die decompressietank kon evengoed op de maan zijn, besefte Dirk, als ze niet snel weer aan boord konden komen.

Hij keek naar een rotsig klif die hoog boven het strand uit rees. 'Ik ga daar snel naar boven, dan kan ik ons schip misschien zien en iets bedenken wat we kunnen doen.'

'Ik wacht hier wel,' zei Summer met een geforceerde glimlach.

Dirk liep snel over het strand en beklom de rotsen. De scherpe randen deden pijn aan zijn voeten omdat hij alleen sokken droeg. Hij had nu spijt dat hij zijn schoenen uit had geschopt toen hij uit de onderzeeboot zwom. De helling was steil en naarmate hij hoger kwam was er steeds meer uitzicht over de kustlijn.

Dirk keek eerst naar de zee en algauw zag hij de Alexandria. Het schip was een stip in de verte en lag vermoedelijk voor anker boven de plek waar de onderzeeboot was gezonken. Dirk schatte dat hij zeker tien kilometer langs de kust moest lopen om op een plek te komen waar de bemanning hem misschien zou opmerken. Toen hij naar het binnenland tuurde zag hij de kale, glooiende heuvels die deel uitmaakten van het Cape Sainte Marie natuurpark. Het park was een reservaat voor wilde dieren en afgezien van enkele wandelpaden en kampeerplekken waren er nauwelijks voorzieningen. Dirk keek meer naar het oosten en zag tot zijn verbazing in een kleine baai een schip liggen, op ongeveer vijf kilometer afstand. Enkele gebouwen waren naast het schip zichtbaar en er lag ook een baggermolen afgemeerd. Dirk dacht weer aan de patrouilleboot die de kleine onderzeeboot opzettelijk had geramd, maar dat vaartuig was nergens te zien.

Verder zag hij geen sporen van bewoning en hij keerde haastig terug naar het strand.

'Wil je het goede nieuws of het slechte nieuws horen?' vroeg hij aan Summer. Ze prikte met een plat stukje wrakhout in het zand.

'Ik ben een optimist, dus vertel me het goede nieuws.'

'De Alexandria heeft ons niet in de steek gelaten. Maar helaas denken ze aan boord dat we nog steeds in de onderzeeboot zitten. Ik denk dat ze boven het wrak voor anker liggen. Plan B is dat ik een paar kilometer langs de kust loop en dan probeer hun aandacht te trekken.'

'Plan A heb ik nog niet gehoord.'

'Ongeveer vijf kilometer verder naar het oosten is een kleine baai met een loswal en er ligt een boot afgemeerd.'

'Zeker een patrouilleboot met een beschadigde voorsteven?'

'Nee, die patrouilleboot is nergens te zien. Ik kan in een uur daarheen lopen en vanaf dat schip de Alexandria waarschuwen. Dan lig jij heel snel in de decompressietank te slapen.'

'Ik kies voor Plan A.'

Dirk legde zijn hand op haar schouder. 'Kan ik je hier alleen achterlaten?'

'Ja, als hij zich koest houdt.' Ze wees naar de oude schildpad. Sinds Dirk en Summer wakker waren had het trage reptiel amper twintig meter afgelegd.

Dirk draaide zich om en liep langs het strand. De ochtendzon scheen fel op het zand en Dirk liep dicht langs de zee waar het zand koeler was in de zeewind. De toenemende hitte en zijn droge keel deden hem naar water snakken. Dirk wist dat hij uitgedroogd raakte, waardoor zijn energie nog verder afnam. Maar hij concentreerde zich op zo snel mogelijk lopen als zijn vermoeide benen en schoenloze voeten toelieten.

Het smalle strand eindigde bij een steile kalkrots die tot in zee reikte.

Dirk moest verder van zee omhoog klauteren, omdat de rotswand daar minder steil was. De bovenkant van de krijtrots was vlak en ging over in lage heuvels die zich uitstrekten tot de kleine baai, drie kilometer verder. De witte opbouw van de afgemeerde vrachtboot stak als een fata morgana boven een zandige richel uit.

Dirk maakte zich zorgen over Summer en hij liep zo snel hij kon. Ze waren minder dan twaalf uur eerder uit de gezonken duikboot ontsnapt en dus waren haar kansen op volledig herstel nog groot, als ze maar snel in de decompressiekamer werd gebracht. Zijn bezorgdheid spoorde hem aan en veertig minuten later kwam hij bij een verhoging in het terrein. Daarachter lag een kleine lagune, omringd door lage heuvels die het schip en de bebouwde kade afschermden.

Toen hij de helling af daalde zag hij de sobere twee gebouwen beter. Aan de ene kant verrees een gebouw dat op een slaapverblijf leek en wat verder stond een pakhuis. Tussen beide gebouwen was een hoog metalen afdak aangebracht, dat Dirk voor een derde gebouw had aangezien. Het afdak strekte zich uit langs de kade en daaronder lagen in de schaduw korrelige hopen. Dirk dacht eerst dat het zout was, gewonnen uit zoutpannen in de omgeving, maar de kleur van de korrels was donkergrijs.

Het vrachtschip was een bulkcarrier, met een middelmatige grootte, en even lang als de kade. Dirk kon de naam niet lezen maar hij zag wel een witte bloem op de geel geschilderde schoorsteen. Een groepje mannen was bezig de bergen grijze korrels met graafmachines en transportbanden in de vrachtruimen van het schip te laden. De machines en het ronken van een generator veroorzaakten veel lawaai. Niemand zag Dirk langs de helling afdalen en naar de open loods lopen. Hij zag dat er een monteur binnen bezig was met de revisie van een kleine motor. Dirk ging het gebouw in, maar meteen bleef hij met een ruk staan.

Uit zijn ooghoeken had hij in de lagune een andere boot gezien. Omdat de bulkcarrier de gehele lengte van de kade besloeg was de tweede boot aan de eerste afgemeerd, en voor Dirk onzichtbaar achter de grote romp gebleven. Maar door de stroming in de lagune was het kleinere vaartuig naar voren gedreven en de beschadigde boeg met gele verfstrepen werd zichtbaar: de patrouilleboot.

In de loods keek de monteur op en hij zag Dirk. De man keek hem verbaasd aan en slaakte een kreet. Een tweede man in groene legerkleding kwam aanrennen, met een AK-47 in zijn hand. Hij richtte de loop meteen op Dirks borst. De man schreeuwde woedend bevelen in een taal die Dirk niet verstond, maar de bedoeling was overduidelijk.

Dirk staarde ongelovig naar de gewapende man voor hem en stak zijn handen langzaam omhoog.

48

Summer richtte haar aandacht niet op haar verlamde been, maar op andere zaken. Ze keek naar de traag voortbewegende schildpad op het strand en toen naar zee. Even later keek ze naar het begraven voorwerp naast haar in het zand.

Het materiaal dat Dirk ook gezien had was dik en rubberachtig. In het daglicht zag ze dat het een duidelijk langwerpige vorm had onder het zand. Summer voelde met haar hand aan het materiaal en over de vervaagde letters. *Barbarigo.* Het klonk Italiaans, en dat wekte haar nieuwsgierigheid. Met een stuk wrakhout schraapte ze het zand boven de letters weg en er werd een rol rubber zichtbaar. Ze kon zien dat het rubber ooit opgeblazen was geweest en na verder graven begreep ze dat het een reddingsvlot was: oud, maar goed geconserveerd onder de laag zand.

Aan de andere kant groef ze ook zand weg en ze raakte een hard voorwerp. Ze maakte het vrij en zag dat het een hardhouten bankje was, waarschijnlijk een onderdeel van het vlot en dat was weer een aanwijzing over de ouderdom. Summer groef verder en de rubberen bodem van het vlot werd zichtbaar. Een blauw lint stak boven het zand uit en trok haar aandacht. Ze veegde het zand voorzichtig weg en zag een ronde matrozenpet. Behoedzaam trok ze aan het materiaal, om het meteen geschrokken los te laten, want onder de pet grijnsde een schedel haar aan.

In de loods was een kleine reparatiewerkplaats met rekken gereedschap en materialen. Langs een wand stonden blikken smeerolie en diesel en een grote zoemende generator. Bij de ingang stonden een vork-heftruck en twee ATV's geparkeerd. De ruimte was schaars verlicht, maar er klonk luide muziek van een Afrikaanse percussieband.

Dirk nam alles in zich op terwijl hij door de loods werd geleid en te horen kreeg dat hij tegen een roestige metalen wand moest gaan staan. De monteur en de gewapende man spraken kort met elkaar, Dirk ver-moedde dat hun taal Malagasi was, en daarna rende de monteur weg om te melden dat er een indringer was gegrepen.

De gewapende jongeman stond naast een werkbank met daarop een gedemonteerde motor. Hij wipte op zijn hielen en hield zijn wapen strak op Dirk gericht. Hij was jong, niet ouder dan zeventien. Zijn haar was lang en aan zijn slome houding was te zien dat hij nooit een militaire training had gehad. Op zijn broek en handen zaten olievlekken en smeer. Dirk vermoedde dat de jongen vooral als assistent van de monteur werkte, en dat bewaking van het complex zijn tweede taak was. Langzaam bracht Dirk zijn geopende hand naar zijn mond met een gebaar alsof hij dronk. 'Water?' vroeg hij schor.

De jongeman keek hem argwanend aan. Hij zag dat Dirk geen wa-pens droeg, zijn haar was zanderig en aan zijn overall koekte overal stof. De man droeg ook geen schoenen, alleen vuile en gerafelde sok-ken. Omdat hij zo uit het dorre landschap kwam opduiken leek hij op geen enkele manier bedreigend.

De gewapende jongeman ontspande en keerde zich traag naar de werkbank waar een kleine kaki rugzak op een kruk stond. Hij haalde een veldfles uit de rugzak en gooide die naar Dirk. Dirk schroefde de dop los en dronk gulzig enkele slokken water. Het water was lauw en had een bijsmaak, maar Dirk had er wel een liter van willen drinken. Hij lachte dankbaar naar de jongeman en nam nog een paar slokken.

'Bedankt,' zei hij en hij draaide de dop weer vast.

Voorzichtig deed hij een stap naar voren en hield de veldfles met ge-strekte arm voor zich uit. De jongeman aarzelde even, deed toen een stap naar Dirk en strekte zijn vrije hand uit. Dirk wachtte tot de veld-fles bijna werd aangepakt en liet het ding uit zijn vingers glijden. De jongeman probeerde de veldfles te grijpen, maar hij was te laat en de veldfles viel op de vloer. Hij wilde weer rechtop gaan staan, maar kreeg een harde vuistslag tegen zijn kaak. Wankelend tegen de werkbank bracht hij zijn wapen snel in de aanslag.

Dirk gaf hem geen kans om te vuren. Hij dook op zijn bewaker en het wapen werd tussen beide mannen geklemd. De jongeman probeerde zich om te draaien, maar had niet genoeg kracht.

Dirk negeerde het geweer dat nu dicht bij zijn gezicht was en hield zijn tegenstander met een hand stevig bij zijn kleren vast, zodat de loop van het wapen niet op hem gericht kon worden. Met zijn vrije hand tastte Dirk naar de werkbank en hij pakte een metalen voorwerp waarmee hij hard op de schedel van de jongeman sloeg. Na drie harde klappen zakte de knaap krachteloos op de grond.

Dirk zag dat hij een zuigerstang uit de gedemonteerde motor in zijn hand hield. Hij gooide het onderdeel terug op de werkbank en rende naar de *quads* die elk gekoppeld waren aan een klein aanhangwagentje waarin materiaal vervoerd kon worden. Dirk zag dat het contactsleuteltje in het slot zat en hij sprong in het zadel. De motor van de quad startte meteen, maar op dat moment verschenen er drie kerels in de deuropening. Dirk boog zich opzij en rukte de kabels van het contactslot los bij de andere quad, terwijl hij gas gaf. De quad spoot naar voren, in de richting van de open deur. Dirk zag dat de eerste monteur terug was, met een dekmatroos en een man in legerkleding die een pistool op hem richtte. Hij gaf vol gas en stormde recht op het drietal af. De monteur sprong naar rechts en de beide andere kerels doken buiten de loods naar links om het aanstormende voertuig te ontwijken. De aanhanger danste wild achter de quad en Dirk reed de loods uit, het felle daglicht in. Hij gaf een ruk aan het stuur en de quad zwenkte naar links, de hoek van de loods om. De matroos kon op het laatste moment wegspringen, maar de man in uniform aarzelde. Een spatbord van de quad raakte zijn been en hij tuimelde op de grond. Dirk moest scherp naar rechts sturen om een muur van oliedrums te ontwijken, waardoor het lege aanhangwagentje over de gevallen man bonkte. De man schreeuwde het uit onder de wielen en bleef in het stof liggen.

Dirk wilde omkeren en langs de loods naar het strand terug rijden, maar dat was onmogelijk omdat de matroos met het geweer in zijn handen uit de loods tevoorschijn sprong.

Dirk vervloekte zichzelf omdat hij het wapen niet had meegenomen, en hij stuurde scherp naar links om voor de loods te blijven rijden. Hij verwachtte een salvo lood, maar dat gebeurde niet. En hij zag ook waarom er niet op hem geschoten werd. Recht voor hem waren zes mannen bij de transportband bezig en de matroos wilde niet op zijn landgenoten vuren. Dirk bleef in hun richting rijden om de afstand tot de gewapende matroos zo snel mogelijk te vergroten, maar er was geen uitweg. Voor hem, dwars over de kade, stond de transportband en links van hem waren bergen grijze erts.

Hij stuurde naar de rand van de kade en de werkers bij de transportband begonnen te wijzen en te roepen. Op de transportband afstormen leek regelrechte zelfmoord, maar er was geen andere keus. Steeds sneller raasde hij over de kade tot enkele meters voor de lopende band. De werkers doken weg om dekking te zoeken en Dirk ramde het stuur naar links. De terreinbanden van de quad slipten op de zanderige kade toen het voertuig scherp zwenkte maar daarna kregen de vier wielen weer grip. De quad schoot recht naar de berg erts die in het schip werd geladen. Dirk werd bijna uit het zadel gesmeten toen de voorwielen de basis van de berg erts raakten, maar het voertuig begon de steile helling op te rijden naast het begin van de transportband. Zeven meter hoger verloor de quad alle vaart en Dirk stuurde de voorwielen naar rechts. Bijna kantelde het voertuig, maar de kleine aanhangwagen werkte als sleepanker en hielp de quad overeind te blijven.

Een van de werkers rende schreeuwend weg toen Dirk aan de andere kant van de transportband de helling af stormde. Een lawine van erts gleed naar de kade en de andere werkers zochten een goed heenkomen. De quad stuiterde bonkend op de kade en belandde weer op vier wielen. De aanhanger brak los en rolde over de kade tot tegen de romp van het vrachtschip om daarna in het water te vallen.

Dirk moest uit alle macht naar links sturen om niet hetzelfde lot te ondergaan. Remmend en slippend kon hij het stuur amper in bedwang houden. Een van de achterwielen botste tegen een bolder, waardoor het voertuig weer op koers kwam en Dirk gaf op de kade meteen vol gas.

Voor hem lag de vrijheid van de open woestijn achter het gebouw met de slaapvertrekken. Maar toen hij voortraasde dook er opeens een andere quad op van achter het gebouw. Dirk minderde vaart en zwaaide naar zijn tegenligger. Dirk herkende de man in het groene legeruniform die hij eerder op de patrouilleboot naar hem zag grijnzen. De man op de andere quad keek hem aan, en opeens ging ook hem een licht op. Maar Dirk stoof alweer vol gas langs het gebouw.

Op de kade renden mannen schreeuwend en wijzend achter hem aan. De andere quad keerde meteen om de achtervolging in te zetten.

Een rotsig klif begrensde de lagune, zodat Dirk gedwongen was naar een minder steile helling te rijden. Achter hem werd geschoten en de patronen sloegen naast hem in de grond. Hij zigzagde en wierp zo een stofwolk op die als een rookgordijn werkte. Voorovergebogen in het zadel joeg hij de quad zo snel mogelijk omhoog, tot hij over de rand aan de andere kant uit het zicht verdween.

Toen hij in de richting van het strand afdaalde keek hij over zijn schouder. De man in legergroen volgde hem op ongeveer vijftig meter afstand. Dirk draaide de gashendel vol open en de quad raasde door een droge bedding. Toen de andere quad hem tegemoet was gekomen had Dirk gezien dat de bestuurder een holster aan zijn riem had. Alweer had hij te maken met een gewapende tegenstander. Maar hij had wel een quad bemachtigd en hij wist waar hij naartoe ging.

De achtervolger had inderdaad een doorgeladen pistool in zijn holster en trok het wapen toen de twee voertuigen over het vlakke strand reden. Terwijl hij met zijn rechterhand stuurde en gas gaf vuurde de man in het wilde weg met het wapen in zijn linkerhand, maar geen enkele kogel kwam in de buurt bij Dirk.

Dirk keek over zijn schouder en zag het wapen, waardoor hij weer slingerend begon te rijden. De achterwielen wierpen fonteinen bruin zand op en gaven Dirk enige dekking, maar door het geslinger kon de achtervolger wel dichterbij komen, Toen hij twintig meter achter hem reed ging Dirk links een flauwe helling op en raakte zijn belager even kwijt. Maar zodra de achtervolgende quadbestuurder zijn voorganger weer zag vuurde hij twee keer. Een schot trof doel.

Dirk hoorde een harde knal en merkte dat een van de achterbanden was lekgeschoten. De velg bonkte hevig en hij moest al zijn spierkracht gebruiken om het voertuig onder controle te houden.

Het was bijna afgelopen. De man achter hem kon naast hem komen en gericht op hem schieten. Dirk woog zijn kansen en wilde scherp opzij zwenken en een botsing forceren. Maar opeens zag hij een spoor van voetstappen in de richting van het binnenland. Het waren de voetstappen die hij eerder op de dag had achtergelaten en dat was voor hem het teken dat hij misschien een kans had het gevecht met zijn tegenstander aan te gaan.

49

Het zanderige terrein ging over in stoffige rotsgrond, die golvend naar boven helde. De geleidelijke helling verborg de klif waar Dirk die ochtend overheen geklommen was. En nu hoopte hij de situatie in zijn voordeel te gebruiken.

Over het rotsige terrein werd minder stof opgeworpen door de quad en Dirk moest riskante manoeuvres uitvoeren. Hij stuurde de quad heen en weer, in een poging onzichtbaar te worden voor zijn achtervolger. Toen Dirk zijn voetspoor kruiste minderde hij vaart. Een seconde later was hij bij de steile rots. Hij aarzelde even, zodat zijn achtervolger dichterbij kwam en schakelde terug, waarbij hij tegelijkertijd op de rem trapte. De quad wankelde en de terreinbanden slipten op de rots. Dirk zwaaide zijn been over het zadel, liet het stuur los en sprong weg.

Amper drie meter voor de afgrond stoof de quad naar voren en tuimelde de diepte in. De andere quad met de man in legeruniform kwam een paar seconden later bij de afgrond. Te laat zag de bestuurder de gapende diepte. Hij trapte op de rem en probeerde uit alle macht van richting te veranderen, maar het was vergeefs. De quad slipte over de rand en viel in de diepte, de bestuurder tuimelde wanhopig schreeuwend uit het zadel.

Dirk had het niet gezien. Zodra hij van zijn quad was gesprongen kromp hij ineen om na de harde aanraking met de grond door te rollen. Met zijn voeten vooruit naar beneden glijdend klauwde hij naar de grond en zijn benen schoven al over de afgrond. Nog net op tijd bleef hij stil liggen, en zijn benen bungelden boven de afgrond. Met al zijn krachten wist hij zich weer omhoog te werken en liggend op zijn rug probeerde hij weer op adem te komen.

Hij voelde overal schrammen en blauwe plekken, maar hij had niets gebroken. Een minuut later krabbelde hij overeind en keek over de rots.

Vijftien meter lager zag hij de quad, met de voorkant in het zand en het frame schuin omhoog als een telescoop. Een paar meter verder lag de andere quad met nog draaiende wielen. Dirk zag even later een onbeweeglijk been van de bestuurder onder het voertuig uitsteken.

Hij liep zo snel hij kon langs de rotskam, en toen hij omkeek naar de lagune zag hij dat er een groepje mannen zijn richting op kwam. Bij de monding van de lagune zag hij de patrouilleboot naar zee varen. De diefstal van de quad werd kennelijk heel ernstig opgevat, dacht Dirk.

Hij keerde terug langs het voetspoor dat hij eerder had achtergelaten tot hij bij een minder steil deel van de helling kwam en zich naar beneden kon laten glijden tot bij de twee neergestorte quads. Het ene voertuig lag ondersteboven maar leek niet ernstig beschadigd. Dirk zette zich schrap in het zand en met zijn schouder tegen het frame rolde hij de quad weer overeind. Het geplette lichaam van de bestuurder lag in het zand, met het hoofd en de rug onder een onnatuurlijke hoek gedraaid.

Dirk stak het pistool van de verongelukte man in zijn broekzak en klom op de quad. Het zadel en de handvaten waren verbogen en twee spatborden waren afgebroken, maar de aandrijving leek onbeschadigd. Hij probeerde te motor te starten, maar de starter jankte knarsend. Benzine was uit de leiding teruggestroomd toen het voertuig ondersteboven lag en pas na enkele startpogingen sloeg de motor aan. Dirk gaf gas en de quad kwam in beweging. Achter de wielen zonder spatborden stoof het zand hoog op.

Aan het andere eind van het strand stuurde Dirk naar de rotswand. Summer kwam te voorschijn en zwaaide naar hem. Ze had een groot deel van de oude rubberboot uitgegraven. Dirk sprong van de quad, liet de motor stationair draaien en rende naar haar toe. 'Hoe gaat het?'

'Goed, alleen is mijn been nog steeds verlamd en gevoelloos.' Ze zag de schrammen en blauwe plekken op Dirks lichaam en de gehavende quad.

'Ik dacht dat ik iets hoorde neerstorten. Wat is er gebeurd?'

'Ach, mijn ontmoeting met een kennis viel in duigen.' Hij gebaarde met zijn duim over zijn schouder. 'De lieden bij de haven zijn dezelfde kerels die ons ramden met hun patrouilleboot. Ik heb een van hun quads geleend, en dat vinden ze kennelijk niet zo leuk.'

Summer zag dat Dirk haast had. 'Moeten we hier weg?'

'Dat lijkt me een goed idee.'

Hij tilde haar op en droeg haar naar de quad.

'Wacht,' zei Summer. 'Het logboek van de Barbarigo.'

Dirk keek haar vragend aan.

'Daar, onder het zand, ligt een rubberboot begraven, afkomstig van een schip met de naam Barbarigo. Ik vond een logboek gewikkeld in oliedoek onder een bank.' Ze wees naar de plek waar ze gegraven had. 'Ik kan de Italiaanse tekst niet lezen, maar het lijkt echt een logboek.'

Dirk liep naar de deels onder het zand begraven rubberboot en bekeek die van dichtbij. Hij verstijfde toen hij opeens het skelet zag. Het geraamte lag naast een bank en daarop lag het logboek. Dirk griste het van de bank en ging op de quad achter Summer zitten. Hij gaf het logboek aan haar. 'Je had me niet gezegd dat de schrijver nog naast zijn logboek lag.'

'Er liggen minstens nog twee doden. We moeten aan de scheepsarcheoloog vragen die skeletten te onderzoeken.'

Dirk strekte zijn armen uit langs zijn zus en draaide aan de gashendel. 'Misschien een andere keer.'

Ze lieten de skeletten en het strand achter zich en reden over de rotsige helling weg van de zee. Vanaf het hoogste punt konden ze de kust aan de andere kant zien: het strand was daar breed en vlak. De turkooizen romp van de Alexandria deinde in de verte op de golven. Dirk keek strak naar het terrein voor hem en stuurde de quad zo snel hij durfde langs de helling naar beneden, waarbij hij rekening hield met Summer die deels verlamd was en moeilijk steun kon vinden.

Summer zag de Zodiac het eerst. Hij voer evenwijdig aan de kust. Toen de wielen van de quad over het vlakke strand rolden gaf Dirk vol gas. De Zodiac voer in dezelfde richting, maar ze konden het kleine vaartuig al snel inhalen.

Dirk claxonneerde voortdurend en trok zo de aandacht van Jack Dahlgren die met een matroos de Zodiac bemande. De boot en de quad naderden elkaar en Dirk reed de zee in terwijl Dahlgren naar het strand stuurde.

'Zo, jullie maken een toeristische rondrit, zie ik,' begroette Dahlgren het tweetal. De opluchting van de Texaan dat hij Dirk en Summer gevonden had straalde uit zijn ogen.

'Meer dan ons lief is. Mogen we aan boord komen?' vroeg Dirk.

Dahlgren knikte en stuurde de Zodiac langszij.

'Summer heeft geen gevoel in haar linkerbeen, dus we denken dat ze caissonziekte heeft,' zei Dirk.

Dahlgren tilde Summer, die het logboek nog in haar handen geklemd hield, van de quad en zette haar in de rubberboot.

'Iedereen aan boord van de Alexandria wil weten wat er gebeurd is. We werden erg bezorgd toen we de onderzeeboot zonder jullie op de zeebodem aantroffen. Maar in de decompressietank hebben jullie genoeg tijd om alles te vertellen.' Hij moest gaan zitten en de buitenboordmotor bedienen om te voorkomen dat de rubberboot door de brandinggolven vol water liep.

Dirk sprong in de Zodiac en Dahlgren zag opeens de gehavende overall, de schrammen en blauwe plekken op Dirks lichaam. 'Neem me niet kwalijk, maar je ziet eruit alsof je met een kettingzaag hebt gedanst.'

'Eerlijk gezegd voelt het ook zo,' antwoordde Dirk.

'Wil je die quad niet op het strand zetten?'

'Nee, de eigenaar deed nogal moeilijk toen ik het ding leende. Laten we maar zo snel mogelijk naar de Alexandria varen.'

Dahlgren gaf meteen gas en stuurde de Zodiac naar het researchschip. Dirk tuurde naar de horizon en zag dat de patrouilleboot snel in hun richting voer. Even later overstemde een zwaar geronk het jankende geluid van de buitenboordmotor en gleed er een schaduw over de Zodiac. Dirk keek omhoog en zag een laagvliegende C-130 voorbij komen. Het toestel was grijs geschilderd, met de veelkleurige vlag van Zuid-Afrika op de staart. Dahlgren wuifde naar het vliegtuig en minderde vaart om verstaanbaar te zijn.

'Dat toestel is van de marine in Pretoria, want die we hebben gewaarschuwd. Het werd ook tijd dat ze hier opdagen. Ik denk dat we de bemanning moeten informeren dat jullie veilig zijn.' Dahlgren pakte een walkietalkie en meldde aan de Alexandria dat Dirk en Summer bij hem in de Zodiac zaten.

Terwijl ze wachtten tot het bericht aan het vliegtuig werd doorgegeven, tikte Dirk op Dahlgrens schouder en wees naar de naderende patrouilleboot. 'Laat de bemanning van het vliegtuig die patrouilleboot onder vuur nemen. Zeg maar dat ze bij de lokale piraten horen.'

'Ik denk dat ze hier niet zomaar mogen schieten,' zei Dahlgren, maar hij gaf de boodschap wel door.

De C-130 was al een stip aan de horizon, maar het toestel keerde en kwam weer terug. De piloot daalde tot amper twintig meter boven de golven. Omdat het grote vliegtuig de patrouilleboot van achteren naderde, werd de bemanning totaal verrast. Enkele opvarenden lieten zich plat op het dek vallen toen de vier bulderende 4200 pk turbopropmotoren rakelings over de kleine boot raasden. Het vliegtuig vloog voorbij en beschreef een wijde boog om daarna voor een tweede keer van opzij op de patrouilleboot af te stormen. Deze keer zwaaiden enkele dappere kerels aan boord met hun wapens, maar niemand loste een schot. Onverstoorbaar vloog de piloot nog drie keer over de patrouilleboot, en elke keer lager. Op de boot werd de hint begrepen en het vaartuig zwenkte weg naar de kust. De C-130 volgde nog een tijd dreigend en verdween toen naar de thuisbasis.

Dirk keek naar Dahlgren. 'Help me onthouden dat ik een krat bier laat bezorgen bij de Zuid-Afrikaanse luchtmacht.'

'Met die jongens valt niet te spotten.'

Enkele minuten later kwam de Zodiac langszij bij de Alexandria. Dirk en Summer waren verrast dat hun gehavende onderzeeboot al op het achterdek stond toen ze zelf aan boord werden gehesen.

'We vonden de boot met sonar en konden haar meteen lichten met behulp van een onbemande robot. En daarna intensiveerden we de zoektocht langs de kust, omdat jullie niet aan boord waren,' verduidelijkte Dahlgren.

De tweeling werd aan boord hartelijk begroet, maar Summer voelde wel dat iedereen bezorgd was toen ze op een brancard werd gelegd. De scheepsarts bracht hen snel naar de decompressiekamer, die al voorzien was van proviand en medicijnen.

Dirk wilde buiten blijven, maar de arts eiste dat hij uit voorzorg ook in de tank ging. Voordat het luik gesloten werd keek Dahlgren naar binnen om te controleren of alles voor het tweetal in orde was.

'We kunnen beter niet in deze omgeving blijven,' zei Dirk. 'We hebben alle seismografische sensoren geplaatst, voordat we geramd werden door die patrouilleboot. Dus we kunnen een andere keer wel met die criminelen afrekenen.'

'De kapitein heeft al besloten op volle snelheid naar Durban te varen.' Dahlgren keek ernstig.

'Waarom naar Durban? Ik dacht dat we naar Mozambique zouden varen?'

De scheepsarts riep dat het luik gesloten moest worden.

'Slecht nieuws, vrees ik,' zei Dahlgren. 'Je vader en Al worden vermist op de Pacific.'

Voordat Dirk kon reageren werd het zware metalen luik gesloten en de druk in de tank verhoogd, alsof ze weer diep onder water waren.

50

Pitt zat opgesloten en de omstandigheden waren afgrijselijk. Naarmate de uren verstreken werd hij steeds claustrofobischer in het bedompte hok aan boord van de Adelaide. Buiten werd het overdag warm en dan veranderde zijn gevangenis in een oven. En dat werd nog verergerd door de hevige stank van de opgesloten mannen en de twee lijken.

Hij had voortdurend honger, maar was dankbaar dat er genoeg drinkwater was. Af en toe werd het luik geopend en dan gooiden gewapende kerels een kartonnen doos met wat brood en gedroogd voedsel naar binnen. De gevangenen waardeerden de frisse lucht als het luik geopend werd evenzeer als het voedsel.

Pitt en de mannen van het SWAT-team hadden geprobeerd een ontsnappingsplan te bedenken, maar hun kansen waren nihil. In de bergruimte was geen gereedschap of ander materiaal om uit te breken. En ze wisten dat het toegangsluik dag en nacht bewaakt werd. Als de mannen iets probeerden met de grendels of de scharnieren, werd er van buiten meteen waarschuwend met een geweerkolf op het luik gebonkt. En als het luik geopend werd stonden er minstens twee mannen buiten met hun wapens in de aanslag.

Giordino stelde voor om de keihard geworden broodjes die ze gekregen hadden te gebruiken om de bewakers mee aan te vallen. Pitts lotgenoot herstelde snel van zijn wond, die geen symptomen van ontsteking vertoonde. Na drie dagen veel slapen was Giordino weer de oude en hij hervond zijn kracht, ondanks het schamele dieet.

De meeste mannen van het team berustten in hun gevangenschap,

maar enkele konden zich niet goed meer beheersen. Er ontstonden ru-
zies en vechtpartijen, en een man begon af en toe hysterisch te schreeuwen. Pitt voelde iets van opluchting toen hij merkte dat de scheepsmotor minder toeren maakte: een teken dat ze een haven naderden.
Hij had het aantal uren geteld sinds hij werd opgesloten en berekende
dat de Adelaide varend met een snelheid van zestien knopen in totaal
wel vierduizend mijl had afgelegd. Het schip kon inmiddels bij Alaska
of voor de kust van Peru varen. Maar de hoge temperaturen wezen
eerder op een tropische omgeving. Als het schip in zuidoostelijke richting was blijven varen, dan waren ze nu ergens ten zuiden van Mexico
of bij Centraal-Amerika, vermoedde Pitt.

Zijn inschatting werd spoedig bevestigd toen het schip even stil bleef
liggen en er geluiden aan dek te horen waren, om daarna weer drie uur
lang door te varen. Uiteindelijk werd de scheepsmotor gestopt en niet
lang daarna moesten de gevangenen door het luik naar buiten.

De mannen verlieten het smoorhete en klamme berghok en stonden
even later op het even warme en vochtige dek. Het schip lag achter-
stevoren afgemeerd aan een kade, die aan drie zijden omringd werd
door dichte jungle. Bij de boeg was een smalle streep blauw te zien en
daarachter moest breder vaarwater zijn. De kleine inham was amper
groot genoeg om plaats te bieden aan het vrachtschip.

Het heldere daglicht prikte in hun ogen, maar Pitt merkte dat de
zon nergens te zien was.

'Iemand hier heeft een grote liefde voor de jungle,' merkte Giordino
op, en hij wees naar boven.

Met zijn hand beschermde Pitt zijn ogen en zag toen het groene
bladerdek boven hen. Het duurde even voordat hij besefte dat het
camouflagenetten waren die hoog boven de kade en de boot waren
gespannen.

'Misschien iemand die overdreven veel hecht aan zijn privacy,' zei
Pitt. Hij keek naar de Adelaide, en dat bevestigde zijn vermoeden. De
naam van het schip was veranderd in Labrador en de schoorsteen en
de reling waren ook voorzien van nieuwe verf. De dieven hadden de
kaping en het verbergen van de buit grondig aangepakt.

De gevangenen werden naar een loopplank gedirigeerd en ze stapten op de kade, waar een rij kerels in legeruniformen hen met waakhonden opwachtte. Pitt en de anderen moesten enkele minuten wachten, waardoor Giordino en hij de gelegenheid kregen de omgeving in

zich op te nemen. Op de kade stonden twee hijskranen en er was een transportband opgesteld. Er waren enkele stoffige plateaus van beton, voor erts in ruwe vorm of verwerkt wachtend op transport. Achter de kade waren tussen de bladeren van de dichte begroeiing lage gebouwen te zien. Pitt vermoedde dat het werkplaatsen waren om zeldzame mineralen uit het gestolen erts te halen en te zuiveren.

Het geplof van een kleine motor was al te horen voordat er een golfkarretje in zicht kwam. In het voertuig zat een gespierde blonde man, gekleed in een goed passend uniform en met een pistool in de holster op zijn heup. Een korte zweep hing met een musketonhaak aan zijn andere zij. Pitt zag dat de bewakers verstrakten toen de man arriveerde.

'Hij lijkt wel een leeuwentemmer,' fluisterde Giordino.

'Uit een circus waar ik niet wil werken,' antwoordde Pitt.

De blonde voorman, Johansson, liep over de kade en sprak tegen Gomez die de gevangenen van het schip was gevolgd. De Zweed keek met een tevreden blik naar het vrachtschip.

'Die schuit is volgeladen met gekraakt monaziet,' zei Gomez. 'Uit laboratoriumtests blijkt dat de concentraties neodymium, cerium en dysprosium hoog zijn.'

'Uitstekend. Bij de verwerking wachten ze al op nieuw materiaal. We zullen deze gevangenen aan het werk zetten om het erts te lossen.'

'En wat doen we met het schip?'

'Lijkt me een mooie aanvulling voor onze vloot. Zoek uit wat er verbouwd moet worden om de identiteit uit te wissen, en dan bespreken we dat met Bolcke als de lading van boord is.'

Johansson keerde Gomez zijn rug toe om de groep gevangenen te monsteren. Hij keek elke man indringend aan en had vooral belangstelling voor de leden van het SWAT-team.

'Welkom in Puertas del Infierno,' zei hij. 'De Poorten van de Hel. Jullie zijn nu mijn slaven.'

Hij maakte een armgebaar over de kade naar de gebouwen op de achtergrond. 'Daar is het bedrijf om erts te zuiveren. We verwerken ruwe erts en halen er verschillende waardevolle mineralen en metalen uit. Jullie worden daarbij aan het werk gezet. Als je hard werkt, blijf je leven. Als je niet klaagt, blijf je leven. En als je geen poging doet om te vluchten, blijf je in leven.' Hij keek langs de rij verzwakte mannen. 'Zijn er nog vragen?'

Een bemanningslid van de Adelaide die het ergst geleden had onder de gevangenschap, schraapte zijn keel. 'Wanneer worden we weer vrij-gelaten?'

Johansson liep naar de man toe en grijnsde. Met een nonchalant ge-baar trok hij zijn wapen en schoot de man in zijn voorhoofd. De knal van het schot liet een zwerm vogels krijsend opfladderen in de jungle, terwijl de man dood achterover in het water viel.

De andere gevangenen keken verbijsterd naar het tafereel. Johansson grinnikte weer. 'Zijn er nog vragen?'

Het bleef stil en hij stak zijn wapen weer in de holster. 'Mooi zo. Nog-maals, welkom in Puertas del Infierno. En nu aan het werk!'

51

Het zware gedreun van de motor in de sleepboot verstomde en alleen het geluid van kabbelende golven tegen de romp was nog te horen. Wakker geworden door het ontbreken van gedreun en getril kwam Ann overeind op haar brits en ze strekte haar armen uit. Ze wreef haar polsen, waar de handboeien haar huid irriteerden, en liep naar de kleine patrijspoort aan stuurboord.

Het was nog donker. Verspreide lichtjes flonkerden op de oever en waren een aanwijzing dat de boot aan de oostzijde van de rivier lag. Ann wist zeker dat deze rivier de Mississippi was. Vanaf het vertrekpunt Paducah was er maar een richting stroomafwaarts: over de Ohio rivier tot aan de samenloop met de Mississippi, bij Cairo in de staat Illinois. De vorige avond had ze naar buiten gekeken en zich afgevraagd of het de lichtjes van Memphis waren. Terwijl ze door de patrijspoort keek zag ze het silhouet van een groot vrachtschip passeren en ze vermoedde dat ze ergens in de buurt van New Orleans waren.

Ze waste haar gezicht in het bekken en zocht in de kleine hut naar een geschikt wapen. Het was een zinloze poging, die ze al twintig keer eerder had gedaan, maar het hield haar geest bezig.

Ze hoorde gemorrel aan het slot en de deur van de hut zwaaide open. Pablo stond in de deuropening. Hij keek haar indringend aan en had een honkbalknuppel in zijn hand.

'Kom mee,' zei hij. 'We wisselen van schip.'

Hij leidde haar naar het dek van de sleepboot en haakte de honkbalknuppel dwars over haar rug achter haar ellebogen. 'Deze keer gaan we niet zwemmen.' Met een hand hield hij de knuppel stevig vast en met de andere duwde hij haar van de sleepboot. De honkbalknuppel bezorgde Ann pijnlijke schouders toen ze op de schaars verlichte kade stapten. Pablo leidde haar langs de dekschuit waar de oplegger met een mobiele kraan aan boord was gehesen. Hooi dwarrelde door de lucht toen Pablo en Ann de rijdende kraan volgden over rails naar een kleine vrachtboot. In het schaarse licht kon Ann de naam van de boot lezen: Salzburg. De kade was verlaten, afgezien van de kraanmachinist en enkele gewapende kerels die in legeruniform langs de reling stonden.

'Laat me gaan, alsjeblieft,' smeekte Ann.

Pablo lachte. 'Niet voordat we de lading afgeleverd hebben. Daarna kun je misschien je vrijheid terug verdienen,' zei hij met een scheve grijns.

Hij duwde haar naar de loopplank van de vrachtboot en over het dek. Een grote, hoekige schotel die gemonteerd was op een verrijdbaar platform blokkeerde hun weg. Naast het gevaarte controleerde een matroos de kabels van een bedieningspaneel dat met een generator en computerschermen verbonden was. In het voorbijgaan keek de matroos even naar Ann en hun blikken kruisten elkaar.

Ze keek de man smekend aan en de matroos grijnsde toen ze langs hem liep. 'Pas maar op dat je niet gekookt wordt,' zei hij.

Pablo duwde Ann voor zich uit naar het dekhuis op het achterdek en toen twee verdiepingen omhoog naar de bemanningsverblijven. Haar nieuwe hut was groter dan de vorige, al was de patrijspoort evenals in haar vorige onderkomen erg klein.

'Ik mag hopen dat je tevreden bent met dit verblijf,' zei Pablo en hij trok de honkbalknuppel weg. 'Misschien kunnen we het later onderweg gezellig met elkaar hebben.' Hij liep de hut uit en sloot de deur van buiten af.

Ann ging op een harde brits zitten en staarde naar de deur. Ondanks de confrontatie met Pablo voelde ze vooral woede. Het was duidelijk dat het vrachtschip het land verliet, met aan boord de nieuwe motor van de Sea Arrow en alle documentatie. Ze zou dagenlang gevangen zitten in deze hut, misschien wel wekenlang. In plaats van zich te beklagen over dat vooruitzicht, probeerde ze te reconstrueren hoe dit allemaal zo had kunnen gebeuren. Met haar analytische geest begon Ann na te denken over de diefstallen.

Voor Pablo was het kennelijk heel eenvoudig om de motor en de documentatie van de Sea Arrow te bemachtigen. Hij moest wel hulp van binnenuit gekregen hebben. De betrokkenheid van de twee kerels die haar ontvoerd hadden en die daarna allebei gedood werden, waren daar wel een aanwijzing voor. Maar waarom was zij ook ontvoerd?

Ze kon maar een verklaring bedenken: ze was dicht bij de ontdekking. Ann pijnigde haar hersenen en probeerde zich alle betrokkenen voor de geest te halen. Telkens kwam ze weer uit bij Tom Cerny. Zou de functionaris in het Witte Huis door haar naspeuringen gealarmeerd zijn?

Ze ijsbeerde in de kleine hut heen en weer en zag de schroeivlekken van sigarettenpeuken op het bureau in de hoek. Die herinnerden haar aan de vreemde opmerking van de matroos. 'Denk erom dat je niet gekookt wordt,' herhaalde Ann zachtjes. De woorden gonsden in haar hoofd, tot in een flits duidelijk werd wat de man bedoelde. 'Maar natuurlijk!' Hoofdschuddend omdat ze het niet eerder begrepen had, zei ze nog eens: 'Nee, zorg dat je niet gekookt wordt.'

52

Een late lijnvlucht van Durban via Johannesburg bleek voor Dirk en Summer de snelste mogelijkheid om terug naar Washington te reizen. Ze hadden wallen onder hun ogen toen ze de volgende ochtend wankelend uitstapten op Reagan National Airport. Summer liep vlot door de terminal, en ook al was ze stijf van het lange zitten, de verlamming in haar been was verdwenen na de behandeling in de decompressietank.

Summer was nog op tijd in de decompressietank aan boord van de Alexandria gebracht en dat was haar redding. Terwijl het NUMA-schip op volle kracht van Madagaskar naar Durban stoomde waren Dirk en Summer in de cabine blootgesteld aan een druk die even groot was als op honderdtwintig meter onder water. De verlamming in Summers been was daardoor meteen verdwenen. Het medisch team aan boord verminderde de druk geleidelijk, zodat de gasbelletjes in haar lichaam langzaam verdwenen. Toen Summer bijna twee dagen later uit de drukcabine kwam merkte ze dat gewoon kon lopen, al deed het nog een beetje pijn. Omdat in een vliegtuig op grote hoogte de symptomen weer kunnen verergeren, had de scheepsarts haar gezegd het eerste etmaal niet te gaan vliegen. Maar die periode was al verstreken voordat de Alexandria de haven van Durban binnenvoer.

Zodra het tweetal uit de decompressiekamer kwam was er even tijd om de anderen te vertellen over hun ervaringen in de onderzeeboot, de schade aan het vaartuig te inspecteren en tickets te regelen voor de reis naar huis. Meteen nadat de Alexandria werd afgemeerd moesten ze snel naar Durbans King Shaka Airport voor de vliegreis naar Washington.

Nadat Dirk en Summer hun bagage hadden opgehaald namen ze een taxi over het luchthaventerrein naar de hangar van hun vader. Ze gingen naar binnen en fristen zich op in het woongedeelte, waar ze hun bagage ook achterlieten.

'Denk je dat pa er bezwaar tegen zou hebben als we een van zijn auto's lenen om naar kantoor te gaan?' vroeg Summer.

'Hij heeft altijd gezegd dat we elke auto mochten gebruiken,' zei Dirk, en hij wees naar een zilverkleurige en bordeauxrode sportwagen die naast een werkbank geparkeerd stond. 'In een mail voor zijn vertrek naar de Pacific schreef hij dat die Packard weer prima rijdt. Zullen we die nemen?'

Dirk controleerde of er benzine in de tank zat en Summer deed de deur van de hangar open. Dirk ging achter het stuur zitten, trok de chokeknop uit en verstelde de gashendel aan het stuur. Daarna drukte hij op de startknop. De achtcilinder lijnmotor kwam rommelend tot leven. Hij liet de motor even warm draaien en reed toen naar buiten. Summer sloot de hangar af en sprong naast Dirk in de auto. Ze had een rolkoffer bij zich en ze zag de witte bestelbus die een eind verder geparkeerd stond niet. 'Wat zijn dit voor rare stoelen?' zei ze. De Packard was een tweepersoons auto met onverstelbare stoelen. De passagiersstoel stond permanent een paar centimeter verder naar achteren dan de bestuurdersstoel. 'Zo heeft de chauffeur meer ruimte om bij hoge snelheid te schakelen,' legde Dirk uit, en hij wees naar de versnellingspook midden op de vloer. 'Met die extra beenruimte ben ik wel blij,' zei Summer.

Het chassis van de Packard Model 734 was gebouwd in 1930 en daar was een heel zeldzaam type carrosserie op gebouwd. De kofferbak liep taps toe, wat de auto een sterk gestroomlijnd uiterlijk gaf. Opzij zaten twee reservewielen en de zilverkleurige metaallak contrasteerde sterk met het donkerrood van de spatborden. De kleine Woodlite-koplampen en de sterk hellende voorruit wekten de indruk dat de auto in beweging was, ook al stond het voertuig stil.

Dirk reed over de George Washington Parkway naar het noorden en de Packard voegde zich soepel in het drukke verkeer. Het was maar tien minuten rijden naar het hoofdkantoor van NUMA, een modern gebouw met veel glas, op de oever van de Potomac. Dirk parkeerde in de ondergrondse garage en met de personeelslift gingen hij en Summer naar de hoogste verdieping, waar de werkkamer van Rudi Gunn was.

Zijn secretaresse leidde hen naar de computerafdeling, drie verdiepingen lager, en ze betraden het hightech domein van Hiram Yeager.

Gunn en Yeager stonden voor een enorm videoscherm en ze bekeken satellietfoto's van een verlaten zeegebied. Summer en Dirk zagen eruit alsof ze dagen niet geslapen hadden, maar de twee mannen veerden op toen ze de kinderen van Pitt zagen. 'Geweldig dat jullie terug zijn,' zei Gunn. 'Jullie hebben ons flink laten schrikken toen die duikboot vermist werd.'

Summer glimlachte. 'Wij zijn toen ook flink geschrokken.'

'Ik dacht dat we Rudi kalmeringspillen moesten geven,' zei Yeager. 'Is alles weer goed met je been, Summer?'

'Ja, veel beter. Zo lang in een vliegtuigstoel zitten was pijnlijker dan die caissonziekte.' Ze keek naar de vele lege koffiebekertjes en ze werd opeens ernstig. 'Is er nog nieuws over pa en Al?'

Beide mannen keken zorgelijk. 'Helaas is er weinig te melden,' zei Gunn. Hij vertelde over Pitts missie om de ertstanker te beschermen, en Yeager liet een zeekaart van de oostelijke Pacific op het grote videoscherm verschijnen.

'Ze zijn duizend mijl zuidoostelijk van Hawaï aan boord van de Adelaide gegaan,' zei Yeager. 'En een Amerikaans fregat dat voor oefeningen in de buurt van San Diego voer zou ze opwachten en naar Long Beach begeleiden. Maar de Adelaide kwam niet opdagen.'

'Zijn er wrakstukken gevonden?' vroeg Dirk.

'Nee,' zei Gunn. 'We hebben dagenlang met vliegtuigen gezocht. De marine heeft twee schepen naar dat zeegebied gestuurd, en de luchtmacht heeft zelfs enkele onbemande verkenningsdrones ingezet. Maar al dat zoeken heeft niets opgeleverd.'

Dirk zag een horizontale witte streep die aan de linkerkant van het videoscherm begon en eindigde waar hij een rode streep vanaf Hawaï kruiste.

'Is dat de route die de Adelaide heeft afgelegd?

'Haar AIS-baken gaf de route aan tot kort nadat je vader en het SWAT-team aan boord waren gestapt,' zei Yeager. 'Maar sindsdien is het signaal verdwenen.'

'Dus het schip is gezonken?' vroeg Summer en haar stem klonk schor.

'Dat hoeft niet,' zei Gunn. 'Het is mogelijk dat het volgsysteem uitgeschakeld is, en dat ligt voor de hand als het schip gekaapt is.'

'We hebben enkele grote cirkels getrokken rond de laatste bekende positie, om te bepalen waar het schip nu kan varen.' Yeager veranderde het beeld en op het scherm waren twee satellietfoto's te zien. Onderaan was een archieffoto van een grote groene bulkcarrier te zien, met het label Adelaide. 'We zoeken naar satellietfoto's van de kust, om te zien of dat schip ergens is.'

'Hiram heeft alle openbare en minder toegankelijke bronnen van verkenningsfoto's doorzocht, maar helaas wordt de plek waar het schip verdwenen is niet gezien door satellieten. Daarom zoeken we nu verder langs de kust,' zei Gunn.

'Noord-, Zuid- en Centraal-Amerika,' vulde Yeager aan, en hij moest een geeuw onderdrukken. 'Daar zijn we wel tot kerstmis mee bezig.'

'Hoe kunnen wij helpen?' vroeg Summer.

'We beschikken nu over satellietfoto's van het grootste deel van de havens aan de westkust. Het zijn beelden van de laatste vier dagen. Ik zal ze projecteren, en misschien herkent iemand een schip dat op de Adelaide lijkt.'

Yeager stelde twee laptops op en de foto's werden gedownload. Iedereen ging aan het werk, speurend op de foto's naar een groot, groen vrachtschip. Ze werkten de hele dag door en bestudeerden elke afbeelding, tot iedereen branderige ogen van vermoeidheid had. Maar er was enige hoop omdat elf schepen op de meestal onscherpe foto's ongeveer op het profiel van de Adelaide leek.

'Drie boten in Long Beach, twee in Manzanillo, vier op het Panamakanaal, en een schip in San Antonio, Chili, en in Puerto Caldera, Costa Rica,' zei Yeager.

'Ik kan me niet voorstellen dat het een van de schepen in Long Beach is,' zei Dirk. 'Tenzij de lading eerst in een andere haven gelost is.'

Gunn keek op zijn horloge. 'Het is nog heel vroeg in het westen. Zullen we even pauzeren? Misschien willen jullie iets eten. Daarna kunnen we telefonisch navraag doen bij de havendiensten. Dan moet toch duidelijk kunnen worden of de Adelaide daar aan de kade heeft gelegen?'

'Goed plan,' zei Dirk. Hij ging staan en rekte zich uit. 'Ik heb al te lang op een dieet van vliegtuigvoedsel en koffie geleefd.'

'Wacht even,' zei Summer. 'Voor we pauzeren, wil ik iets aan Hiram vragen, en daarna heb ik jullie hulp nodig om iets af te leveren.' Ze pakte haar reistas en er klonk gerinkel van flessen in de tas.

'Ik heb echt honger,' zei Dirk. 'Kunnen we onderweg dan een hapje eten?'

'Waar wij samen naartoe gaan, broertje,' zei Summer, 'krijg je gegarandeerd iets heerlijks te eten.'

53

De Packard reed met brullende motor uit de parkeergarage, passeerde daarbij rakelings een witte bestelbus die op straat geparkeerd stond, en voegde zich toen soepel tussen het spitsuurverkeer. Dirk reed naar Georgetown en een avondbries speelde met Summers haar in de open auto. In een schaduwrijke zijstraat met elegante huizen stopte Dirk voor een voormalig koetshuis dat jaren eerder tot een fraai en vrijstaand huis was verbouwd.

Dirk belde aan en bijna meteen deed een bourgondische man met een lange, grijze baard de voordeur wijd open. St. Julien Perlmutters ogen straalden toen hij Dirk en Summer begroette en uitnodigde binnen te komen.

'Ik was al bijna zonder jullie gaan eten,' zei hij.

'Had je ons dan verwacht?' vroeg Dirk verbaasd.

'Maar natuurlijk. Summer mailde mij de bijzonderheden over jullie mysterieuze avontuur in Madagaskar. En ik vroeg haar meteen of jullie kwamen eten zodra je weer hier was. Praten jullie wel met elkaar?'

Summer lachte schaapachtig naar haar broer en volgde Perlmutter door een woonkamer met overal boekenkasten naar een stijlvolle eetkamer waar op een antieke tafel een overdaad aan gerechten klaar stond. Perlmutter was maritiem historicus, en een van de beste ter wereld, maar zijn tweede liefde was gericht op verfijnde gerechten. Zijn ogen lichtten op toen Summer haar tas opende en hem drie flessen Zuid-Afrikaanse wijn overhandigde.

'Kijk eens aan! Een Welgelegen Chardonnay, en een paar rode wijnen van De Toren.' Hij bekeek goedkeurend de wijnetiketten. 'Dat is een uitstekende keus. Zullen we?'

Hij pakte meteen een kurkentrekker om de fles Chardonnay te openen en in te schenken.

'Uiteraard ben ik erg geschrokken toen ik hoorde dat je vader verdwenen is. Laten we hopen dat hij ergens veilig in een haven zit,' zei Perlmutter, en hij hief zijn glas.

Tijdens het eten speculeerden ze over de verdwijning van Pitt en ze genoten van varkensmedaillons in saus, aardappelschijfjes en gebakken asperges. Als toetje waren er perziken uit Georgia met een saus van room en cognac. Omdat de Franse kokkin en huishoudster van Perlmutter een vrije avond had, hielpen Summer en Dirk met afruimen en de afwas, voordat ze weer rond de tafel gingen zitten.

'Die wijn is heerlijk, Summer, maar je moet me niet langer in spanning houden,' zei Perlmutter. 'Mag ik het nu zien?'

'Ik dacht al dat je het nooit zou vragen,' lachte Summer. Ze opende haar tas en haalde het zorgvuldig ingepakte logboek tevoorschijn dat ze in het reddingsvlot had gevonden. 'Dit is het logboek van de Barbarigo,' zei ze.

'Aha, dus daar gaat het om,' zei Dirk. 'Ik dacht dat je gewoon blij was om ons weer te zien.'

Perlmutter lachte bulderend en het geluid weergalmde door het hele huis. 'Beste jongen, jullie zijn hier altijd meer dan welkom.' Hij maakte een tweede fles wijn open en schonk de glazen vol. 'Maar van een mooi nautisch mysterie geniet ik nog meer dan van goede wijn.'

Perlmutter nam het pakketje aan en haalde het geoliede papier er voorzichtig van af. Het in leer gebonden logboek was wel versleten, maar verder onbeschadigd. Perlmutter sloeg het logboek open en las de tekst, met grote handgeschreven letters, op de titelpagina hardop voor.

'*Viaggio di Sommergibile Barbarigo, Giugno 1943. Capitano di corvetta Umberto de Julio.*' Perlmutter keek op naar Summer en glimlachte. 'Dat is onze onderzeeboot.'

'Onderzeeboot?' herhaalde Dirk vragend.

'In dat reddingsvlot op het strand,' begon Summer, 'lagen ook de stoffelijke resten van bemanningsleden van een Italiaanse onderzeeboot uit de Tweede Wereldoorlog.'

'De Barbarigo was een groot vaartuig in de Marcello-klasse,' zei

Perlmutter. 'Die onderzeeboot had een fraaie staat van dienst op de Atlantische Oceaan, aan het begin van de oorlog: zes schepen tot zinken gebracht en een vliegtuig neergehaald. Maar ze verloor haar tanden toen ze in 1943 werd ingezet bij een project met de codenaam Aquila.'

'Dat is Latijn voor adelaar,' merkte Dirk op.

Summer keek haar broer met opgetrokken wenkbrauwen aan.

'Astronomie,' verduidelijkte hij. 'Ik kan me die naam herinneren van een sterrenstelsel in de buurt van Aquarius.'

'Muilezel zou een beter passende codenaam zijn,' zei Perlmutter. 'De Duitsers raakten bezorgd over de grote verliezen aan handelsschepen die oorlogsmateriaal naar Japan vervoerden en daarom hebben ze de Italianen overgehaald acht van hun grootste en wat verouderde onderzeeboten tot transportschip om te bouwen. Het interieur werd grotendeels verwijderd en de meeste wapens werden van boord gehaald, om zo veel mogelijk lading te kunnen vervoeren.'

'Dat lijkt me een gevaarlijke klus,' zei Dirk.

'En dat was het ook. Vier van die schepen werden meteen tot zinken gebracht, eentje ging naar de sloop en drie andere werden in beslag genomen in Azië, nog voordat ze aan de terugreis begonnen. Zo staat het althans in de geschiedenisboeken beschreven.' Perlmutter begon in het logboek te bladeren en hij bekeek de data.

'En wat is er dan met de Barbarigo gebeurd?' vroeg Summer.

'Onder de naam Aquila Vijf is de boot op 16 juni 1943 uit Bordeaux vertrokken, met bestemming Singapore en een lading kwik, staal en aluminium. Na enkele dagen werd het radiocontact verbroken, en men veronderstelde dat de boot gezonken was in de buurt van de Azoren.'

Hij bladerde naar de laatste pagina. 'Mijn Italiaans is erbarmelijk, maar ik zie dat de laatste vermelding 12 november 1943 is.'

'Dus bijna vijf maanden later,' zei Dirk. 'Dan klopt er iets niet.'

'Maar ik heb de verklaring hier, hoop ik.' Summer haalde een stapel paperassen uit haar tas. 'Ik heb Hiram gevraagd het logboek in zijn computers in te scannen. Hij zei dat het kinderspel was om de tekst in het Engels te vertalen en hij gaf me een uitdraai voor we hierheen gingen.'

Ze deelde de pagina's tekst uit en Dirk en Perlmutter begonnen gretig te lezen.

'Kijk eens aan,' zei Dirk. 'Hier staat dat ze werden gezien en aangevallen door twee vliegtuigen in de Golf van Biskaje, kort na het vertrek uit de haven, maar dat ze konden ontkomen. Hun radiomast werd beschadigd en daarom konden ze niet meer communiceren met het hoofdkwartier.'

Door het logboek te lezen, volgden ze de reis van de Barbarigo rond Kaap de Goede Hoop en over de Indische Oceaan. De lading van de onderzeeboot werd gelost in Singapore en daarna voer het schip naar een kleine Maleisische haven in de buurt van Kuala Lumpur.

'Op 23 september werd 130 ton geoxideerd erts geladen. Lokaal wordt het Rode Dood genoemd,' las Summer hardop voor. 'Een Duitse wetenschapper, ene Steiner, hield toezicht bij het laden en hij kwam aan boord voor de terugreis.'

'De kapitein vermeldt later dat Steiner tijdens de hele reis in zijn hut bleef met een stapel scheikundeboeken,' zei Dirk.

'Rode Dood?' zei Perlmutter. 'Ik vraag me af of dat zoiets is als de plaag met dezelfde naam die Edgar Allan Poe beschrijft. Dat moet ik nazoeken. En ook wie die Steiner was. Wel een merkwaardig soort lading.'

De drie rond de tafel bekeken de notities in het logboek waarin de weken durende terugreis van de onderzeeboot over de Indische Oceaan werd beschreven. Op 9 november werd het handschrift slordiger en op de pagina's waren zoutwatervlekken te zien.

'Hier kwamen ze in moeilijkheden, voor de kust van Zuid-Afrika,' zei Perlmutter. Hij las hardop de aantekening dat de Barbarigo moest duiken om een nachtelijke luchtaanval te ontwijken. Nadat ze enkele keren gebombardeerd waren meende de bemanning dat de aanval voorbij was, maar toen bleek de schroef van de onderzeeboot onklaar of mogelijk verdwenen.

Dirk en Summer luisterden aandachtig toen Perlmutter de feiten van de tragedie hardop voorlas. Zonder aandrijving bleef de onderzeeboot twaalf uur onder water, uit vrees dat meer vliegtuigen het schip zouden bombarderen. Midden op de dag kwam de boot naar de oppervlakte en dobberde stuurloos naar het zuidoosten. Omdat ze ver van de scheepvaartroutes waren en geen radiozender met lange golf hadden, vreesden de officieren dat ze naar Antarctica zouden afdrijven, hun dood tegemoet. Kapitein De Julio gaf zijn bemanning opdracht het schip te verlaten en de vier reddingsvlotten die in het vooronder waren gestuwd, werden gereed gemaakt. De bemanning nam afscheid van hun geliefde onderzeeboot met een saluut. In de verwarring vergat de laatste officier die van boord ging de instructies en hij sloot het luik. Daardoor zonk de Barbarigo niet, maar dreef stuurloos naar de horizon.

Perlmutter zweeg en zijn wenkbrauwen bewogen omhoog. 'Dit is wel hoogst merkwaardig, als je het mij vraagt,' zei hij zacht.

'Wat is er met de andere drie reddingsvlotten gebeurd?' vroeg Summer.

'De aantekeningen in het logboek zijn nogal summier,' zei Perlmutter. 'Ze probeerden Zuid-Afrika te bereiken, en er was al land in zicht toen er een storm opstak. De boten raakten verspreid op de ruwe zee en kapitein De Julio vermeldt dat de mannen in zijn boot de anderen niet meer hebben gezien. Tijdens de zware storm verloren ze vijf man, al hun voedsel en water, het zeil en de roeiriemen. Het vlot dreef met de zeestroom naar het oosten, weg van de kust. Het weer veranderde en het werd heet en droog. Zonder drinkwater verloren ze nog twee bemanningsleden, zodat alleen de kapitein, de stuurman en twee mecaniciens overbleven. Gekweld door dorst kregen ze uiteindelijk weer land in zicht en ze konden dichter bij de kust komen. Door harde wind en hoge golven werden ze op het strand gesmeten,' zei Perlmutter. 'De mannen waren in een hete woestijn beland, smachtend naar water. De laatste aantekening is dat de kapitein alleen op zoek ging naar water, omdat de anderen te verzwakt waren om te lopen. Het logboek eindigt met de woorden: "God beware de Barbarigo en haar bemanning."'

'Wij weten ook dat het gebied daar dor en verlaten is,' zei Summer nadat het een tijd stil was gebleven. 'Wat een tragedie, dat ze zo dicht bij Zuid-Afrika waren en uiteindelijk duizend mijl verder naar Madagaskar dreven.'

'Ze hadden toch meer geluk dan de bemanningsleden in de drie andere reddingsvlotten,' zei Dirk.

Perlmutter knikte, al leek hij in gedachten verzonken. Hij kwam overeind uit zijn stoel en liep naar de woonkamer, om even later met een stapel boeken terug te keren. 'Gefeliciteerd, Summer, ik denk dat jij twee oude maritieme mysteries hebt opgelost.'

'Twee?' vroeg Summer.

'Ja, het lot van de Barbarigo en de identiteit van de Wraak van de Zuid-Atlantische Oceaan.'

'De eerste kan ik plaatsen, maar wat is dat voor wraak?' vroeg Dirk.

Perlmutter sloeg het eerste boek open en bladerde erdoorheen. 'Dit staat in het logboek van een koopvaardijschip, de Manchester, bij de Falklandeilanden, op 14 februari 1946: "Kalme zee, wind zuidwestelijk, kracht drie tot vier. Om 11.00 uur rapporteerde de stuurman een drijvend object dwars aan stuurboord. Eerst leek het een karkas van een walvis, maar het was kennelijk een door mensen gemaakt vaartuig."' Perlmutter sloot het boek en opende een ander. 'De vrachtboot Southern Star, 3 april 1948, bij Santa Cruz, Argentinië: "Onbekend object, mogelijk zeilvaartuig, gezien op twee mijl afstand. Zwarte romp, kleine opbouw midscheeps. Kennelijk niemand aan boord."'

Perlmutter pakte weer een ander boek. 'Melding van een walvisvaartstation. In februari 1951 arriveerde de walvisvaarder Paulita met een oogst van drie volwassen grijze walvissen. De kapitein rapporteerde dat er een spookschip gezien was, met een lage zwarte romp, een klein zeil midscheeps en op honderd mijl noordelijk drijvend. De matrozen noemden het de Zuid-Atlantische Wraak.'

'Denk je dat de Barbarigo die Atlantische Wraak is?' vroeg Summer.

'Dat is heel goed mogelijk. Gedurende tweeëntwintig jaar heeft men melding gemaakt over een spookschip, drijvend in het zuidelijk deel van de Atlantische Oceaan. Om de een of andere reden is dat spookschip nooit van dichtbij bekeken, maar de beschrijvingen zijn allemaal hetzelfde. Ik denk dat een waterdichte onderzeeboot heel lang aan de oppervlakte kan blijven drijven.'

'En op die zuidelijke breedte kan de toren van een onderzeeboot met ijs bedekt raken, waardoor die op een zeil lijkt,' merkte Dirk op.

'Dat sluit aan bij de laatste keer dat het spookschip gezien werd.' Perlmutter opende het laatste boek van de stapel. 'Het gebeurde in 1964. Een zekere Leigh Hunt, een solozeiler die rond de wereld voer, zag iets ongewoons. Even kijken. Aha, luister.' Perlmutter begon hardop voor te lezen.

'"Toen ik Straat Magelhaen naderde, werd ik overvallen door een zware storm die zelfs voor deze omgeving ongebruikelijk heftig was. Dertig uur lang worstelde ik met zeven meter hoge golven en gierende windvlagen die me op de rotsen van Kaap Hoorn wilden smijten. Tijdens deze zware beproeving zag ik even de Zuid-Atlantische Wraak. Eerst dacht ik dat het een ijsberg was, omdat het met een ijskorst bedekt was, maar ik zag ook de scherpe, donkere randen van staal. Het spookschip dreef snel voorbij, voortgestuwd door wind en golven, in de richting van een zekere schipbreuk op de kust van Vuurland."'

'Dus in 1964 dreef die onderzeeboot nog,' begreep Summer.

'Maar dat zou niet lang meer duren, als Hunt gelijk heeft,' zei Perlmutter.

'Leeft Hunt nog?' vroeg Summer. 'Misschien kunnen met hem praten.'

'Hunt is helaas enkele jaren geleden op zee spoorloos verdwenen. Maar mogelijk heeft zijn familie nog logboeken van hem.'

Dirk dronk zijn glas leeg en keek zijn zuster aan.

'Nou, Summer, ik denk dat jij ons gaat verlaten om nog twee mysteries op te lossen.'

'Jazeker,' antwoordde Summer meteen. 'Ik wil weten waar de Barbarigo zonk en wat er voor lading aan boord was.'

54

Dirk en Summer verlieten na de uitstekende maaltijd en de goede wijn voldaan Perlmutters huis. Ze waren nieuwsgierig naar het vreemde lot van de Barbarigo en het etentje was een welkome aflei-ding van de zorgen geweest, maar meteen na het afscheid moesten ze weer aan hun vader denken.

'We kunnen beter teruggaan, want misschien hebben Rudi en Hiram al iets gehoord van de havenautoriteiten,' zei Dirk. 'Ik denk dat we er toch rekening mee moeten houden dat de Adelaide naar het westen voer.'

Terwijl ze over straat liepen hoorden ze een autoportier dichtslaan en Dirk zag twee mannen in een witte bestelbus die een eindje achter de Packard geparkeerd stond. Dirk startte de motor en deed de lichten aan. De Woodlite koplampen waren overdag indrukwekkend, maar in het donker viel de sterkte van het licht tegen. Dirk reed langzaam door de straat en keek in het spiegeltje naar de bestelbus. Hij zag dat de lich-ten werden ingeschakeld toen hij bij de hoek was. Dirk sloeg rechts af en trapte het gaspedaal in. De Packard raasde door de met bomen omzoomde straat. Een paar seconden later kwam de bestelbus met gierende banden ook de hoek om.

Summer merkte dat Dirk veel in het spiegeltje keek en ze keek zelf over haar schouder. 'Ik wil niet paranoïde lijken,' zei ze, 'maar die be-stelbus stond volgens mij ook bij het NUMA-gebouw toen we daar weg-gingen.'

'Dat denk ik ook,' beaamde Dirk. 'En ik zag die bestelbus vanochtend ook bij pa's hangar staan.' Hij zwenkte behendig door de chique buurt van Georgetown en reed naar O Street, in westelijke richting. De bestelbus bleef volgen, op enkele tientallen meters afstand achter de Packard.

'Wie zouden ons volgen?' vroeg Summer. 'Lieden die iets te maken hebben met die bende in Madagaskar?'

'Dat kan ik me niet voorstellen. Eerder iemand die belangstelling heeft voor pa. We kunnen het ook vragen.'

Hij minderde vaart toen ze bij een kruising kwamen, en bij de pilaren van de voetgangersingang voor de Georgetown University. Meestal stonden daar verplaatsbare barricades om te verhinderen dat auto's via die ingang het terrein op reden. Maar de versperring was weggehaald omdat de truck van een leverancier de campus wilde verlaten. Zodra de truck voorbij de ingang was gaf Dirk gas en schoot door de open toegang.

Een beveiligingsbeambte keek de antieke Packard verbaasd na, en een paar seconden later moest de man opzij springen om niet overreden te worden door de achtervolgende bestelbus. Dirk reed verder over het terrein naar een ronde oprijlaan. Een standbeeld van John Carroll, de stichter van de universiteit stond tegenover de ingang, verlicht door schijnwerpers, waardoor de reeds lang overleden geleerde levensecht leek.

Dirk reed de Packard achter het standbeeld en schakelde terug naar de eerste versnelling. Hij zag de lichten van de bestelbus over de oprijlaan naderen. Dirk doofde de Woodlite's van de Packard en gaf gas. De oude auto schoot naar voren en Dirk rukte het stuur naar rechts, waarbij hij tegelijkertijd schakelde zonder het gaspedaal los te laten.

Terwijl de bestelbus remde schoot de Packard rond het standbeeld, maar in plaats van naar de toegangspoort te sturen liet Dirk de auto weer een ronde om het beeld maken. Voor hem verschenen de achterlichten van de bestelbus en Dirk moest remmen om niet tegen zijn voorganger aan te botsen. Summer strekte haar hand naar de lichtschakelaar en ze seinde met de koplampen naar de bestuurder van de bestelbus dat het spel uit was.

De bestuurder van de bestelbus aarzelde en begreep niet wat er gebeurde tot hij de fletse gele lichtbundels van de Packard achter zijn auto herkende. Omdat hij geen confrontatie wilde trapte hij het gaspedaal diep in. De banden van de bestelbus gilden toen de auto naar voren schoot en wegzwenkte van de ronde oprijlaan. De bestelbus raasde over een recht pad langs Healy Hall naar het midden van de campus.

'Ga achter hem aan!' riep Summer. 'Ik kon de kentekenplaat niet lezen.'

Dirk deed wat ze gevraagd had. De Packard werd aangedreven door een achtcilinder lijnmotor met 150 pk vermogen. De bestelbus zou de antieke tweezitter achter zich laten op een rustige snelweg, maar niet op de smalle paden van de universiteitscampus.

De voorste auto stoof langs een groot gebouw. Er waren maar weinig studenten op de campus, en wie op de paden liep sprong snel opzij voor de aanstormende bestelbus. Aan het einde van het pad was een scherpe bocht naar links waar enkele bijgebouwen verrezen, maar de weg daar was versperd door een surveillanceauto, omdat de bewaker in de auto een praatje maakte met een student. Omdat de bestelbus niet naar links verder kon bonkten de wielen rechtdoor over een betonnen pad tussen twee gazons. Een fietsend meisje gilde van schrik toen ze bijna werd overreden. De Packard volgde op enkele meters afstand en op de surveillanceauto werden de zwaailichten ingeschakeld.

'Ik denk dat we buiten gevaar zijn, maar we hebben wel een probleem,' zei Summer, toen ze de zwaailichten achter zich zag.

Dirk klemde het stuur nog steviger vast toen de sportwagen over de hobbels reed. Hij volgde de bestelbus over het wandelpad, dat na een bocht overging in een parkeerterrein bij een complex studentenkamers. Twee eerstejaars waren bezig een vat bier naar binnen te smokkelen toen de bestelbus op hen af raasde. De studenten stoven opzij, maar het vat werd geraakt door de auto. Het aluminium vat stuiterde over het parkeerterrein en kaatste tegen een muur. Dirk remde hard, maar hij kon het vat niet meer ontwijken. De voorbumper sloeg een gat in het vat en het heftig geschudde bier spoot in een schuimende fontein tegen de zijkant van de Packard en besproeide Summer helemaal.

'Dat zal pa niet leuk vinden,' zei Dirk.

Summer veegde het bierschuim van haar gezicht. 'Je hebt gelijk. Het is licht bier.'

De bestelbus en de Packard reden steeds sneller over het parkeerterrein, opgejaagd door de achtervolgende surveillanceauto. Slippend verdween de bestelbus van het terrein naar een dwarsstraat. De bestuurder kon niet kiezen in welke richting hij verder zou rijden en de auto hobbelde rechtdoor over een grindweg recht voor hem. De weg daalde langs een helling en boog af naar het sportveld van de universiteit. Een team spelers was bezig met een training en de studenten moesten in alle richtingen wegvluchten voor de aanstormende bestelbus.

Toen de spelers zagen dat de bestelbus achtervolgd werd door een antieke Packard en een surveillanceauto schoten ze voetballen naar de bestelbus, zodat er deuken in de zijkanten verschenen. Enkele spelers wilden ook een bal naar de Packard trappen, maar bedachten zich toen Summer, nog doorweekt van het bier, naar ze glimlachte.

De bestelbus kreeg een flinke voorsprong op de Packard en raasde over het veld naar een opening in het omringende hek. De bestuurder sloeg links af de straat achter het sportveld in, waar een bord wees naar de uitgang van de campus bij Canal Road. 'Doorrijden! We kunnen ze afschudden,' zei een stem naast de bestuurder van de bestelbus. Vijftig meter achter hem hoorde Dirk bijna dezelfde aansporing van Summer. 'Doorrijden! Ik heb de kentekenplaat nog steeds niet kunnen lezen.'

De weg boog langs een woongebouw dalend langs een heuvel voorbij de campus. Dirk zag de bestelbus accelereren op de helling en probeerde de auto bij te houden. Onder aan de heuvel was de kruising met Canal Road, een drukke toegangsweg naar de buitenwijken van Maryland. Het verkeerslicht stond op groen, maar Dirk vreesde dat het al rood zou zijn voordat hij de bestelbus kon inhalen. Het licht sprong op oranje en Dirk wist dat de bestelbus moest stoppen.

Maar dat gebeurde niet.

Aangespoord door de man naast hem trapte de bestuurder het gaspedaal tot de bodem in toen het licht op oranje sprong. De bestelbus was nog vijftien meter voor de kruising toen het licht rood werd. Het kruisende verkeer aarzelde met optrekken, mogelijk omdat de lichtbundels van de voortrazende bestelbus heftig op en neer bewogen op de hobbelige weg. Met een vaart van honderddertig kilometer per uur stoof de bestelbus over de kruising en de bestuurder wilde scherp links afslaan. De snelheid was veel te groot en de bestuurder trapte in paniek op de rem, waardoor de bestelbus slipte en dwars tot tegen de stoeprand gleed. De band raakte lek, maar de auto schoof door en hobbelde over de stoeprand tot tegen een lage muur. De voorbumper schraapte langs de muur en de achterwielen vlogen even omhoog. Het voertuig had zo veel vaart dat het dwars op de lage muur belandde en een paar meter verder schoof om vervolgens ondersteboven met een plons in het Chesapeake Canal te vallen.

Dirk wist de Packard slippend tot stilstand te brengen voor het verkeerslicht en rende, gevolgd door Summer naar de overkant van de straat. Ze kwamen bij de lage muur en keken eroverheen. De bestelbus was bijna in het kanaal verdwenen, en de wielen draaiden nog rond. Een vage gloed verlichtte het modderige water omdat de koplampen nog niet gedoofd waren. Dirk trok zijn jas uit en schopte zijn schoenen uit. 'Ik zal proberen ze uit het wrak te halen,' zei hij. 'Waarschuw jij de beveiliging van de campus en vraag om hulp.'

Hij sprong in het kanaal, zwom naar de bestelbus en dook onder water naast het portier aan de rechterkant. De koplampen schenen amper door het troebele water en Dirk moest op de tast de raamopening voelen. De opening was maar dertig centimeter en Dirk begreep dat het dak moest zijn ingedrukt door de klap. Dat was geen goed voorteken voor de inzittenden.

Tastend in het interieur voelde hij een levenloos lichaam, met de gordel vast hangend in een stoel. Wild graaiend vond hij de gesp en maakte de gordel los. Het lichaam zakte naar beneden. Dirk trok uit alle macht aan de schouders en slaagde erin de man door de opening in het portier te sjorren.

Daarna kwam hij naar adem happend boven water en hield het hoofd van de drenkeling ook boven water. De felle lichtbundel van een zaklamp werd door de beveiliger van de campus op het slachtoffer gericht, en Dirk besefte meteen dat wat hij deed zinloos was. Het hoofd van de man was onder een groteske hoek gebogen: hij had zijn nek gebroken.

Dirk trok het lichaam naar de oever en riep naar de beambte: 'Geef me die zaklamp.'

De man gaf zijn hem zijn lamp en sleepte de dode omhoog op de oever. Dirk zwom naar de andere kant van de bestelbus en dook weer onder water. In het licht van de zaklamp kon hij zien dat de bestuurder ook dood was: de romp zat klem tussen het ingedeukte dak en het stuur. De man had geen veiligheidsgordel om en was naar voren geschoten.

Dirk snakte naar adem maar hij scheen eerst met de lamp in het laadruim van de bestelbus. Op een plank waren elektronische apparaten te zien, en op de vloer stond een grote schotel zoals bij afluisterapparatuur wordt gebruikt.

Dirk zette zich af tegen de deur en zwom naar de achterkant van de auto om de kentekenplaat te lezen, voordat hij weer naar de oppervlakte zwom. Summer hielp hem op de kant.

'Slecht nieuws over de andere man?'

'Ja. Hij is ook dood.'

'Een ambulance is onderweg,' zei de beambte. Dat hij weinig ervaring had met dodelijke ongevallen was te zien aan zijn lijkbleke gezicht. Hij vermande zich en probeerde op gezaghebbende toon vragen te stellen.

'Wie zijn dit? En waarom die achtervolging?'

'Ik weet niet wie dit zijn, maar wel dat ze iets van ons gestolen hebben.'

'Hebben ze uw geld geroofd? Of sieraden? Of elektronische apparaten?'

'Nee,' antwoordde Dirk, en hij keek naar de dode man. 'Ze stalen onze woorden.'

55

Het was al na middernacht toen Dirk en Summer terugkeerden naar het computercentrum van NUMA. Gunn en Yeager waren daar nog bezig foto's te bekijken op een groot computerscherm.

'Ik wist niet dat jullie zoveel tijd namen voor een zevengangendiner,' zei Gunn. Toen zag hij pas hoe ze eraan toe waren. Dirks haar was in de war en zijn kleren waren nat. Op Summers kleren was een grote vlek zichtbaar en ze stonk naar verschaald bier. 'Wat is er met jullie gebeurd?'

Summer vertelde in een paar zinnen wat hen was overkomen, en dat ze twee uur lang ondervraagd waren door de politie.

'Heb je enig idee door wie jullie werden gevolgd?' vroeg Yeager.

'Nee, helemaal niet,' zei Dirk. 'Ik vermoed wel dat het iets met mijn vader te maken heeft.'

'Dat is mogelijk,' zei Gunn. 'En zeker als ze jullie vanochtend zagen vertrekken uit de hangar. Uit de verte lijken jullie veel op elkaar.'

Summer gaf een papiertje aan Gunn. 'Dit is het kenteken van die bestelbus. De politie wilde het niet zeggen, maar misschien kunnen jullie de eigenaar traceren.'

'Geen probleem,' zei Yeager.

'Is er nog nieuws over de Adelaide?' vroeg Dirk.

'Niet veel,' antwoordde Gunn. 'We hebben contact gezocht met elke havendienst langs de kust van Noord- , Zuid- en Midden-Amerika. Nergens is de Adelaide in een haven geregistreerd.'

'Dan blijven er twee mogelijkheden over,' zei Dirk. 'Het schip is gelost in een particuliere haven, of het is weggevaren in een andere richting.' Hij noemde een derde mogelijkheid niet: dat het schip gezonken was.

'We hebben die scenario's ook besproken,' zei Yeager, 'maar we geloven niet dat het schip naar het westen is gevaren. Het lijkt weinig zinvol om een schip te kapen in het oosten van de Pacific als je de lading ergens in het westen van de Pacific wil lossen. En het tweede probleem is de brandstof. Volgeladen zou de Adelaide niet twee keer over de Pacific kunnen varen zonder stookolie te bunkeren.'

'Mee eens. Dan blijven er dus wel duizend plaatsen langs de kust over waar dat schip kan zijn.'

Gunn en Yeager knikten. Ze zochten naar een naald in een hooiberg. Gunn beschreef de details van hun naspeuringen in de havens en de laatste satellietbeelden, en Yeager begon te tikken op een toetsenbord. Even later vroeg hij de aandacht van de anderen.

'Ik heb gegevens van die bestelbus,' zei hij, toen er informatie uit het kentekenregister op het scherm verscheen. 'De eigenaar is SecureTek, in Tysons Corner, Virginia.'

Yeager klikte naar een volgend scherm. 'Volgens het register levert het bedrijf data-encryptie voor gesloten computersystemen. Ze hebben acht personeelsleden, en hun belangrijkste afnemer is de Amerikaanse regering.'

'Lijkt me niet het soort bedrijf dat mensen afluistert,' merkte Summer op.

'Tenzij hun officiële werk een dekmantel is voor wat ze werkelijk uitspoken,' zei Dirk.

'Dat lijkt niet het geval,' zei Yeager, nadat hij nog wat meer informatie had opgevraagd. 'Het bedrijf heeft een aantal geldige contracten met het leger en de marine voor de beveiliging van hun computernetwerk.'

Yeager klikte terug naar de homepagina van het bedrijf. SecureTek was een dochteronderneming van Habsburg Industries. 'Het is een zelfstandig bedrijf en daarom is de beschikbare informatie nogal beperkt. Gevestigd in Panama en met belangen in mijnbouw en scheepvaart.'

Yeager deed nog enkele zoekpogingen maar vond alleen een beknopte vermelding van het bedrijf. In een maritiem tijdschrift was een foto afgedrukt van een van de bulkcarriers van de firma: de Graz, afgemeerd aan een kade in Singapore. Dirk keek even naar de foto en ging toen met een ruk rechtop zitten. 'Hiram, kun jij een vergroting maken van die foto?'

Yeager knikte en zoomde in tot de foto het hele scherm vulde.

'Wat is er?' vroeg Summer.

'Dat logo op de schoorsteen.'

Iedereen tuurde naar de foto: een witte bloem was op de stompe goudkleurige schoorsteen geschilderd.

'Volgens mij is het een edelweiss,' zei Summer. 'Dat past wel bij de Oostenrijkse naam van het schip.'

'Dezelfde bloem zag ik op een vrachtschip dat afgemeerd lag in Madagaskar,' zei Dirk.

Het werd even stil in de computerruimte. Toen vroeg Gunn: 'Hiram, weet jij in welke soort mijnbouw dat bedrijf Habsburg Industries actief is?'

'Ze exploiteren een kleine goudmijn in Panama, dicht bij de grens met Colombia. Het bedrijf bemiddelt ook op de markt voor speciale ertsen, zoals samarium, lanthanum en dysprosium.'

'Zijn dat zeldzame mineralen?' vroeg Summer.

Gunn knikte. 'Ja, inderdaad. Opeens lijkt Habsburg Industries heel interessant.'

'Ik wil wedden dat het bedrijf in Madagaskar die zeldzame mineralen buit maakt,' zei Dirk. 'Onze onderzeeboot werd aangevallen toen we aan het werk waren in de buurt van de plek waar ze een gekaapt schip hebben laten zinken.'

'Wij zagen een schip op de zeebodem, in zo goede staat dat het kortgeleden gezonken moet zijn,' vulde Summer aan. 'Er was geen duidelijke schade aan de romp en de naam van het schip was opzettelijk onleesbaar gemaakt.'

'Jack Dahlgren heeft wat informatie verzameld en hij denkt dat het de bulkcarrier Norseman was,' zei Dirk. 'Dat schip is vier maanden geleden op de Indische Oceaan verdwenen, geladen met bastnasieterts uit Maleisië. En jullie begrijpen dat bastnasiet ook zeldzame mineralen bevat.'

'Kan dat Habsburgse schip in Madagaskar ook gekaapt zijn?' vroeg Summer.

Yeager bekeek het scheepsregister van Panama. 'Habsburg is eigenaar van vier schepen, allemaal bulkcarriers met de namen Graz, Innsbrück, Linz en Salzburg.'

'Wat is het verband met Oostenrijk?' vroeg Dirk

'De eigenaar van het bedrijf is een zekere Edward Bolcke, een mijnbouwingenieur uit Oostenrijk. Nergens vind ik een melding dat een van zijn schepen vermist wordt.'

'Dan is Habsburg Industries wel een belangrijke verdachte wat betreft de verdwijning van de Adelaide,' begreep Summer.

'De oplossing van het raadsel is bij die vier schepen te vinden,' zei Gunn.

Yeager boog zijn vingers boven het toetsenbord. 'Eens kijken wat we kunnen vinden.'

Summer haalde koffie voor iedereen, terwijl Yeager zijn computers liet speuren naar informatie over de vier schepen en de laatst bekende locaties. Het duurde bijna een uur voordat de resultaten duidelijk werden. Hij opende een digitale wereldkaart op het computerscherm, met allerlei kleurige stippen die aangaven welke havens de schepen hadden aangedaan.

'De blauwe stippen staan voor de Graz,' zei Yeager. 'Dat schip is nu kennelijk ergens bij Maleisië. De afgelopen drie weken is het gezien in Tianjin, Shanghai en in Hong Kong.'

'Dus die boot valt af,' zei Gunn.

'De gele stippen staan voor de Innsbrück. Drie weken geleden passeerde dat vrachtschip het Panamakanaal en acht dagen geleden werd het gesignaleerd in Kaapstad, Zuid-Afrika.'

'Allemachtig!' riep Dirk uit. 'Die schuit heb ik gezien in Madagaskar.'

'Duidelijk. Dan blijven de Linz en de Salzburg over. De Linz lag tien dagen geleden in een droogdok in Jakarta en is kennelijk nog altijd daar voor reparaties.'

'Die groene stippen geven de Salzburg aan?' vroeg Summer.

'Ja. Vorige maand lag het schip in de haven van Manilla, en het is vier dagen geleden door het Panamakanaal gegaan. Volgens de havendienst is het schip gisteren in New Orleans aangekomen.'

Yeager trok een gele lijn over de Pacific van Manilla naar Panama. Daarna tekende hij een rode driehoek op het oostelijk deel van de oceaan. 'De rode driehoek geeft de laatst bekende positie van de Adelaide aan, ongeveer zes dagen geleden.'

'Om elkaar te kruisen was er maar een kleine koerscorrectie nodig,' merkte Dirk op.

'De tijdstippen komen ook aardig overeen,' zei Gunn. 'De Salzburg moet vijf of zes dagen voor de aankomst bij het Panamakanaal in die omgeving zijn geweest, precies in de periode dat de Adelaide verdween.'

Yeager klikte terug naar een database. 'In het logboek van de Panama Canal Authority staat vermeld dat het schip afgelopen vrijdag om drie uur 's middags de sluizen passeerde. Misschien kan ik een archiefvideo vinden.'

Even later projecteerde hij een bewakingsopname van de sluis. In korrelig zwart-wit was een middelgroot vrachtschip te zien dat wachtte tot de sluiskolk volgestroomd was. Op de schoorsteen was duidelijk een geschilderde edelweiss te zien.

Dirk keek ingespannen naar het beeld. 'Kijk eens naar dat Plimsollmerk. Het schip ligt hoog op het water, dus de ruimen zijn leeg.'

'Je hebt gelijk,' zei Gunn. 'Als met deze boot de Adelaide werd gekaapt, dan is de lading niet aan boord gebracht.'

Yeager bracht het profiel van de Salzburg op het scherm. 'De Adelaide is zo'n dertig meter langer. Ze moeten een flink deel van de lading achtergelaten hebben toen ze het schip lieten zinken.'

'Daarvoor is het zeldzame erts te kostbaar,' zei Gunn. 'Nee, die boot drijft nog en is vermoedelijk naar een plek gebracht waar de lading gelost kan worden.'

'Maar waar dan?' vroeg Summer. 'Je hebt alle grote havens al gecontroleerd.'

'Het schip kan ergens in een particuliere haven liggen, zonder dat het officieel bekend is.'

'Er is nog een andere mogelijkheid,' zei Dirk, terwijl hij overeind kwam. 'Het wrak dat we bij Madagaskar zagen, de Norseman. De naam op de romp was uitgewist, en stel dat hetzelfde is gedaan met de Adelaide zodat het schip een andere identiteit heeft gekregen?'

Yeager en Gunn knikten instemmend en Dirk verzamelde zijn spullen. Toen hij naar de deur liep vroeg Summer: 'Waar ga je naartoe?'

'Panama. En jij gaat mee.'

'Panama?'

'Ja. Als de Salzburg achter de verdwijning van de Adelaide zit, dan moet iemand bij Habsburg Industries daar meer van weten.'

'Misschien, maar we weten helemaal niets van Habsburg Industries, en zelfs niet waar dat bedrijf ergens te vinden is.'

'Dat klopt,' beaamde Dirk, en hij keek verwachtingsvol naar Gunn en Yeager. 'Maar wel als we daar eenmaal zijn.'

56

De zweep knalde en iedereen in de buurt kromp ineen, bang voor een klap met de knoop aan het uiteinde. Af en toe was Johansson mild en liet hij de zweep alleen in de lucht knallen. Maar meestal richtte hij direct op de naakte huid van een dwangarbeider, en dat veroorzaakte een snerpende kreet van pijn. Er waren bijna zeventig mannen, als slaven geronseld op de gekaapte schepen die erts met zeldzame mineralen vervoerden. Nu moesten de mannen de grondstof naar verschillende zuiveringsplekken in de jungle dragen. Verzwakt door een regime van zwaar werken en schamel voedsel veranderden de zeelieden al spoedig in wezenloze werkers. De nieuw aangekomen gevangenen van de Adelaide keken met afschuw naar de haveloze werkers die gehuld in rafelige lompen terug staarden.

Pitt en Giordino begrepen meteen dat ze zo snel mogelijk een vluchtpoging moesten wagen.

'Ik ben niet onder de indruk van de medische verzorging die hier geboden wordt,' mompelde Giordino toen ze werden ingedeeld bij werkploegen die de lading van de Adelaide moesten lossen.

'Mee eens,' beaamde Pitt. 'We kunnen ergens anders naar beter werk zoeken.'

'Waarom die halsbanden?'

Pitt had ook gezien dat de dwangarbeiders allemaal een stalen ring om hun hals hadden, en iedereen die daarmee uitgerust was vermeed zorgvuldig buiten zijn aangewezen werkterrein te komen. Johansson liet zijn zweep weer knallen en de gevangenen van de Adelaide moesten naar een open plek marcheren. Er werd een tafel neergezet, met daarop een doos vol stalen halsbanden. Elke man kreeg een stalen band om zijn hals die met een slotje werd vergrendeld. Giordino's stierennek was bijna te dik voor een stalen band.

'Krijgen we ook nog een brandmerk?' vroeg hij aan de gewapende man die de band om zijn nek aanbracht. De man antwoordde alleen met een kille verwensing.

Toen iedereen een halsband om had beende Johansson voor de groep heen en weer.

'Voor het geval jullie dat nog niet weten: die banden zijn bescherming. En wel bescherming tegen ontsnappen.' Hij grijnsde boosaardig. 'Als je naar de kade kijkt, dan zie je witte lijnen op de grond geschilderd.'

Pitt zag de twee parallel getrokken fletse lijnen, die van de kade in de jungle verdwenen. 'Die witte lijnen volgen de grenzen van een terrein met het ertsdepot, de kraakinstallatie en jullie onderdak, en dat is jullie gebied. Onder die strepen lopen elektriciteitskabels en je krijgt een stroomstoot van 50.000 volt door de stalen halsband als je probeert over de witte strepen te komen. Anders gezegd: dan ben je dood. Zal ik demonstreren hoe het systeem werkt?'

De mannen bleven zwijgend staan, bang dat ze weer getuige moesten zijn van een executie.

Johansson lachte. 'Ik ben blij dat we elkaar goed begrijpen. En nu aan het werk!'

De bemanning van Gomez stelde de transportband op naar het voorste ruim van de Adelaide en ze begonnen de lading monaziet te lossen. De erts werd vervoerd naar een betonnen platform binnen de witte lijnen en al spoedig vormde zich daar een spitse berg. Een paar vermoeide dwangarbeiders brachten scheppen en karretjes met rubberbanden en de nieuwe slaven gingen aan het werk. Plugard en zijn team van de kustwacht werden aangewezen om te scheppen, Pitt, Giordino en de anderen kregen de minder zware taak de volgeladen karretjes naar de malerij te duwen en daar te legen.

De tropische hitte en de hoge luchtvochtigheid eisten al snel een zware tol van de mannen en hun kracht vloeide weg. Pitt en Giordino werkten zo langzaam mogelijk om hun energie te sparen, maar toch droop het zweet van hun gezichten. Telkens hoorden ze het knallen van de zweep, om de mannen aan te sporen.

Giordino had met zijn gewonde been moeite de karretjes te duwen. Hij bewoog onvast en duwde zijn kar telkens een klein stukje vooruit, op korte afstand gevolgd door Pitt. Opeens dook Johansson op uit de jungle. Zijn zweep knalde weer en de leren riem raakte Giordino's onderarm. Ondanks een rode striem reageerde Giordino alsof hij door een mug was gestoken en hij keek Johansson met een scheve grijns aan.

'Waarom is jouw kar maar half gevuld?' schreeuwde de Zweed en een paar bewakers kwamen snel naast hem staan.

Pitt zag de blik in Giordino's ogen en hij wist dat zijn kameraad zich niet zou beheersen. Met die twee bewakers naast Johansson zou dat een zinloze actie zijn. Pitt duwde zijn karretje naar voren tegen Giordino, om hem te waarschuwen dat hij kalm moest blijven. Giordino keerde zich naar Johansson en toonde het bloederige verband om zijn dijbeen.

'Zielig doen om een wondje?' zei Johansson schamper. 'Vul die kar de volgende keer tot de rand, anders ziet je andere been er straks ook zo uit.' Hij wendde zich naar Pitt en dreigde met de zweep. 'En dat geldt ook voor jou.'

De zweep raakte Pitts been. Evenals Giordino negeerde hij de stekende pijn en keek smalend naar Johansson. Deze keer gaf Giordino hem een por en de twee mannen duwden hun karren verder, terwijl Johansson zijn aandacht op de volgende dwangarbeiders richtte.

'Ik weet wel wat ik met die zweep zou willen doen,' zei Pitt.

'Dat weten we allebei, vriend.'

Ze leegden hun karren bij de ertsmolen en keerden terug naar de kade, intussen probeerden ze de indeling van het kampement te bepalen. Vier lange, lage gebouwen verrezen achter de ertsmolen, en daar werden de zeldzame metalen afgescheiden van het erts. Een eind verder was door het gebladerte vaag een hoger gebouw zichtbaar, het verblijf van de bewakers en ander personeel. De gevangenen hadden slaapplaatsen in een barak aan de andere kant van de ertsmolen. Het was een open gebouw, met een eetgedeelte aan de ene kant, en omheind door een drie meter hoge muur met prikkeldraad aan de bovenkant. Nog verder verborgen in de jungle en een eind voorbij de witte strepen was een kleine krachtcentrale waar elektriciteit werd opgewekt voor de machines.

De gevangenen werkten tot de avondschemering en tegen die tijd konden ze amper op hun benen staan van vermoeidheid. Toen Pitt zijn lege kar terug duwde hoorde hij een schelle kreet bij de kade. Een van

Plugards mannen was gestruikeld toen hij een schep pakte en hij viel dicht bij de witte streep. Voordat hij weg kon rollen schoot er een stroomstoot door zijn lichaam. De man sidderde hevig en zijn hart bonsde wild, maar hij overleefde de elektrische schok en was een waarschuwing voor alle anderen.

Pitt en Giordino sjokten naar het eetgedeelte bij hun slaapverblijf toen het begon te regenen. Het met palmbladeren bedekte dak lekte overal. Ze kregen brood en een kom waterige soep, die ze meenamen naar een tafel. Twee vermagerde mannen kwamen bij hen zitten.

'Ik ben Maguire, en dit is mijn maat, Brown,' zei een van hen met een Australisch accent. Zijn haar was een ragebol en hij had een slordige baard. 'Wij voeren op de Gretchen. Komen jullie van de Labrador?'

'Ja, maar de boot heette Adelaide toen we daar aan boord gingen.' Pitt stelde zichzelf en Giordino aan het tweetal voor.

'Dit is de eerste keer dat ik hier een gekaapt schip zie,' zei Maguire. 'Meestal roven ze de lading en laten de boot dan zinken. Dat hebben ze ook met de Gretchen gedaan, in de buurt van Tahiti. Wij werden bestraald met hun duivelse microgolvenapparaat en ze hadden ons schip onder controle voordat we beseften waardoor we geraakt waren.'

'Leek dat apparaat op een grote, vierkante schotel?' vroeg Pitt.

'Ja, weet jij wat het is?'

'We denken dat het afgeleid is van een systeem dat door het leger wordt gebruikt om mensenmassa's in bedwang te houden. Het wordt Active Denial System genoemd, afgekort ADS.'

'Wat de naam ook mag zijn, het is een rotding.'

'Hoe lang zijn jullie al hier?' vroeg Giordino.

'Ongeveer twee maanden. Jullie zijn de tweede scheepsbemanning die we zagen komen. Onze groep is nogal uitgedund door uitputting,' zei hij op gedempte toon. 'Veel water drinken, dan red je het wel. Gelukkig is het water niet op rantsoen.' Hij sopte een harde broodkorst in zijn laatste restje soep.

'Het is misschien een domme vraag, maar waar zijn we hier ergens?' vroeg Pitt.

Maguire lachte. 'Dat is altijd de eerste vraag. Je bent in de hete, regenachtige, ellendige jungle van Panama. Maar waar precies in Panama weet ik ook niet.'

'Maguire is bevriend geraakt met een van de bewakers,' zei Brown.

'Die lieden krijgen af en toe verlof en gaan per boot naar Colón, dus we moeten dichter bij de Atlantische Oceaan zijn.'

Maguire knikte. 'Sommige jongens denken dat we in de Canal Zone zijn, maar zeker weten we het niet, want we komen nooit buiten dit gebied. De baas komt en gaat per helikopter, dus de beschaafde wereld moet wel een eind weg zijn.'

'Is iemand ooit ontsnapt?' vroeg Giordino. 'Er zijn toch veel meer gevangenen dan bewakers?'

Beide mannen schudden hun hoofd. 'Ik heb enkele ontsnappings-pogingen gezien,' zei Brown. 'Maar zelfs als je voorbij de dodelijke lijnen komt, dan komen ze je achterna met jachthonden.' Hij keek naar de rode striem op Giordino's onderarm. 'Kreeg je een tikje met de zweep?'

'Nou... een nogal harde mep,' antwoordde Giordino.

'Johansson is gestoord, dat is zeker. Blijf zo veel mogelijk uit zijn buurt.'

'Wie is de grote baas van dit complex?' vroeg Pitt.

'Ene Edward Bolcke. Een genie op het gebied van mijnbouw. Hij heeft zijn huis een eindje verder.' Maguire wees naar de kade. 'Dit hele bedrijf heeft hij hier opgezet om zeldzame mineralen te winnen uit erts. Ik heb begrepen dat hij een belangrijke speler is op de wereldmarkt, en dat hij vooral zaken doet met China. Een van de werkers bij de extractie beweert dat hier jaarlijks voor een kwart miljard dollar aan zeldzame mineralen wordt verwerkt. En het meeste is gestolen.'

Giordino floot veelbetekenend. 'Dan moet hij aardig winst maken.'

'Voor de extractie van die mineralen worden toch veel chemicaliën gebruikt?' vroeg Pitt, die nog steeds piekerde over een ontsnappings-mogelijkheid.

'En zwaar giftig, mag ik hopen,' merkte Giordino op.

'Ja, maar dat is buiten ons bereik,' zei Maguire. 'Het serieuze werk wordt allemaal gedaan in de gebouwen buiten ons afgeschermde gebied. Wij zijn maar werkezels. We laden en lossen de schepen en we werken bij de ertsmolen. Wilde je soms met vuur spelen?'

'Zoiets, ja.'

'Vergeet dat maar. Brown en ik hebben daar weken over nagedacht, maar we hebben te veel goede kerels zien sterven als ze probeerden te ontsnappen. Dit complex zal binnenkort wel ontmanteld worden, en tot dat moment moeten we hier volhouden.'

Een rij lampen boven hen knipperde even.

'Dat is het sein dat over vijf minuten de lichten uit gaan,' zei Maguire. 'Je doet er verstandig aan nu een slaapplaats te zoeken.'

Hij leidde ze naar een grote zaal waar rotan slaapmatten lagen. Pitt en Giordino kozen een plek en gingen liggen. De andere dwangarbeiders zochten ook hun slaapplaats en de lichten werden gedoofd. Pitt negeerde de klamme benauwdheid en de harde vloer onder zijn matje. Hij lag in het donker en peinsde over een manier om weg te komen uit dit dodenkamp. Hij sukkelde in slaap zonder een antwoord te hebben, maar ook zonder te weten dat zich veel eerder dan hij dacht een kans zou voordoen.

57

De dwangarbeiders bleven geschrokken staan toen ze het ronken van een landende helikopter hoorden. Johansson commandeerde de mannen met zijn zweep meteen weer aan het werk, en de hoop dat een gewapende groep de gevangenen kwam bevrijden was vervlogen.

Het was Bolcke in eigen persoon en hij kwam uit Australië, waar hij de laatste stappen had gezet voor de overname van het Mount Weld mijnbedrijf. Bolcke stapte uit de helikopter en negeerde een gereedstaand golfkarretje. Met grote passen en gevolgd door twee gewapende lijfwachten liep hij naar de kade.

Een haveloze groep dwangarbeiders, ook Pitt en Giordino, was bezig het laatste ruim van de Adelaide te lossen toen Bolcke op de kade verscheen. Hij keek misprijzend naar de slaven en even kruiste zijn blik die van Pitt. Op dat moment dacht Pitt dat hij in de psyche van de Oostenrijker keek. Hij zag een vreugdeloze man, zonder enige compassie, ethiek of zelfs een ziel.

Bolcke keek met een kille blik naar de berg erts voordat hij het schip inspecteerde. Hij wachtte even op Gomez, die aan boord was en haastig naar de loopplank kwam.

'Is de lading wat wij ervan verwachten?' vroeg Bolcke.

'Ja, dertigduizend ton gekraakt monazieterts. Dit is het laatste deel.' Hij wees naar de berg erts.

'Nog problemen gehad met de overname?'

'De rederij stuurde een extra beveiligingsteam. Maar we konden de heren zonder moeite overmeesteren.'

'Dus er werd al een aanval verwacht?'

Gomez knikte. 'Gelukkig kwam dat team pas toen wij het schip al hadden gekaapt.'

Een zorgelijke trek verscheen op Bolcke's gezicht. 'Dan moeten we dit schip laten verdwijnen.'

'Nadat we de identiteit op volle zee veranderden konden we zonder lastige vragen het kanaal in varen,' zei Gomez.

'Ik kan het risico niet nemen. Ik werk nu aan een belangrijke transactie met de Chinezen. Wacht drie dagen en zorg dat dit schip dan spoorloos verdwijnt.'

'Er is een sloopwerf bij Sao Paulo, en daar wordt veel betaald voor schroot.'

Bolcke dacht even na. 'Nee, dat is het risico niet waard. Haal de waardevolle zaken van boord en laat de boot zinken in de Atlantische Oceaan.'

'Zoals u wilt.'

Pitt treuzelde bij de berg erts en spitste zijn oren om het gesprek af te luisteren terwijl zijn ertskar werd gevuld. Hij zag dat Bolcke zich van Gomez af wendde en in de richting van zijn villa liep, terwijl Gomez weer aan boord ging.

'De Adelaide vaart over enkele dagen weg,' zei Pitt tegen Giordino. 'En voor vertrek wil ik aan boord zijn.'

'Goed idee, want ik wil hier niet eindigen als een tosti.' Hij tikte op de stalen band om zijn hals.

'Ik heb een theorie over onze halsbanden,' zei Pitt, maar hij zweeg toen Johansson uit de struiken opdook en zijn zweep liet knallen.

'Doorlopen!' schreeuwde hij. 'Bij de ertsmolen staan ze al te wachten.'

De dwangarbeiders bewogen sneller en niemand maakte oogcontact met Johansson.

De Zweed beende over de kade tot hij Giordino zag, hinkend achter een volgeladen karretje. De zweep knalde weer en raakte de bovenkant van Giordino's dijbeen. 'Jij daar, doorwerken!'

Giordino keek om met een blik die verf kon laten afbladderen. Zijn knokkels werden wit toen hij het karretje weer verder duwde alsof het een leeg winkelwagentje was. Johansson grijnsde toen hij het vertoon van spierkracht zag en liep toen weg om een ander groepje werkers uit te kafferen.

Pitt volgde Giordino over het pad naar de ertsmolen. Evenwijdig langs het pad liepen de witte strepen en Pitt stuurde het karretje voorzichtig meer naar de eerste lijn. Toen hij op een meter genaderd was voelde hij een tinteling bij zijn halsband. Met een snelle stap was hij op het karretje dat verder rolde. Meteen verdween het tintelende gevoel. Pitt stuurde het karretje terug naar het pad en toen hij met een voet afzette voelde hij een lichte schok. Met een tevreden grijns op zijn gezicht haalde hij Giordino weer in. Tijdens een korte lunchpauze aten ze een kom koude vis en daarna werden de mannen naar de ertsmolen geleid, waar ze de taak kregen erts in de machine te laden. De molen was een grote, metalen cilinder, die horizontaal op rollen draaide. Aan de ene kant werd gekraakt erts ingevoerd en in de wentelende ketel werd het erts verpulverd door zware ijzeren kogels tot het bijna poeder was dat aan de andere kant weer naar buiten kwam. De molen rommelde en knarste als een overmaatse wasmachine met knikkers in de trommel.

De ruwe erts was van de kade hierheen gebracht en lag in grote bergen naast de open zijde van het gebouw. Via een korte transportband werd de erts naar een verhoogd platform boven de ertsmolen gevoerd. Daar werd de grondstof in de molen geschept. Een bewaker gaf Pitt opdracht op het platform te klimmen en erts in de molen te scheppen. Giordino en een andere arbeider schepten de erts op de lopende band.

Het werk was minder zwaar dan het duwen van de karretjes. Het duurde enige tijd voordat de erts gemalen was en dan konden de werkers even pauzeren. Tijdens een van de korte pauzes kwam Johansson naar de molen. Hij bleef even kijken bij de andere kant van het gebouw waar mannen bezig waren het poeder in karretjes te scheppen voor de volgende fase in de verwerking.

De bewaker van de molen liep naar Johansson en ze spraken kort met elkaar over de voortgang.

Een paar minuten later liep Johansson langs de molen, deze keer zonder de zweep in zijn hand. De geduchte riem was opgerold aan zijn broekriem bevestigd. Toen hij bij de invoer kwam zag hij Giordino en de andere dwangarbeider op een berg erts zitten. Johanssons gezicht werd rood en zijn ogen puilden uit van woede.

'Ga staan!' brieste hij. 'Waarom werken jullie niet?!'

'De molen is vol,' zei Giordino en hij wees naar de draaiende cilinder. Hij bleef zitten, maar zijn maat sprong meteen overeind.

'Ik zei: ga staan!'

Giordino probeerde overeind te komen, maar zijn gewonde been vond geen steun en hij zakte op zijn knie. Johansson schoot naar voren en greep Giordino vast. Met zijn andere hand pakte Johansson een schep die in de erts stak en zwaaide ermee. De Zweed mikte op Giordino's manke been. Het blad van de schep sloeg hard tegen het dijbeen, net boven de wond. Giordino zakte in elkaar en er begon bloed uit de weer open gesprongen wond te sijpelen.

Vanaf het platform had Pitt gezien wat er dreigde te gebeuren, maar hij kon niet snel genoeg reageren. Met zijn eigen schep in zijn handen sprong hij van het platform. Hij viel in de richting van Johansson, maar was te ver om boven op hem te springen. Pitt strekte zijn arm uit en zwaaide de schep met een snijdende beweging naar Johanssons hoofd.

De schep miste het hoofd van de opzichter, maar raakte hard zijn rechterschouder. Johansson trok een grimas en tolde om toen de schep wegkaatste en Pitt op de grond belandde. Johansson haalde uit met de schep die hij nog steeds vasthield. Pitt moest zich achterover laten vallen en werd in zijn zij geraakt terwijl hij naar de ertsmolen rolde.

Johansson kwam hem als een dolle achterna en hief de schep om een vernietigende slag op Pitts hoofd te geven. Pitt rolde onder de draaiende tandwielen van de ertsmolen en de schep sloeg naast hem tegen te grond. Pitt greep de houten steel om een volgende slag te verhinderen. Johansson probeerde de schep weg te rukken, maar zijn linkerarm was verdoofd en krachteloos door de klap die hij eerder van Pitt had gekregen. Hij veranderde van tactiek en drukte de steel naar beneden terwijl hij naar Pitt dook.

De grote Zweed woog dertig kilo meer dan Pitt en hij belandde als een rotsblok boven op hem. Door de impact werd de lucht uit Pitts longen gedreven. Johansson wist de steel van de schep tegen Pitts keel te duwen en hij drukte uit alle macht om zijn slachtoffer te verstikken.

Pitt worstelde om de steel weg te krijgen, maar hij zat klem in een moeilijke houding. De houten steel drukte steeds harder tegen zijn keel en Pitt keek naar een groot zoemend tandwiel van de ertsmolen boven hem. Pitt kronkelde en draaide, in een poging Johansson tegen het tandwiel te duwen, of in elk geval zijn grip op de steel van de schep te breken.

Het was tevergeefs. Johansson bleef loodzwaar op hem zitten en perste uit alle macht het leven uit Pitt.

Een bonzend gevoel dreunde in Pitts hoofd en hij snakte naar adem.

Hij werd wanhopig en zijn rechterhand liet de steel los. Hij tastte naar het wapen dat de Zweed aan zijn riemholster droeg. Maar de holster zat bij de andere heup van Johansson. Pitt graaide naar de zweep die vastgeklikt was aan de riem. Pitt trok de zweep los, maar hij voelde zijn krachten afnemen en zag alleen nog sterren en lichtflitsen, zodat hij niet goed meer kon zien.

Een dof geluid klonk in zijn oren en de verstikkende steel drukte heel even minder tegen zijn keel. Giordino was dichterbij gekropen en bekogelde Johansson met keien en brokken erts. Een steenklomp smeet hij met al zijn kracht en die raakte Johansson achter zijn oor. De Zweed gromde en keerde zich naar Giordino, maar hij moest wegduiken omdat er opnieuw een kei naar hem gegooid werd.

Die afleiding gaf Pitt de kans om adem te halen en meteen kon hij beter zien. Gebruikmakend van het moment sloeg hij de leren riem van de zweep om Johanssons nek. De Zweed liet de schep los en sloeg met zijn rechtervuist tegen Pitts hoofd. Die kon de aanval niet afweren omdat hij het handvat van de zweep omhoog hield. De vuistslag raakte zijn gezicht op het moment dat Pitt de karabijnhaak van de zweep tussen de draaiende tandwielen van de ertsmolen stak. Door de slag raakte Pitt bijna bewusteloos, maar hij was nog alert genoeg om te zien dat de riem van de zweep werd aangetrokken om Johanssons nek en dat de man omhoog werd gesleurd. Johansson kon zich niet losrukken en het grote draaiende tandwiel droeg hem mee naar boven. De Zweed slaakte een schorre kreet toen hij aan zijn nek in het aandrijfmechaniek werd gesleurd. De 800 pk sterke motor van de ertsmolen dreef een vliegwiel aan, en hoewel Johansson vocht om te ontsnappen, werd hij steeds verder tussen de draaiende tandwielen getrokken. De in elkaar grijpende stalen tanden beten eerst door de leren riem en daarna door het vlees van Johanssons nek. Zijn geschreeuw verstomde en aan de andere kant van de ertsmolen sproeiden rode stralen in alle richtingen. De ertsmolen leek te haperen en draaide minder snel, maar even later was het toerental weer normaal. Onder het mechaniek vormde zich op de grond een donkerrode plas bloed, dat uit het onthoofde lichaam stroomde.

Pitt krabbelde overeind. De bewaker aan de andere kant van de ertsmolen was gealarmeerd en kwam aanrennen.

'Jij hebt die machine deze keer wel grondig gesmeerd,' grinnikte Giordino ondanks zijn pijnlijke been.

'Bedankt voor je hulp.' Pitt kwam snel naar hem toe. 'Gaat het?'

'Ja, maar mijn beenwond is weer open. Dus je kunt beter alleen vluchten.'

De bewaker schreeuwde naar Pitt en maakte aanstalten om zijn wapen te trekken.

Pitt knikte naar zijn kameraad. 'Ik kom weer terug.' Hij dook onder de transportband toen een salvo pistoolschoten weergalmde door de loods. Giordino gooide een handvol ertskorrels voor de bewaker die op Pitt af kwam. De man had alleen aandacht voor Pitt en gleed uit over de korrels. Pitt maakte van de gelegenheid gebruik en rende aan de andere kant van de transportband langs de loods. Een kogelregen werd op hem af gevuurd, maar hij was al om de hoek van het gebouw verwenen en dook weg in de struiken. Omdat hij gevangen zat op een afgeschermd terrein had hij niet de illusie dat hij zich lang kon verstoppen. De pistoolschoten hadden al de aandacht getrokken van andere bewakers in de buurt.

Pitt werkte zich door de begroeiing tot hij bij het pad voor de karren kwam. Hij rende zo snel als zijn verzwakte benen hem konden dragen naar de kade waar de laatste berg erts lag. Plugard en enkele van zijn mannen waren bezig erts in karretjes te scheppen.

Zodra hij aan het einde van het pad kwam hield Pitt zijn adem in, in de wetenschap dat er maar een manier was om te ontsnappen. En bij de scheppende mannen zag hij wat hij nodig had. Met hernieuwde kracht versnelde hij zijn passen en hij duwde de gedachte weg dat het zijn dood werd als hij zich vergiste.

58

Plugard keek op, met een schep erts in zijn handen, toen Pitt heftig wijzend kwam aanrennen over het pad.

'Ik heb er een nodig!' schreeuwde Pitt.

Plugard keek over zijn schouder en zag drie ertskarretjes staan. De mannen deden een stap opzij toen Pitt bij ze was. Zonder te stoppen duwde Pitt een half gevuld karretje in de richting van de kade.

'De witte strepen!' waarschuwde Plugard, maar Pitt maakte een afwerend gebaar en duwde het karretje uit alle macht vooruit. Op de kade stond een bewaker die met zijn walkietalkie bezig was en pas op het laatste moment zag dat Pitt met het karretje naar de witte lijnen rende. De bewaker richtte zijn AK-47 op Pitt en vuurde een korte salvo af.

Het slecht gerichte schot deed alleen stof achter Pitts voeten opwaaien en hij duwde nog harder tegen het karretje. De voorste wielen van het ertswagentje kruisten de eerste witte lijn en Pitt voelde een lichte tinteling bij zijn hals. Het karretje reed door en Pitt sprong erin toen het tintelende gevoel heviger bij zijn keel werd.

De achterste wielen van het karretje kruisten de witte lijn. Vijftigduizend volt zouden nu door zijn halsband jagen en hem meteen doden. Maar de elektrische lading moest zich een weg banen van de grond naar de stalen halsband. De dikke rubberbanden van het ertswagentje lieten de sterke stroom niet door en het akelig tintelende gevoel verdween bij Pitts nek.

Gelukkig was het terrein vlak en het karretje bleef rollen, ook over de tweede witte lijn en reed vervolgens over de kade. Weer klonk een salvo geweervuur, en Pitt dook dieper weg in het karretje. Kogelgaten verschenen net boven zijn hoofd in de wanden van het karretje omdat de bewaker nu beter kon richten. Pitt werd geraakt door brokken van een exploderende klomp erts, maar raakte niet gewond.

Het karretje reed over de kade en botste tegen de verhoging voor de waterkant. Pitt zag dat de Adelaide daar afgemeerd lag. Als een duveltje uit een doosje werd hij uit het karretje gelanceerd en viel met plons in het water.

De bewaker op de kade was zo verrast dat hij pas vuurde toen Pitt al verdwenen was. De man draafde naar de rand van de kade en richtte zijn wapen op de cirkels in het water, wachtend tot Pitt weer boven kwam.

Pitt was dicht bij de achtersteven van de Adelaide in het water gevallen. Hij dook zo diep mogelijk om daarna om te keren en naar de achtersteven te zwemmen. In het troebele water was toch enig zicht en Pitt volgde de romp naar de spitse achtersteven tot hij de bronzen scheepsschroef zag.

Als ervaren duiker wist hij wat hij moest doen en hij kon zijn adem meer dan een minuut lang inhouden. Hij zwom nog enkele slagen verder langs het schip en weg van de kade. Hoewel hij nog een eind verder kon zwemmen pauzeerde hij even en liet zich met een enkele zwemslag naar de oppervlakte drijven om lucht te happen.

Pitts hoofd kwam boven water en hij zwom een paar slagen naar de overkant van de baai, voordat hij weer ademhaalde om daarna meteen weer onder water te duiken. Maar toen een tweede salvo kogels in zijn richting werd afgevuurd, probeerde hij zo snel mogelijk weer naar het schip te zwemmen.

Pitt zwom naar de kade, maar de bewaker had de schijnbeweging begrepen en vuurde steeds gerichter.

De schutter riep naar twee andere bewakers die kwamen aanrennen. 'Let op de overkant. Hij zwemt daar!'

De twee bewakers renden naar de andere kant van de lagune, terwijl ze scherp naar het water tuurden om te zien waar Pitt weer boven zou komen.

Maar hij was al terug bij de Adelaide en zwom langs de romp. Het was een eind zwemmen langs het schip en Pitt bleef het grootste deel van de tijd onder water, en maar heel soms kwam hij aan de oppervlakte om adem te halen. Toen hij bij de relatieve dekking van de boeg kwam keek hij langs de beide zijden van het schip. Bewakers met honden kwamen uit de jungle aan de overkant van de lagune. Op de kade stond de bewaker die op Pitt geschoten had te praten met een collega en hij wees telkens naar het water.

Pitt zag amper plekken waar hij dekking had en op deze plek kon hij niet lang blijven. Een eindje voor de vrachtboot lag een sloep afgemeerd. De boot was gezekerd met een dikke ketting. Tussen de twee schepen was een roestige ladder naar de kade. Pitt kreeg een ingeving. Hij dook weer onder water en zwom naar de onderkant van de ladder. Terwijl hij zich langs de treden omhoog werkte keek hij over de rand van de kade en zag twee bewakers in zijn richting rennen.

Hij liet zich langs de ladder naar beneden zakken, verbaasd dat ze hem hadden gezien.

Toen hij weer onder water wilde duiken hoorde hij het geluid van laarzen op metaal. Hij keek weer en zag de mannen over de loopplank van de Adelaide rennen, op weg naar het achterdek. Ze hadden hem dus kennelijk toch niet gezien boven aan de ladder.

Nu was er niemand op de kade en Pitt greep zijn kans. Hij rende over de kade en zag een berghok bij de sloep. Even overwoog hij weer door het water te vluchten. Er zou gereedschap in het berghok liggen en daarmee kon hij de ketting van de sloep losmaken. Maar om ongezien bij het hok te komen moest hij een omweg door de struiken maken.

Hij bereikte de rand van de jungle en volgde een smal voetpad. Toen Pitt om een dikke ceder liep botste hij pardoes tegen een man die in tegenovergestelde richting rende. Beide mannen vielen door de klap op de grond, maar Pitt reageerde als eerste. Hij sprong overeind, maar bleef staan toen hij de ander herkende. Bolcke, in een nette pantalon en een poloshirt kwam moeizaam overeind. De Oostenrijker was wel trager, maar hij greep snel zijn walkietalkie en sprak in het apparaat. 'Johansson, die ontsnapte slaaf is op de noordelijke kade.'

Pitt schudde meewarig zijn hoofd. 'Helaas, die John de Zweepman zal de telefoon nooit meer opnemen.'

Bolcke staarde Pitt aan toen er geen antwoord kwam na zijn oproep. Een andere stem kraakte uit de walkietalkie die gejaagd Spaans sprak tegen Bolcke. De Oostenrijker luisterde niet en bleef strak naar Pitt kijken.

'Blijf waar je bent.'

'Nou nee,' antwoordde Pitt. 'Ik wil eerst een kijkje nemen in jouw sadistische hotel.' Pitt hoorde stemmen en geluiden bij de kade en op het pad dat kennelijk naar de woning van Bolcke leidde.

'Je wordt opgejaagd en meteen neergeschoten.'

'Nee, Edward Bolcke,' zei Pitt, met een minachtende blik op de oude mijningenieur. 'Ik zal terugkomen om je op te halen.'

Hij draaide zich snel om en dook weg in de jungle, net op tijd uit het zicht van de naderende groep bewakers. Toen de mannen Bolcke zagen renden ze naar hem toe.

'U meldde dat u een ontsnapte slaaf zag?' vroeg een van de bewakers. Bolcke knikte en wees naar de struiken waar Pitt verdwenen was. 'Laat alle bewakers vanaf dit punt zoeken,' zei hij. 'Ik wil die slaaf binnen een uur zien. Dood.'

59

Twijgen knapten en takken zwiepten waar Pitt zich een weg baande door de dichte jungle. Hij wist niet hoeveel mannen jacht op hem maakten, en omdat hij toch niet geluidloos en onopgemerkt kon vluchten probeerde hij alleen nog maar zo snel mogelijk vooruit te komen.

Hij volgde de strook begroeiing tussen de kade aan de ene kant en de weg naar Bolcke's huis aan de andere kant. Toen de struiken minder dicht werden en hij een paar witte strepen op de grond zag, begreep hij dat hij van richting moest veranderen. Hij bewoog evenwijdig aan de weg door de struiken en dook tussen de varens toen een golfkarretje met daarin enkele bewakers voorbij zoefde. Zodra het voertuig uit het zicht was stak hij de weg over en verdween in de dichte struiken. Na enkele tientallen meters bleef hij met een ruk staan. Achter een rotsige rand strekte het meer zich voor hem uit. Pitt begreep dat het huis van Bolcke op een klein schiereiland was gebouwd. Zijn enige hoop was dat hij ongezien langs de rand van het schiereiland kon komen en naar het gebied daarachter kon vluchten.

Hijgend ging hij verder en kwam bij een van de extractie-installaties. Hij sloop naar de hoek van het gebouw en zag een bewaker wachtrondes lopen. Pitt liet zich op de grond vallen en kroop een paar meter verder. Vervolgens kwam hij snel overeind en zette koers naar de jungle. Tegen de stam van een boom leunend liet hij zich zakken om uit te rusten.

Maar zijn rust werd meteen verstoord door het geblaf van honden die in zijn richting kwamen en hij vluchtte weer verder.

Pitt had gezien dat bewakers patrouilleerden met dobermanns en Duitse herders, maar die gedachte verdreef hij snel. Pitt hoorde aan het felle geblaf dat de honden bij de extractiewerkplaats waren en hij besefte dat hij een flinke voorsprong had. Hij hoopte maar dat de honden geen duidelijk spoor van hem konden volgen. Maar Pitts natte voetstappen op de kade hadden de honden al op zijn spoor gezet en de bewakers lieten twee honden los om op jacht te gaan. Drie andere honden bleven aangelijnd, zoekend en snuivend om het geurspoor niet kwijt te raken.

Pitt rende zo snel hij kon. Prikkende bladeren en scherpe takken streken langs zijn gezicht en kleren terwijl hij zich een weg baande door de begroeiing. Het aanhoudende blaffen van de honden joeg hem voort en verdoofde de pijn. Door het slechte eten van de laatste dagen namen zijn krachten snel af en hij voelde zich vermoeider dan hij gewend was. Maar Pitts mentale kracht bleef ongebroken en hij dwong zichzelf vol te houden, ondanks de moeheid en pijn.

Wilskracht of niet, het was onmogelijk de honden voor te blijven. De dieren waren veel sneller. Het onafgebroken geblaf klonk steeds luider en Pitt bleef staan om een puntige tak op te rapen. Hij liep naar een open plek en had amper de tijd zich om te draaien, toen twee grote dobermanns achter elkaar uit de struiken tevoorschijn kwamen en hem besprongen. Pitt was te laat om de voorste hond te spietsen met de scherpe tak. Hij gebruikte de tak afwerend en drukte ermee tegen de keel van de hond die naar zijn oor hapte. Pitt duwde de hond opzij, maar de tweede hond viel hem ook al aan. Pitt dook weg voor de scherpe tanden die bij zijn hals blikkerden. Elk moment verwachtte hij dat het vlees van zijn botten werd gescheurd, maar de hond beet alleen krachteloos in zijn schouder en Pitt kon het dier van zich af schudden. Hij zag de ogen van de hond levenloos verstarren en het dier bleef onbeweeglijk liggen. De eerste hond hervatte de aanval en sprong weer happend naar Pitts hals. Terwijl de hond naar hem op sprong hoorde Pitt twee doffe geluiden en hij zag een paar rode vlekken verschijnen op de borst van de dobermann. De geopende kaken van het dier verslapten en Pitt kon de hond met de stok weg duwen. De tweede hond viel dood naast de andere op de grond.

Pitt wist dat het niet de goddelijke voorzienigheid was die de honden had gedood en hij draaide zich snel om, spiedend naar de oorzaak. Hij zag beweging in het gras en begon nieuwsgierig in die richting te lopen.

Een kleine, magere man kwam overeind uit het gras en liep Pitt tegemoet. Zhou Xing droeg legerkleding en soldatenlaarzen. Een camouflagehoed was diep over zijn ogen getrokken. In zijn handen hield hij een AK-47, en er kringelde nog rook uit de loop die voorzien was van een geluiddemper. Met een onverstoorbare uitdrukking op zijn gezicht keek hij naar Pitt en liep naar een van de dode honden. 'Vlug, naar het ravijn,' zei hij in gebrekkig Engels. Hij greep de halsband van de dobermann en sleepte het dode dier naar de afgrond. Daarachter was een smal ravijn, met in de diepte een beekje tussen de varens. Zhou sleepte de hond naar de rand en gooide het kadaver in de diepte. De hond tuimelde naar beneden en verdween tussen de varens.

Pitt haalde diep adem en sleepte de andere dode Dobermann naar de rand. Zodra hij de hond in de diepte had laten verdwijnen volgde hij de Chinees naar een geïmproviseerd kampement, verscholen op de helling.

'Wat doe jij hier?' vroeg Pitt, nog alert op het hondengeblaf in de verte.

'Noem het maar een zakelijk bezoek,' zei Zhou, en hij pakte een laptop van een boomstronk. Hij klapte hem dicht en stopte het apparaat in een rugzak. Maar voordat het scherm dichtgeklapt werd, zag Pitt dat er een overzichtspagina van video's werd afgebeeld met opnamen van Bolcke's privédomein. De Chinees had kleine, draadloze camera's in de omgeving geplaatst om de bewegingen van de bewakers en andere activiteiten te registreren.

'U moet vluchten,' zei Zhou terwijl hij zijn kampement opruimde. Hij rolde zijn slaapzak op en propte een muskietennet in zijn rugzak.

Een tweede rugzak, veel groter en met geopende klep, stond bij Pitts voeten. Hij zag in de rugzak enkele ontstekers en pakketjes rood, kleiachtig materiaal. Pitt had genoeg ervaring met onderwaterexplosieven om het als Semtex te herkennen. Zhou gaf Pitt een reep en een veldfles uit de rugzak, en hing die daarna om zijn schouders. Daarna verspreidde hij bladeren op de plek waar hij de vorige nacht had geslapen. Hij raapte de andere rugzak op en keek meewarig naar Pitt toen hij zag dat de klep van de rugzak nog open was.

'Ga nu,' zei hij. 'Ze zijn minder dan tien minuten bij ons vandaan.'

'Wanneer blaas je de gebouwen op?' vroeg Pitt. Zhou keek hem uitdrukkingsloos aan. De Amerikanen werden altijd gezien als de vijand. Maar Zhou had bewondering voor deze man, omdat hij via zijn video-

camera's had gezien hoe hij had weten te ontsnappen. Zhou had werk-
kampen in China bezocht, en hij voelde walging over het slavenwerk
bij Bolcke.

'Dat gebeurt over tweeëntwintig uur,' zei Zhou.

'En de gevangenen?'

Zhou haalde zijn schouders op, en nonchalant richtte hij zijn geweer
op Pitt.

'Het is nu tijd om te gaan. Loop naar het westen, dan loop ik naar
het oosten.' Hij wees naar de jungle. 'En volg mij niet.'

Pitt keek naar de donkere ogen van Zhou in zijn strakke gezicht. In
zijn blik was een verborgen intelligentie en compassie te zien.

'Bedankt,' zei Pitt.

Zhou knikte zwijgend en verdween in de jungle.

60

Yaeger stond nog voor het enorme videoscherm toen Gunn binnenstapte, nieuwsgierig naar nieuwe informatie. Anders dan de sportief geklede Yeager droeg Gunn een blazer en een stropdas.

'Is er contact met de regering?' vroeg Yeager.

'De vicepresident wil mij spreken. Hij wil weten wat het laatste nieuws is over de zoektocht naar Pitt en Giordino.'

Yeager schudde zijn hoofd. 'Er wordt voortdurend gezocht, maar zonder resultaat. De marine heeft al laten weten dat ze stoppen met zoeken na vandaag.'

'Nog nieuws over de Adelaide?'

'Geen harde feiten. Onze formele verzoeken aan Interpol en alle kustwachtdiensten van Alaska tot Chili hebben niets opgeleverd.'

'Als die boot nog drijft, dan moet iemand haar toch gezien hebben,' peinsde Gunn hardop. 'Zijn Dirk en Summer al in Panama gearriveerd?'

'Ze hebben zich gehaast om nog met een nachtvlucht mee te kunnen.' Hij keek naar het videoscherm met in de benedenhoek een digitale klok. 'Als ze inderdaad op tijd waren, dan moeten ze nu ongeveer landen.'

Gunn had Yeagers blik over het scherm gevolgd en hij zag een e-mail die aan Pitt gericht was. 'Mag ik vragen wat dat voor bericht is?'

'Uiteraard. Ik wilde juist vragen of jij er iets van begrijpt. Dat e-mailbericht is een paar dagen geleden naar de website van NUMA gestuurd. Een van de dames bij public relations stuurde het naar mij door omdat ze niet wist wat ze moest antwoorden. Waarschijnlijk heeft een kleuter met het toetsenbord gespeeld.'

Yeager zoomde in op het bericht en de tekst werd duidelijk leesbaar:

'Het lijkt me wartaal,' zei Gunn, 'behalve dat laatste woord. De woorden zijn kennelijk geschreven door iemand die Ann heet en in Lexington, Kentucky woont.'

'Meer kon ik er ook niet van maken.'

'Dan geloof ik ook in jouw theorie dat een kleuter de afzender is.' Gunn klopte Yeager op zijn schouder. 'Laat me weten als er nieuws is over dat schip.'

'Doe ik. Doe de groeten aan de admiraal.'

Gunn ging met de metro naar het centrum van Washington. Hij stapte uit op het Farragut West Station en liep drie blokken naar het kantoor van Sandecker in het Eisenhower Building. De vicepresident gaf Gunn een stoel aan een vergadertafel, gemaakt van oud scheepshout en stelde de bezoeker voor aan Dan Fowler, directeur van de afdeling beveiliging van DARPA en aan Elizabeth Meyers, directeur van een FBI-afdeling.

Sandecker zag aan Gunns vermoeide gezicht dat Pitts vermissing hem zwaar viel.

'Wat is het laatste nieuws over Pitt en Giordino?'

'De reddingsteams op zee hebben nog niets gevonden. De marine staakt na vandaag de zoekactie.' Gunn keek Sandecker aan en wachtte op zijn reactie. Daarin werd hij niet teleurgesteld. Het gezicht van de vicepresident liep rood aan en hij beende naar zijn bureau om zijn secretaresse op te roepen. 'Martha, ik wil de chef nautische operaties nu meteen aan de lijn.'

Even later gaf hij bits opdrachten aan de zojuist gedegradeerde admiraal. Sandecker smeet de hoorn op de haak en keerde terug naar de vergadertafel. 'De marine zoekt nog drie dagen intensief mee.'

'Dank u wel, meneer de vicepresident.'

'En wat is er bekend over het schip waarover je mij vertelde?' vroeg Sandecker.

'De Salzburg?' vroeg Gunn. 'De laatste vermelding is de haven van New Orleans. De binnenlandse veiligheidsdienst gaat samen met de havendienst na of het schip nog aanwezig is.'

'Welk verband is er met dat schip?' vroeg Fowler.

'Het zijn vooral aanwijzingen dat er een verband kan zijn,' antwoordde Gunn. 'De Salzburg was kennelijk in de buurt van de Adelaide toen dat schip spoorloos verdween met Pitt aan boord. Het is een van de strohalmen waaraan we ons vastklampen. Het blijft een mysterie met weinig aanknopingspunten.'

'Dat gevoel kennen wij ook,' zei Meyers.

'Hoezo?' vroeg Gunn.

'Rudi, voordat Pitt verdween was hij bezig enkele zeer geheime plannen op te sporen die met het onderzeebootproject Sea Arrow te maken hebben,' verduidelijkte Sandecker.

'De Sea Arrow, dat is toch een concept voor een ultrasnelle aanvalsboot?'

'Dat is geen concept. Althans, niet meer.'

'Ik vermoed,' zei Gunn, 'dat dit verband houdt met het bergen van die boot bij San Diego, de Scuttlefish?'

'Inderdaad,' beaamde Sandecker. 'Maar dit is nu geëscaleerd tot een grote kwestie van de nationale veiligheid. Elizabeth, kun jij daar meer over vertellen?'

De directeur van de FBI schraapte haar keel. 'Laat ik eerst zeggen dat dit strikt vertrouwelijke informatie is. Vier dagen geleden is een zeer geavanceerde scheepsmotor, gebouwd voor de Sea Arrow, gekaapt tijdens een transport van het marine research centrum in Chesapeake, Maryland.'

'Werd daarom onlangs een algemeen alarm gegeven?' begreep Gunn.

'Ja,' zei Meyers. 'Onze dienst heeft dag en nacht gewerkt, elk vliegveld, elke haven en elke parkeerplaats voor trucks werd gecontroleerd. Er zijn onvoorstelbaar veel mensen op deze zaak gezet.'

'En nog steeds geen enkele aanwijzing?' vroeg Sandecker.

'Veel sporen liepen dood, of het was valse informatie. We hebben wel het signalement van een latino die een oude Toyota kocht, die later bij de roof van de motor gebruikt is. Maar verder tasten we nog steeds in het duister.'

'Denk je dat die scheepsmotor nog in het land is?' vroeg Gunn.

'We hopen het,' zei Meyers en er klonk onzekerheid in haar stem door.

'Dat is ook de reden waarom jij hier bent, Rudi,' zei Sandecker. 'De FBI verzamelt alle beschikbare hulp en wil graag de medewerking van de vloot NUMA-schepen. Aangezien jullie schepen vaak op afgelegen plaatsen gestationeerd zijn, kan mogelijk ongebruikelijk scheepvaartverkeer opgemerkt worden.'

'Hetzelfde hebben we gevraagd aan de marine, de kustwacht en enkele grote havendiensten,' voegde Meyers eraan toe.

'Natuurlijk,' zei Gunn. 'Ik zal het meteen doorgeven.'

Sandecker wendde zich naar Fowler. 'Dan, heb jij er nog iets aan toe te voegen?'

'Nee. Alleen dat we de bevestiging kregen dat Ann vermist werd kort voor de roof van die scheepsmotor. Wij vrezen dat ze ofwel gedood is, ofwel ontvoerd door de criminelen.'

'Ann Bennett?' vroeg Gunn. 'Is ze ontvoerd?'

'Ja, en we vrezen het ergste,' zei Meyers. 'Ze is nu al vijf dagen spoorloos.'

Gunn viel bijna van zijn stoel. Het onbegrijpelijke e-mailbericht dat Yeager hem getoond had schoot hem onmiddellijk te binnen. 'Ann leeft nog,' zei hij. 'En ik weet ook waar ze is. Of beter gezegd, waar ze enkele dagen geleden was: in Lexington, Kentucky.'

'Dus ze leeft nog?' vroeg Fowler.

'Ja, we kregen bij NUMA een vreemde e-mail binnen. Het moet een waarschuwing of een smeekbede om hulp zijn. We begrijpen niet alle woorden in het bericht, maar ik denk dat ze aangeeft dat ze met de scheepsmotor van de Sea Arrow ontvoerd is.'

Meyers verstijfde op haar stoel. 'Ik zal het lokale FBI-kantoor waarschuwen.'

Fowler keek vragend naar de vicepresident. 'Waarom Lexington, in Kentucky?'

'Misschien is daar een regionaal vliegveld waar de dieven gebruik van willen maken.'

'Het is ook mogelijk dat ze nog op doorreis waren, in de richting van de westkust of naar Mexico.'

'Zo te horen ligt het werk voor het oprapen, Elizabeth,' zei Sandecker. 'Vooruit, allemaal aan de slag. Ik wil een update, morgen om dezelfde tijd.'

De bezoekers bij de vicepresident kwamen overeind om te vertrekken. Toen ze naar de deur liepen, zei Meyers tegen Gunn: 'Ik wil die e-mail zo snel mogelijk zien.'

'Uiteraard,' zei Gunn. Maar hij besloot het bericht pas door te geven als Yaeger de volledige tekst had ontcijferd.

61

De deur van de hut werd ruw opengesmeten. Ann zat op het schrijf-bureau in de hoek en keek door een kleine patrijspoort naar het langs stromende zeewater. Ze had het grootste deel van de reis op die plek gezeten. Afgezien van haar korte zeeziekte toen het schip de Mississippi Delta verliet, was de tocht vooral dodelijk saai. De enige afleiding waren de maaltijden die haar twee keer per dag gebracht werden door een lelijke kale kerel, van wie Ann vermoedde dat hij de scheepskok was.

Ze keek urenlang door de patrijspoort aan stuurboord en ze dacht dat ze naar het zuiden voeren. De snelheid schatte ze op vijftien tot twintig knopen, dus kon het schip op de tweede dag ongeveer duizend zeemijl ten zuiden van New Orleans varen. Ze kende de geografie van het zuiden niet goed, maar ze veronderstelde dat ze niet ver van het Mexicaanse schiereiland Yucatan waren. Ze had Pablo niet meer ge-zien sinds ze aan boord was, al probeerde ze steeds voorbereid te zijn op zijn verschijning. Toen de deur openzwaaide wist ze meteen dat hij het was. Pablo kwam lomp de hut in en smeet de deur achter zich dicht. Hij leek meer ontspannen dan eerst en toen hij dichterbij kwam be-greep Ann waarom: zijn adem rook sterk naar goedkope rum.

'Heb je me gemist?' grinnikte hij veelbetekenend.

Ann dook verder weg in de hoek en ze trok haar knieën op tot haar kin.

'Waar varen we naartoe?' vroeg ze, in de hoop zijn aandacht af te leiden.

'Naar een dampend warme plek.'

'Colombia?'

Pablo hield zijn hoofd scheef, verrast dat ze wist, of raadde, wat zijn nationaliteit was.

'Nee, maar als we zaken afgeleverd hebben kunnen we samen naar Bogotá vliegen voor een lang romantisch weekend.' Pablo kwam dichterbij.

'Wanneer wordt er iets afgeleverd?'

'Altijd maar vragen.' Hij boog zich naar Ann en gaf haar een natte zoen op haar gezicht.

Ann trok haar voeten op en duwde uit alle macht tegen Pablo's borst. Tot haar verbazing wankelde de grote kerel achteruit en viel op haar kooi.

Ze huiverde. Zou hij haar vermoorden omdat ze hem afwees? Maar de alcohol maakte hem minder hardvochtig en hij kwam lachend overeind.

'Ik wist wel dat jij eigenlijk een tijgerin bent.'

'Ik wil niet opgesloten zitten als een wild beest.' Ze hield haar geboeide polsen omhoog. 'Waarom maak je die niet eerst los?'

'Wild, maar ook slim,' zei Pablo. 'Nee, ik denk dat je straks alleen nog die handboeien aan hebt.' Hij begon zijn shirt los te knopen en keek haar met een wellustige dronkemansblik aan.

Ann beefde in de hoek van de hut, ze zat nog steeds op het bureau en overwoog een poging om naar de deur te vluchten.

Pablo voelde wat ze dacht en ging voor de deur staan, om vervolgens langzaam naar haar toe te lopen.

Ann begon bijna te gillen, maar opeens klonk een ander geluid in de hut. Er kwam gekraak uit het plafond via een luidspreker van de scheepsintercom. Toen was in de hut en overal aan boord een stem te horen: 'Señor Pablo! Melden op de brug! Señor Pablo! Direct naar de brug!'

Hoofdschuddend en geërgerd keek Pablo omhoog naar de luidspreker. Hij knoopte zijn shirt weer dicht en keek begerig naar Ann. 'We zullen dit later hervatten,' zei hij en hij verdween uit de hut. De deur werd op slot gedaan.

Ann zat bevend in de hoek en tranen van opluchting rolden over haar wangen, al besefte ze dat het gevaar nog niet geweken was.

Zodra hij uit de hut was liep Pablo de trap op naar de brug en hij vroeg geërgerd aan de kapitein: 'Wat is er?'

'Een dringend telefoongesprek, via de satelliet.' De kapitein wees naar de hoorn die naast het toestel lag.

Pablo schudde zijn dronkenschap van zich af en sprak kort in de hoorn. Het gesprek was eenrichtingverkeer. Pablo bleef zwijgen en eindigde alleen met de woorden: 'Jawel, meneer.' Daarna keerde hij zich naar de kapitein. 'Hoe ver zijn we nog van het Panamakanaal?'

De kapitein veranderde de schaal van het navigatiescherm. 'Iets meer dan zeshonderd mijl.'

Pablo bekeek de digitale zeekaart en bestudeerde de dichtstbijzijnde kustlijn.

'We moeten onmiddellijk naar Puerto Cortés in Honduras, om verf en lading aan boord te nemen.'

'Is dat bestemd voor het mijnbedrijf?'

'Nee, het is nodig aan boord.'

'Maar we hebben een minimale bemanning aan boord van de Salzburg.'

'Dan moet iedereen zo hard mogelijk meewerken,' zei Pablo, 'anders worden ze zelf geminimaliseerd.'

62

Pitt gehoorzaamde aan het verzoek van Zhou en liep in westelijke richting door de jungle. Hij wilde in een wijde boog terugkeren en proberen de boot te vinden waarmee Zhou kennelijk gekomen was, al bedacht hij dat het vaartuig waarschijnlijk heel goed gecamoufleerd zou zijn. Terwijl hij zich door de struiken werkte vroeg Pitt zich af wie deze Chinees was en wie hem hierheen gestuurd had om het bedrijf van Bolcke te saboteren. Hoewel Pitt hetzelfde wilde, vermoedde hij dat Zhou een motief had dat te maken had met de handel in zeldzame mineralen en niet met humanitaire redenen.

Kort nadat ze uit elkaar waren gegaan zakte de zon achter de horizon en werd het donker in de dichte jungle onder het bladerdek. Pitt werd belaagd door zwermen muskieten die gretig op zijn huid neerdaalden. Het werd steeds verraderlijker om verder te komen in de duisternis. Pitt liep tegen doornige takken aan en hij struikelde over onzichtbare boomstronken, maar hij had geen andere keus.

De waakhonden bleven jacht op hem maken en liepen langzaam maar zeker op hem in. Pitt had gehoopt dat de honden het spoor van Zhou zouden volgen maar ze hadden nog steeds lucht van hem in de neus. Aan het geblaf kon Pitt horen dat de honden op een paar honderd meter afstand van hem waren. Hij bleef telkens na enkele minuten staan en luisteren, om de positie van de honden te peilen, maar naarmate hij in het aardedonker door de jungle ploeterde verloor hij steeds meer elk gevoel voor richting. Het geblaf van de honden was zijn enige oriëntatie. Beducht dat hij per ongeluk in de richting van zijn achtervolgers liep bleef hij telkens scherp naar het geblaf luisteren.

In de nacht kwam de jungle tot leven met een concert van vreemde geluiden, gekrijs en gefluit. Pitt hield de scherpe stok paraat, voor het geval de geluiden niet van een vogel of een kikker kwamen, maar van een luipaard of een krokodil. De geluiden hielden hem alert. Zonder het water en de proteïnereep die hij van Zhou had gekregen zou hij de moed misschien opgeven, maar nu kon hij volhouden. De vermoeidheid maakte elke stap pijnlijk, en omdat hij niet gewend was aan de klamme hitte viel het hem steeds zwaarder. Als hij de neiging had te stoppen en zich op de grond te laten zakken, dan dacht hij aan Giordino en de andere gevangenen. Dat spoorde hem telkens aan om door te zetten.

Pitts kleren waren na het zwemmen eerst gedroogd, maar nu weer doorweekt van het zweet. Hij bad om regen, omdat hij wist dat het zijn achtervolgers zou hinderen zijn spoor te volgen. Maar de hemel boven Panama werkte niet mee en anders dan gewoonlijk viel er alleen af en toe wat motregen.

Pitt gleed uit op een modderige plek en steun zoekend bij een boomstronk ging hij zitten om te rusten. De duisternis hinderde de achtervolgers kennelijk ook. Geblaf in de verte maakte duidelijk dat hij nog steeds een flinke voorsprong had, maar even later zag hij een vaag schijnsel tussen de bladeren: de zaklampen van zijn achtervolgers.

Pitt hees zich overeind en werkte zich weer door de takken en bladeren. Uur na uur verstreek de nacht met strompelen, struikelen en verder zwoegen door de jungle. Telkens overstemde het geblaf van de jachthonden de andere junglegeluiden. Als een zombie bewoog Pitt wankelend verder door een bamboebos en toen hij nog een stap deed was er geen bodem onder zijn voet. Hij tuimelde naar voren in een smal ravijn, en rolde over het gras van een steile helling tot in een kleine beek. Daar bleef hij minutenlang zitten. Het koele water spoelde de pijn van zijn geschramde en gekneusde lijf. Boven zijn hoofd waren fonkelende sterren zichtbaar, een vaag maar welkom licht in de duisternis.

Het water gaf Pitt een kans te ontsnappen aan de speurhonden. Nadat hij de veldfles van Zhou gevuld had scharrelde Pitt naar het midden van de beek. Het water reikte zelden tot boven zijn knieën, maar het was diep genoeg om zijn sporen uit te wissen. Dankzij het sterrenlicht kon hij gemakkelijker vooruit komen, ook al gleed hij af en toe uit. Hij volgde de bedding en al leek dat kilometers lang, het was niet meer dan enkele honderden meters.

Bij een laag gedeelte van de oever waadde hij naar de overkant en kwam bij een bos kapokbomen. Hij zag een lage, dikke tak en ging daar zitten om uit te rusten.

Het was stil geworden in de jungle, afgezien van het kabbelende water. Het blaffen van de honden was niet meer te horen en Pitt hoopte maar dat hij zijn achtervolgers had afgeschud. Leunend tegen de boomstam besefte hij dat opgejaagd worden voor hem mentaal en fysiek even zwaar was.

Pitt vocht tegen de neiging in slaap te vallen, toen hij geritsel hoorde in de struiken aan de andere kant van de beek. Hij keek en zag een gele gloed bewegen tussen de bladeren. Hij verstijfde toen hij het silhouet van een grote hond zag op de oever, snuivend langs de grond.

Pitt vervloekte de tegenslag. Door de bedding te volgen was hij ongewild dichter bij zijn achtervolgers gekomen. De Duitse herdershond had Pitt kennelijk nog niet gezien of geroken. Hij bleef onbeweeglijk zitten en hield zijn adem in.

Het gele licht werd feller en er kwam een bewaker met een zaklamp uit de struiken. De man riep zijn hond. Het dier volgde zijn baas, maar begon te grommen. Drie meter bij Pitt vandaan klonk opeens gebrul als van een leeuw op een elektrische stoel. Pitt tuimelde bijna van de tak af, maar hij herstelde zich toen de bewaker met zijn lichtbundel langs de boom bewoog. In het licht verscheen een harig zwart met bruin dier, een eind boven Pitt. Het dier was een brulaap die weer een schelle kreet slaakte om dan weg te springen naar een andere tak, op de vlucht voor het felle licht.

Pitt zat verstard op de tak en de hond begon als een bezetene te blaffen. De lichtbundel bewoog onzeker, om vervolgens strak op Pitt gericht te blijven. Pitt liet zich van de tak vallen en vluchtte weg tussen de struiken. Een seconde later werd er een salvo kogels gelost op de verlaten tak van de kapokboom. Het werd doodstil in de jungle en de echo van de knallen verstomde. Maar even daarna barstte een kakofonie van gekrijs en gepiep los van wel duizend opgeschrikte dieren.

Pitt vluchtte ook, en baande zich een weg door de bladeren met zijn handen voor zich uit gestrekt. Het eerste daglicht kleurde de hemel en dat maakte het gemakkelijker om snel te lopen. En Pitt vluchtte zo snel hij kon. De Duitse herder kreeg het commando te volgen, maar de hond aarzelde om naar de beek over te steken. Bij een ondiepe plek plonsde de hond in het water om aan de andere oever de jacht te hervatten. Door het onophoudelijke geblaf kon Pitt inschatten waar de hond was. En al was het dier ook vermoeid na de urenlange speurtocht, het geluid kwam steeds dichterbij.

Pitt had weinig energie voor een sprint. Hij wist dat hij nooit sneller dan de hond kon rennen, maar als hij het dier van zijn begeleider kon weglokken, dan had hij een kans. De vraag was alleen of hij nog genoeg kracht had voor een gevecht met de hond.

Het geblaf klonk steeds dichterbij en Pitt besefte dat het tijd werd om het gevecht aan te gaan. De gepunte stok had hij achtergelaten bij de boomstam, toen hij op de vlucht sloeg. Hij speurde op de grond naar een nieuw wapen en zag daardoor een laaghangende tak niet. Hij botste in volle vaart tegen de tak en viel op de grond. Duizelig hoorde hij het geblaf naderen. Maar hij hoorde ook een metalig ritmisch geluid dat in de aarde leek te vibreren. Instinctief kroop hij verder, langs de boom en een lage helling op. Het geluid zwol aan. Pitt vocht tegen de pijn en keek over de heuveltop.

In het schaarse licht zag hij een trein, op amper zeven meter afstand. Hij verdreef de gedachte dat het een zinsbegoocheling was. Hij kwam wankelend overeind. De trein was echt. Hij reed door de jungle en de platte wagons waren geladen met zeecontainers.

Pitt strompelde naar het spoor, maar de herdershond achter hem was ook bij de heuvel en het dier zag hem. Met hernieuwde woede stoof de hond naar Pitt, die met knikkende knieën naar de trein liep. Een half geladen platte wagon kwam voorbij en Pitt werkte zich naar voren terwijl de hond hem aanviel. De Duitse herder maakte een sprong en zijn kaken sloten zich om Pitts rechtervoet.

Pitt liet zich op de bodem van de wagon vallen en de hond hing aan zijn voet. Hij rukte de veldfles los en smeet die naar het beest. De veldfles raakte de snuit van de hond en het dier liet jankend los. Maar het dier herstelde zich en bleef wel een halve kilometer naast de goederentrein draven, grommend en springend, maar niet in staat op de wagon te springen. De trein passeerde een steil ravijn over een smalle brug en de hond moest wel opgeven. Pitt wuifde naar het achterblijvende dier dat jankend en grommend de verdwijnende trein nakeek. Pitt kroop naar het midden van de wagon, tot hij een plekje vond naast een roestige zeecontainer. Hij sloot zijn ogen en viel prompt in slaap.

63

De trage goederentrein kwam knarsend tot stilstand, waardoor de enige passagier wakker schrok. Terwijl hij languit op een platte wagon lag opende Pitt zijn ogen in de felle ochtendzon. De Panama Railway-trein had het eindstation bereikt op het haventerrein van Balboa. Dicht bij de Pacific-zijde van het Panamakanaal en enkele kilometers ten zuiden van Panama City was Balboa een belangrijk overslagstation op het schiereiland. Pitt sprong van de wagon en zag dat hij in een jungle van staal stond. Overal om hem heen stonden opgestapelde, veelkleurige zeecontainers. Hij keek langs een lange rij goederenwagons en zag een portaalkraan over de sporen. Arbeiders waren bezig de containers te lossen.

Pitt stond bij het achterste deel van de trein en volgde de rails naar de rand van het emplacement, omdat hij dacht dat de beambten hem zeker als een dakloze zwerver zouden bejegenen. Hij klom over een roestige afrastering en kwam bij een complex met haveloze pakhuizen. Een eind verder zag hij voor een klein gebouw een aantal auto's geparkeerd staan. Het was een sjofele kroeg voor de havenarbeiders. Op een verbleekt uithangbord stond El Gato Negro, de naam van de kroeg en een geschilderde zwarte kat.

Pitt stapte de schemerige kroeg in en werd aangestaard door enkele matineuze gasten op de barkrukken. Hij wilde de kroegbaas aanspreken, maar zag opeens zijn eigen spiegelbeeld in de grote spiegel achter de bar. De aanblik was beangstigend: hij zag een vermoeide, magere man met bloedige schrammen en blauwe plekken op zijn gezicht, en gekleed in vuile, gescheurde kleren die ook bebloed waren. Het leek de gestalte van iemand die terugkeert uit het dodenrijk.

'*El teléfono?*' vroeg Pitt.

De man achter de bar keek naar Pitt alsof hij een marsbewoner zag staan, en wees toen zwijgend naar een hoek bij de toiletten. Pitt liep erheen en zag een ouderwetse munttelefoon, zoals die heel soms nog op de meest afgelegen plaatsen ter wereld aangetroffen werden.

Pitt vroeg via de telefonist een *collect call* naar Washington aan. Na enige tijd hoorde hij de telefoon overgaan. De stem van Rudi Gunn klonk een octaaf hoger toen hij de begroeting van Pitt hoorde.

'Zijn jullie veilig? Al ook?'

'Niet echt.' Pitt vertelde in enkele zinnen over de kaping van de Adelaide, hun aankomst bij het ertsbedrijf in Panama en over zijn ontsnapping.

'Panama...' zei Gunn peinzend. 'We hebben de havendienst van het Panamakanaal gevraagd uit te kijken naar de Adelaide.'

'De naam van het schip is op volle zee veranderd. En waarschijnlijk hadden de kapers al vervalste scheepspapieren gemaakt. Dat bedrijf van Bolcke is ergens in de kanaalzone, dus waarschijnlijk kent hij corrupte ambtenaren bij de sluizen.'

'Zei je Bolcke?'

'Ja, een zekere Edward Bolcke. Een oude Oostenrijkse mijningenieur die de leiding heeft over dat vreselijke werkkamp. Ik hoorde dat Bolcke een belangrijke handelaar is op de wereldmarkt voor zeldzame mineralen.'

'Hij is een van de weinige lieden die we verdenken van betrokkenheid bij jouw ontvoering,' zei Gunn. 'Bolcke is eigenaar van de Salzburg en dat schip was in de buurt toen de Adelaide spoorloos verdween.'

'Waarschijnlijk hetzelfde schip dat de Tasmanian Star liet zinken, voor de aankomst in Chili. En mogelijk ook betrokken bij het zinken van de Cuttlefish. Kennelijk is aan boord een wapen dat dodelijke microgolven kan uitzenden.'

'Bolcke heeft mogelijk ook een bedrijf in Madagaskar,' zei Gunn. 'Ik breng de bal aan het rollen bij het Pentagon, om Al en de anderen te gaan zoeken. Het lijkt me dat het een gezamenlijke militaire operatie met Panamese veiligheidstroepen moet worden.'

'Luister, Rudi, we hebben maar heel weinig tijd.' Pitt vertelde over zijn ontmoeting met de Chinese agent Zhou en diens plan om het bedrijf te vernietigen. Hij keek op zijn Doxa-duikhorloge en voegde eraan toe: 'We hebben minder dan vijf uur respijt om Al en de anderen daar weg te halen, voordat het vuurwerk begint.'

'Dat is wel heel erg krap.'

'Telefoneer met Sandecker, en zeg dat hij alles op alles moet zetten.'

'Ik doe mijn best. Waar ben jij nu?'

'In een havenkroeg, met de naam Zwarte Kat, ergens bij het eindstation van de Pacific Railway.'

'Blijf waar je bent, ik laat je binnen een uur door iemand oppikken.'

'Bedankt, Rudi.'

Pitt voelde dat de vermoeidheid van zijn moeizame ontsnapping verdween en hij kreeg nieuwe energie bij de gedachte aan de volgende taak. Al Giordino en de anderen redden was het enige wat nu telde. Hij liep terug naar de bar en de kroegbaas wees hem een vrije kruk. Pitt ging zitten en voor hem stond een vol glas met kleurloze drank. Ernaast lag een grote kniptang.

Pitt bracht onwillekeurig zijn handen naar zijn hals en voelde de stalen ring. Hij was de halsband helemaal vergeten. Hij keek de kroegbaas aan en de man knikte bemoedigend.

'*Muchas gracias, amigo,*' zei Pitt, en hij pakte het glas om het in een teug leeg te drinken. Het was Seco Herrerano, een lokaal gestookte sterke drank, met de smaak van zoete rum. Pitt zette het glas neer en pakte de grote tang. Hij grijnsde naar de kroegbaas. 'Wie beweert dat een zwarte kat ongeluk brengt?'

64

'Weet je zeker dat we op de goede plek zijn?'
Dirk keek geërgerd naar zijn zus. 'Aangezien hier nergens wegwijzers en borden staan moet het antwoord wel "nee" zijn.'

Hij stuurde om een stilstaande truck vol bananen en gaf meteen weer gas. De huurauto maakte vaart op de drukke weg. Sinds ze eerder die ochtend op de luchthaven Tocumen geland waren, hadden ze kriskras door Panama City gereden; eerst om in te checken bij hun hotel, daarna voor een bezoek aan het hoofdkantoor van Habsburg Industries, waar wereldwijd gehandeld werd in zeldzame mineralen. Dat hoofdkantoor bleek eerder een kleine winkel die gesloten was en waar kennelijk weinig gebeurde. De eigenaar van een bakkerij naast het kantoor bevestigde dat Habsburg maar heel zelden open was. Dirk en Summer begonnen te vrezen dat hun reis naar Panama tijdverspilling was, maar toen kregen ze een telefoontje van Gunn dat hun vader in leven was en op ze wachtte aan de rand van de stad.

Ze reden langs een bord dat hen verwelkomde in het district Balboa en Dirk begreep dat ze in de goede richting reden. Hij volgde enkele kleine trucks, waarschijnlijk op weg naar de havens, en sloeg een onverharde zijweg in toen de entree van het havengebied in zicht kwam.

Een eindje verder zag Summer als eerste het uithangbord met de zwarte kat.

Dirk had de auto amper gestopt of Summer was al uitgestapt en de bar in gestormd, zonder op de sjofele ingang te letten. Ze herkende haar vader nauwelijks, zoals hij daar in zijn haveloze kleren aan de bar zat en een *empañada* at. Pitt was even verbaasd toen hij zijn beide kinderen zag.

'Pa, we moeten naar een ziekenhuis,' zei Summer.

Pitt schudde zijn hoofd. 'Geen tijd. We moeten eerst de reddingsoperatie voor Al en de anderen coördineren met het Panamese leger.'

Dirk keek naar de bezoekers van de bar die allemaal naar de Amerikanen staarden. 'Pa, zullen we dit in de auto bespreken?'

'Dat is goed,' zei Pitt. Hij keek naar zijn lege glas en het bord. 'Heb jij Panamees geld?'

Dirk opende zijn portemonnee. 'Ik heb gehoord dat ze hier liever in dollars afrekenen.'

Pitt pakte een biljet van honderd dollar uit de portemonnee van zijn zoon en gaf het aan de kroegbaas. Daarna schudde hij hem de hand.

'Dat was wel twee daglonen,' zei Dirk toen ze uit de kroeg naar buiten liepen.

Pitt knipoogde naar Dirk. 'Schrijf het maar bij je onkosten.'

Dirk bestudeerde de wegenkaart voor ze wegreden.

'Wat heeft Rudi met de Panamezen geregeld om naar dat bedrijf van Bolcke te komen?' vroeg Pitt.

'Rudi trekt zich de haren uit het hoofd,' zei Summer. 'Hij heeft ons wel drie keer gebeld toen we onderweg waren. Je weet dat Panama geen regulier leger heeft, sinds de val van Manuel Noriega. Paramilitaire groepen willen wel een gezamenlijke aanval uitvoeren met een Amerikaans team, maar alleen als ze bewijzen hebben en eerst een tactisch aanvalsplan kunnen maken. Niemand verwacht dat een leger op de been is binnen achtenveertig uur.'

Dirk keek zijn vader aan. 'Denk je dat Al en de anderen eerder gevaar lopen?'

Pitt vertelde over zijn ontmoeting met Zhou. 'Als die springladingen ontploffen, zal Bolcke alle dwangarbeiders executeren en hun lijken laten verdwijnen. Kunnen we daar geen Amerikaanse legergroep heen sturen?'

Dirk schudde zijn hoofd. 'De mannen van Special Ops van het zuidelijk commando zijn onze beste kans. Ze zijn al paraat, maar nog op tien uur reizen afstand. Rudi zei dat de enige militaire aanwezigheid die hij kon vinden een marineschip is dat over de Pacific naar het kanaal vaart.'

De rit duurde niet lang en Dirk reed een heuvel op naar een groot gebouw met uitzicht over het havengebied en het Panamakanaal. Een bord op het goed onderhouden gazon gaf aan dat hier het kantoor van de havenautoriteiten was gevestigd.

'Deze dienst is verantwoordelijk voor de veiligheid op het kanaal en de aangrenzende kanaalzone,' zei Summer. 'Rudi zei dat hier onze enige kans ligt dat er meteen actie wordt ondernomen.'

In het gebouw trok de uiterlijke verschijning van Pitt de aandacht van verbaasde medewerkers en bezoekers. Een receptionist leidde ze naar de werkkamer van de directeur veiligheidszaken, señor Madrid, een gezette man met een snorretje. Hij keek Pitt onderzoekend en argwanend aan. 'Ik heb gehoord dat u een zeer dringende reden heeft voor dit bezoek. Uw vicepresident kan zich heel dwingend opstellen.' Madrid was nog steeds onder de indruk van het persoonlijke telefoontje.

'Er staan veel mensenlevens op het spel en de tijd dringt,' zei Pitt.

'Ik zal de huishoudster vragen u schone kleren te geven. Intussen kunnen we verder praten.'

Madrid liep naar een wand met een grote plattegrond van het kanaal. Een man in uniform stond gebogen over een tafel met daarop een aantal luchtfoto's.

'Mag ik u voorstellen aan commandant Alvarez? Hij is verantwoordelijk voor onze operaties in het veld en hij zal de leiding hebben bij uw reddingsoperatie.'

Ze gingen naast de militair staan en Pitt beschreef zijn ontvoering en het verborgen bedrijf van Bolcke.

'We hebben de scheepsbewegingen van Habsburg Industries door het Panamakanaal nagetrokken en daar is een merkwaardig patroon in te herkennen,' zei Madrid.

'Ja, hun schepen komen aan de ene kant op het kanaal,' zei Pitt, 'maar ze verlaten het kanaal pas dagen later.'

'Dat is correct.'

'Er wordt bij het bedrijf gekochte of gestolen ruwe erts gelost, en het geraffineerde product wordt dan weer geladen.'

Madrid knikte met een gepijnigde trek op zijn gezicht. 'De passage van koopvaardijschepen door het kanaal wordt nauwlettend in de gaten gehouden. Dus kennelijk hebben ze hulp van loodsen, en mogelijk zelfs van ons eigen sluispersoneel. Want anders zou dit niet kunnen zonder de aandacht te trekken.'

'Er gaat veel geld om bij de productie, dus er kunnen grote bedragen aan steekpenningen worden betaald,' zei Pitt.

'Meneer Pitt, kunt u voor ons de locatie van dat bedrijf op de kaart aanwijzen?' vroeg Alvarez.

Pitt liep naar de kaart en volgde de Panama Canal Railway die langs de oostkant van het kanaal liep. 'Ik kan alleen gissen dat ik ergens in dit gebied bij die spoorlijn kwam.' Hij wees naar een afgelegen deel van het Gatunmeer, ongeveer vijftig kilometer van Panama City. 'Dan moet het bedrijf ergens tussen het kanaal en de spoorlijn liggen.'

Alvarez bladerde door een map en haalde een aantal luchtfoto's in kleur tevoorschijn. 'Dit moet dan ongeveer de locatie zijn.' Hij tuurde aandachtig naar elke foto en gaf ze door aan de anderen. Op de foto's was de dichte jungle te zien die op veel plaatsen aan het Gatun meer grensde. Af en toe was een deel van de spoorlijn zichtbaar, maar nergens iets van Bolcke's bedrijf. Ze bekeken wel veertig foto's en de scepsis op Madrids gezicht groeide.

'Wacht even,' zei Summer. 'Geef me die laatste foto nog eens.'

Dirk gaf haar de foto en ze legde de afdruk naast een andere foto op tafel. 'Kijk eens naar de jungle op deze twee foto's.'

De vier mannen rekten hun hals en ze zagen een effen groene deken van de jungle op beide foto's.

Niemand zei iets, tot Pitt een derde foto erbij legde. 'Het is de kleur. Die is anders.'

'Precies,' zei Summer. Ze wees naar een van de foto's. 'Daar is een rechte zoom waar de kleur van de jungle wat grauwer wordt.'

'Ja, ik zie het ook,' zei Madrid.

'Het is de camouflage van het bedrijf,' zei Pitt. 'De kleur is in de loop van de tijd vervaagd en is niet meer gelijk aan het groen van de jungle.'

Alvarez legde nog meer foto's op tafel, tot een beeld ontstond van een schiereiland dat zich in het Gatunmeer uitstrekte. Met een viltstift markeerde hij de verkleurde delen en tekende zo een rechthoek en enkele kleinere vierkanten.

'Die grote rechthoek moet de kade en het vaarwater bedekken,' zei Pitt. 'Bij de ingang zijn enkele kunstmatige mangroves die opzij worden getrokken als een schip binnenkomt of vertrekt.'

'Wat zijn die andere vierkanten?' vroeg Summer.

'Gebouwen op het terrein.' Pitt pakte de viltstift van Alvarez en gaf de woning van Bolcke aan, de ertsmolen, het slavenverblijf en de werkplaatsen waar het erts geraffineerd werd. Hij beschreef tot in details hoe het complex bewaakt werd, voor zover hij dat wist.

'Hoeveel mensen worden daar gevangen gehouden?' vroeg Madrid.

'Tachtig.'

'Ongelooflijk,' zei Madrid. 'Een verborgen dwangarbeiderskamp, recht onder onze neus.' Hij keek naar Alvarez. 'Heb je de exacte locatie al bepaald?'

'Ja, het is hier.' Hij wees naar het schiereiland op de grote wandkaart en prikte daar een speldje in.

'Het is duidelijk binnen onze jurisdictie. Voorstel hoe we erheen gaan?'

'De snelste manier is via het Gatunmeer. We kunnen de Coletta uit Miraflores oproepen als commandoschip en drie van onze patrouilleboten inzetten voor de aanval.' Alvarez keek weer naar de markeringen die Pitt op de foto's had getekend. 'Als we voorbij die barricade komen, dan sturen we een boot naar de toegang tot de kade en de twee andere aan weerszijden van het schiereiland. Zodra we het complex onder controle hebben kan de Coletta afmeren langs de kade om de gevangenen te evacueren.'

'Ga de boten en de manschappen dan maar onmiddellijk verzamelen,' zei Madrid. 'Over twee uur praten we verder aan boord van de Coletta, voor de briefing van de aanval.'

'Jawel.' Alvarez haastte zich de kamer uit.

'Jullie zijn welkom aan boord van de Coletta tijdens deze actie,' zei Madrid tegen Pitt en zijn kinderen.

'We gaan zeker mee,' zei Pitt. 'Mijn vriend raakte daar gewond en ik moest hem achterlaten.'

'Ik begrijp het. Wat betreft de Salzburg, ik geef gevolg aan het dringende verzoek van uw vicepresident en zal extra toezicht laten houden bij de Gatunsluizen. Als het schip daar verschijnt om naar het kanaal te varen, kunnen we het aan de ketting leggen.'

Pitt haalde zijn schouders op. 'Ik denk dat er meer vragen beantwoord worden als we het schip van Bolcke enteren.'

Summer zag dat haar vader niet alles wist. 'Pa, heeft Rudi jou niets verteld over je vriendin Ann Bennett?'

Pitt schudde zijn hoofd.

'Ze is sinds een week vermist. Ongeveer toen een soort geheime scheepsmotor werd gestolen van een dieplader van de marine. Rudi zei dat er verband is tussen die twee zaken.'

'De Sea Arrow,' begreep Pitt.

'Rudi denkt dat Ann ontvoerd is bij de diefstal van die scheepsmotor. Hij en Hiram kregen een cryptische e-mail die naar de website van NUMA was verzonden. Daaruit blijkt dat ze ergens in Kentucky is.'

'Dus ze leeft nog?'

'Rudi denkt van wel. Ze vermoeden dat Ann duidelijk wilde maken dat die scheepsmotor verstopt was op een truck geladen met balen hooi. Rudi redeneert dat de dieven de oostelijke kust willen vermijden bij hun poging de motor het land uit te smokkelen. Hij denkt dat het apparaat per schip over de Mississippi is vervoerd en Hiram heeft inderdaad een bewakingsvideo gevonden, opgenomen bij de Horace Wilkinson-brug in Baton Rouge, waar duidelijk is te zien dat een schip passeert met aan dek een oplegger geladen met balen hooi.'

'Dat lijkt me een beetje vergezocht,' vond Pitt.

'Niet als je weet dat de Salzburg, het schip van Bolcke, toen in New Orleans was en een dag later vertrok.'

'De Salzburg,' peinsde Pitt hardop. 'Dus Bolcke is de man die vanaf het begin achter de diefstal van de Sea Arrow zat.'

'Maar wat wil hij met die machine?' vroeg Summer.

Pitt dacht weer aan zijn ontmoeting met Zhou en diens antwoord op de vraag waarom hij hier was.

'Geld verdienen,' zei Pitt. 'Hij wil die scheepsmotor aan de Chinezen verkopen, mogelijk in combinatie met een deal die betrekking heeft op hun gezamenlijke voorraden zeldzame mineralen.'

Hij keek naar Summer. 'Wanneer is de Salzburg uit New Orleans vertrokken?'

'Ongeveer vier dagen geleden.'

'Het staat vast dat het schip door de Mississippidelta naar het zuiden voer,' zei Dirk.

'En waarom heeft de kustwacht of de marine dat schip niet geschaduwd en geënterd?' vroeg Pitt.

'Dat wilden ze zeker doen, maar er is een probleem. Het schip is verdwenen,' zei Dirk.

65

In het zicht van het gebouw van de Canal Authority Administration lag een roestig graanschip voor anker op de kalme deining van de Pacific. Het schip had de naam Santa Rita en voer onder de vlag van Guam, al zou de regering van Guam verbaasd zijn dat te vernemen. Er waren in dat land nooit scheepspapieren geregistreerd van de Santa Rita, en bovendien had het nog nooit een korrel graan vervoerd.

Het vaartuig was in feite een bejaarde bron van inlichtingen voor het Chinese ministerie van Staatsveiligheid. Oorspronkelijk was het ingericht om te spioneren in de zeestraat bij Taiwan, later werden raketten naar Iran gesmokkeld, onder de dekmantel van het graanschip. Daarna volgde een bestaan dat minder clandestien was: er werden farmaceutische grondstoffen geladen in Mexico met als bestemming Shanghai, toen Zhou aan boord kwam in Costa Rica.

De Chinese agent rustte uit op de brug, kort na zijn nachtelijke verkenningstocht naar het werkkamp van Bolcke, toen zijn mobiele telefoon overging. Hij keek naar het nummer waarmee hij gebeld werd en op zijn anders zo stoïcijnse gezicht verscheen een licht verraste trek.

'Met Zhou,' nam hij op.

'Zhou, hier Edward Bolcke. Ik moet je vertellen dat er een kleine wijziging komt in de afspraak voor het rendez-vous.'

'Ik dacht dat de overdracht binnen een uur zou gebeuren?'

'Er is nog een klein probleem met de beveiliging, maar geen reden voor paniek. De lading is veilig. Maar we moeten het rendez-vous wel zes uur uitstellen.'

Zhou zweeg. De springladingen die hij op het terrein van Bolcke had geplaatst zouden over vier uur exploderen. Hij had de tijdontsteking zo ingesteld omdat de motor met de documentatie van de motor van de Sea Arrow dan al overgedragen zou zijn. Nu dreigde de hele transactie te mislukken.

'Dat is onacceptabel,' zei Zhou kalm. 'Ik heb een strak tijdschema en daar moet ik mij aan houden.'

'Het spijt me zeer, maar je zult begrijpen dat we voorzichtig moeten zijn. Mijn schip nadert de Gatunsluizen en daarna volgt nog de passage door het kanaal. Je kunt wel het kanaal in varen en dan ten noorden van de Mirafloressluizen de zaak overladen op het Mirafloresmeer. Dat levert twee uur tijdwinst op. Ik kan regelen dat je met voorrang door de sluizen geschut wordt.'

Het laatste wat Zhou wilde was opgesloten raken in het Panamakanaal. Maar als het de enige manier was om de geheimen van de Sea Arrow te bemachtigen, dan moest het maar. Met een beetje geluk zou Bolcke nog niet weten dat zijn bedrijf een smeulende ruïne was als hij de geheime technologie overdroeg.

'Dat is goed,' zei Zhou. 'Regel de voorrang bij de sluizen, dan vaar ik naar Miraflores. Maak vaart, want wij wachten.'

Zhou verbrak de verbinding en staarde door een raam van de brug. Hij kreeg het gevoel dat hij op het scherpst van de snede balanceerde.

66

Bijna veertig schepen lagen afgemeerd in Limon Bay, als een zwerm bijen rond een bijenkorf. Elk schip wachtte op haar beurt om van de Atlantische Oceaan door de sluizen naar het Panamakanaal te varen. Een klein containerschip stoomde langs de rij wachtende bulk-carriers, tankers en andere schepen tot vooraan in de rij.

De grote sluis was al een eeuw oud en al werden er steeds meer sche-pen geschut, de capaciteit werd toch te klein. Er werd gewerkt aan een grote uitbreiding van het sluizencomplex zodat de grootste container-schepen het kanaal in konden varen. Hoewel de passage door het Panamakanaal erg duur was, bespaarde het wel een duizenden mijlen langere zeereis rond Kaap Hoorn.

De kapiteins van de wachtende schepen in Limon Bay zagen het containerschip voorbij varen en ze wisten dat op zo'n manier voor-rang krijgen alleen mogelijk was na betaling van een zeer hoge premie op het sluisgeld. Het containerschip minderde vaart toen een boot van de havendienst langszij kwam om een beambte en een loods aan boord te laten klauteren. De kapitein van het containerschip begeleidde het tweetal naar de brug waar hij het commando overdroeg aan de loods. Dat was gebruikelijk op elk schip dat door het kanaal voer. De gegevens van het schip werden gecontroleerd om het bedrag aan tolgeld te bepalen.

'De vrachtbrief, alstublieft,' vroeg de beambte aan de kapitein. Hij bekeek de papieren en zag een korte lijst.

'Zijn de meeste containers leeg?' vroeg hij.

'Ja, die gaan naar Balboa,' antwoordde de kapitein.

'Ik zag al dat dit schip hoog op het water ligt.' De beambte berekende het tolgeld, verhoogd met een flinke opslag om voorrang te krijgen in de sluis. 'De rekening wordt naar de rederij gestuurd,' zei de man en hij wendde zich naar de loods. 'De Portobelo mag doorvaren.' Hij verliet de brug en daalde weer af naar de wachtende boot langszij, om naar een volgend vrachtschip te gaan.

De loods stuurde de Portobelo door een lange vaargeul naar de sluizen bij Gatun, de entree van het kanaal aan de kant van de Atlantische Oceaan. Het sluizencomplex met drie dubbele kolken kon schepen bijna dertig meter hoger brengen, door de landengte naar het begin van het kanaal.

Het Panamakanaal was aangelegd met een groot kunstmatig meer, dat drie niveaus hoger lag dan de zee. Door de geografische ligging stroomde het zoete water zowel naar de Atlantische Oceaan in het noorden als naar de Pacific in het zuiden. Dankzij de hoge ligging van het Gatunmeer konden de sluiskolken altijd volstromen en weer leeglopen, om schepen omhoog of omlaag te brengen.

Maar het Panamakanaal is niet symmetrisch: de drie sluizen aan de Atlantische kant bij Gatun liggen direct achter elkaar, en aan de kant van de Pacific ver uit elkaar. Er is een sluis met de naam Pedro Miguel bij het meer, en de dubbele Mirafloressluis ligt een mijl verder. Voor de meeste schepen duurt het acht uur om het vijftig mijl lange kanaal te bevaren van de ene naar de andere oceaan.

De loods manoeuvreerde de Portobelo naar de eerste sluiskolk bij Gatun, en stopte het schip vlak voor de sluisdeuren. Dunne lijnen werden overgegooid om de zware staalkabels aan boord te hijsen die aan kleine locomotieven waren vastgemaakt. De locomotieven reden over de kades van de sluiskolk. Voorzichtig werd het vrachtschip in de sluiskolk getrokken en dan werden de sluisdeuren gesloten. Langzaam rees het schip bijna tien meter in de sluis. Gewapende bewakers hielden toezicht en controleerden het schip nog een keer. Toen het waterniveau gelijk was werden de deuren geopend en werd het schip door de kleine locomotieven naar voren getrokken. Dit proces werd nog twee keer herhaald en toen kon de Portobelo verder varen over het Gatunmeer, bijna dertig meter hoger dan het vaarwater voor de sluizen. Zodra de deuren open waren gaf de loods opdracht aan de roerganger om de snelheid te verhogen.

'Matroos, negeer dat commando,' zei de kapitein. 'We stoppen.'

Het gezicht van de loods liep rood aan. 'Ik heb het gezag over dit schip tijdens de vaart door het kanaal!' brieste hij. Maar zijn houding werd kalmer toen een andere man op de brug verscheen. 'Pablo! Ik vind deze schuit erg veel op de Salzburg lijken. Sinds wanneer ben jij met je mannen actief in de containervaart?'

'Sinds anderhalve dag,' antwoordde Pablo. 'We nemen het roer over.'

'Ja, geen probleem,' zei de loods toen hij de tas in Pablo's hand zag, met daarin het gebruikelijke bedrag aan smeergeld en een fles Chivas Regal.

'Er zit duizend extra bij voor jou,' zei Pablo, terwijl hij de tas overhandigde. 'En de naam Salzburg wil ik niet meer horen.'

'Zoals je wilt. Die sukkels bij de sluis keken uit naar jou, maar je hebt ze weer gefopt. Tot een volgende keer.' Matrozen lieten een rubberboot langszij zakken om de loods naar de oever te brengen, waar hij zich met een taxi naar de dichtstbijzijnde bar liet brengen. Zodra de rubberboot weer terug was kon de vermomde Salzburg doorvaren.

'Weet je zeker dat hij te vertrouwen is?' vroeg de kapitein.

Pablo knikte. 'Wij zijn al klaar met de transactie voordat hij die fles whisky voor de helft opheeft.'

Pablo voelde zich opgelucht. Sinds hij twee dagen eerder het alarmerende telefoontje van Bolcke had gekregen vreesde hij elk radiobericht en elk passerend schip. Maar de snelle transformatie van de Salzburg in de Portobelo, nog overtuigender door de geverfde brug en de schoorsteen, en een grote lading lege zeecontainers had de autoriteiten bij de Gatunsluizen misleid.

En dat betekende maar één ding: ze waren veilig.

67

De Coletta stoof over het Panamakanaal en passeerde de vracht-schepen die zich wel aan de maximumsnelheid hielden alsof ze stil lagen. De snelle patrouilleboot was in Italië gebouwd, was veertig meter lang, en uitgerust met een 20mm kanon op de voorplecht.

Benedendeks zaten dertig gewapende commando's dicht opeen ge-pakt en ze kregen de laatste instructies van Alvarez. De mannen waren allemaal goed getraind en ze hadden ervaring met militaire oefeningen waarbij hun taak was het kanaal tegen aanvallers te verdedigen. Pitt probeerde hun enthousiasme voor deze missie te temperen door details te vertellen over de sterkte van Bolcke's gewapende bewakers.

Toch voelde Pitt zelf ook ongeduld. Hij had een douche genomen, zijn verwondingen waren behandeld en hij had schone kleren aan. Nu wilde hij niets liever dan het complex bestormen om Giordino te bevrijden. Maar een confrontatie bij daglicht was riskant en alles draaide om de korte ontmoeting die hij eerder met Zhou had gehad. Pitt hoopte maar dat zijn intuïtie klopte. Alvarez gaf hem een Sig Sauer P228 automatisch pistool in een holster.

'Je weet hoe dit wapen werkt?'

Pitt knikte.

'We arriveren over tien minuten bij het doel. Ik vaar met de voorste boot de baai in. We veroveren de kade, schakelen de generator uit en bevrijden de gevangenen. De tweede boot vaart naar de andere kant van het schiereiland en het team overmeestert de villa; hopelijk is Bolcke daar aanwezig. De derde boot is reserve. Je kunt meevaren met die boot, maar dan wel alleen als waarnemer.'

'Ik zal helpen waar mogelijk. Veel succes, Alvarez.'

Pitt keek of hij Dirk en Summer ergens zag, maar ze waren niet in de buurt. Hij hoorde dat de motor van de patrouilleboot minder toeren maakte en volgde de andere mannen naar het dek.

De Coletta had het kanaal gevolgd langs de oostelijke oever van Barro Colorado Island, een groot natuurgebied in het midden van het Gatunmeer. De smalle vaargeul was gemarkeerd met boeien en lichten om te voorkomen dat schepen vastliepen op de ondiepten. De Coletta had weinig diepgang en raasde voor een containerschip langs. Na een mijl in oostelijke richting te hebben gevaren naderde de boot een smalle en dicht begroeide landtong.

De Coletta lag stil onder de felle zon en de drie rubberboten werden neergelaten, elk met tien man aan boord. Pitt zag dat er nog twee passagiers in zijn boot zaten, toen hij zich tussen twee ongewapende commando's perste. De twee hadden allebei een junglehoed diep over hun ogen getrokken.

'Is er nog plek voor een oude man?' vroeg Pitt.

Dirk keek hem van onder zijn hoed aan. 'We willen erbij zijn om te helpen.'

'Ik zou liever zien dat jullie in de boot bleven.' Pitt haalde de Sig Sauer uit de holster en gaf het wapen aan Dirk. 'Hou je zus in de gaten.'

'Maak je geen zorgen,' fluisterde Summer naast hem.

Een commando had de buitenboordmotor al gestart en de rubberboot voer achter de beide andere boten aan naar de oever. De eerste boot koerste naar de inham en twee boten zwenkten naar de andere kant van de landtong. De boten waren amper vijf minuten te water toen het hele aanvalsplan al in duigen viel.

Een ring van boeien in het meer, uitgerust met sensors en camera's had de naderende boten al opgemerkt. Overal begonnen alarmbellen te rinkelen en onmiddellijk kwamen Bolcke's bewakers in actie. De meeste bewakers stormden naar de kade nadat ze de dwangarbeiders opgesloten hadden, en een ander groepje koos positie op het dak van Bolcke's woning.

De voorste boot, met Alvarez en zijn team werd het eerst aangevallen. Varend rond een imitatiemangrove naderde de boot de kade en meteen volgde een salvo vanaf de oever. Alvarez en zijn mannen schoten terug, tot een batterij granaten op ze werd afgevuurd. Een granaat viel in de rubberboot en explodeerde bij de achterkant. Twee mannen waren op slag dood en de andere opvarenden vielen in het water. De tweede en derde boot hadden even respijt voordat er geschoten werd vanaf het dak van Bolcke's gecamoufleerde woning. Boot twee was het dichtst bij de oever en werd het zwaarst getroffen. Een aantal commando's raakte gewond, maar de stuurman wist de boot bij de kant te krijgen waar enige dekking was, al konden de mannen niet verder omdat ze vanaf het dak onder schot werden gehouden.

'Vaar naar rechts!' schreeuwde Pitt naar de man die de derde boot bestuurde, toen hij zag hoe hevig het vuurgevecht voor hen was. Pitt gebaarde heftig naar de man bij de buitenboordmotor dat hij scherp naar rechts moest varen om uit het zicht van Bolcke's woning te komen. De stuurman gaf paniekerig vol gas en zwenkte scherp naar rechts. Bijna wisten ze ongedeerd de oever te bereiken en Jorge, de leider van het commandoteam, liet zijn mannen terug vuren. Maar de schutters op het dak mikten op de derde boot en Jorge werd door twee kogels in zijn maag getroffen.

Pitt zag de angstige gezichten van de andere commando's, die geen van allen gevechtservaring hadden. Meteen kwam hij naar voren. 'We moeten het vuren vanaf het dak stoppen, zodat de mannen van de tweede boot aan land kunnen. Volg mij naar dat huis.'

Zodra de bodem van de boot de oever raakte sprong Pitt aan wal en rende naar de jungle. Aangemoedigd door zijn voorbeeld volgden de andere commando's zo snel ze konden.

'Ik blijf hier, bij Jorge,' zei Summer tegen Dirk, terwijl ze een EHBO-koffer doorzocht. 'Ga jij pa helpen.'

Dirk knikte. Hij wees met zijn duim naar het pistool in de holster aan zijn riem en sprong uit de boot. Hij voegde zich snel bij de anderen, die zich al een weg door de jungle baanden. Pitt liet de mannen stilhouden toen ze bij het open terrein rond het huis kwamen. Op het dak waren enkele schutters te zien, die wachtten tot de aanvallers uit de struiken tevoorschijn kwamen.

Pitt bestudeerde de situatie bij het huis en zag een buitentrap tot aan het dak. Hij keek naar een jongeman die naast hem gehurkt zat. 'Heb jij granaten?'

'Alleen rookgranaten.'

'Geef me wat je hebt.'

Pitt pakte vier rookgranaten aan. 'Als ik het teken geef, dan vuur je een salvo af op het dak, om mij dekking te geven. Zodra ik bij die trap ben gooi ik de granaten op het dak. Dan stormen jullie naar voren om deze positie te veroveren.'

Pitt kroop door de struiken naar een plek dichter bij het huis en schreeuwde: 'Nu!'

Een oorverdovend salvo ratelde vanuit de jungle naar het dak. Pitt rende naar de trap, terwijl de mannen op het dak dekking zochten. Maar ze herstelden zich snel en begonnen terug te schieten. Terwijl Pitt naar het huis sprintte zag hij dat de schutters op het dak schuilgingen achter de entree van het huis en hij zwenkte naar de voordeur. Hij was al bijna op de treden van het bordes toen de deur openzwaaide en twee bewakers naar buiten stormden, gevolgd door Bolcke. Het drietal stoof de treden van het bordes af, om met een ruk te blijven staan toen ze op enkele meters afstand Pitt zagen.

Bolcke's ogen schoten vuur. Maar hij aarzelde geen moment en commandeerde boven het ratelende geweervuur op de achtergrond: 'Dood hem!'

68

Bolcke's lijfwachten zwaaiden hun geweren naar Pitt, klaar om te schieten, maar hij was ze een stap voor. Hij trok de pin uit een rookgranaat en gooide het projectiel op het bordes. De granaat rolde tot voor Bolcke's voeten. Meteen lieten de bewakers hun wapens vallen, ze grepen Bolcke vast en trokken hem over de balustrade. Een van de mannen sprong ook over de balustrade, maar de andere aarzelde. Hij hoorde de granaat sissen en zag de eerste rooksliert verschijnen. Hij begreep dat het geen explosief was en schopte de granaat de treden af. Een grijze rookwolk breidde zich over het gazon uit. De man keerde zich weer naar Pitt, die zonder dekking bij de hoek van het huis stond.

De bewaker hief zijn geweer en richtte op Pitt, maar voordat hij zijn vinger om de trekker haakte verschenen er twee rode stippen op zijn borst en de man wankelde achteruit. Hij verloor zijn evenwicht en zakte in elkaar op de treden van het bordes.

Pitt zag zijn zoon geknield op het gazon, met gestrekte arm hield hij de SIG Sauer gericht. Dirk kwam snel overeind en rende naar de zijkant van de villa, terwijl een salvo kogels dicht naast hem in de grond sloeg.

'Bedankt voor je hulp,' zei Pitt.

Dirk grinnikte. 'Met rook begin je niet veel tegen lood.'

Pitt wees naar het bordes. 'Bolcke.'

Dirk ging voor en ze kropen naar het bordes, maar Bolcke en de andere bewaker waren al verdwenen over een pad naar de jungle. Ze keerden om en Pitt rende de buitentrap op tot hij bijna bij de dakrand was. Hij smeet de drie rookgranaten op het dak dat even later in een dichte rookwolk was gehuld. Vanaf de grond werd niet meer geschoten toen de commando's van de derde boot uit de jungle tevoorschijn kwamen en de trap op stormden. Een paar tellen later kwamen de mannen van de tweede boot als versterking bij de aanval. De bewakers werden snel overmeesterd en het dak werd schoongeveegd toen de rook optrok.

Het werd stil bij de villa, maar bij de kade werd af en toe nog geschoten.

'Heeft iemand iets over Alvarez gehoord?' vroeg Pitt toen de mannen zich weer verzameld hadden op het dak.

'Ik kreeg geen antwoord,' zei de teamleider van de tweede boot. 'We moeten snel naar de kade gaan.'

'Ik wijs jullie de weg,' zei Pitt.

De commando's daalden haastig de buitentrap af. Een kleine groep ging de villa in en de overigen volgden Pitt over hetzelfde pad waarlangs Bolcke was gevlucht. Toen de mannen bij de kade kwamen zagen ze een stuk of zes bewakers naar het water vuren. Twee gewapende matrozen bij de boeg van de Adelaide schoten van boven.

De Panamese commando's openden het vuur en raakten enkele bewakers, ze hadden geen dekking en rolden gewond op de grond. De andere bewakers trokken zich terug en zochten dekking in de jungle. Maar de schutters op de boeg van het schip bleven terugschieten. Er volgde een lang vuurgevecht tot de beter getrainde commando's de beide matrozen uitschakelden.

Boven het ratelende geweervuur hoorde Pitt het geronk van een motor. Hij zag nog net een kleine sloep wegvaren uit de inham, met aan boord Bolcke en zijn lijfwacht. Pitt wendde zich naar de commandant van de tweede boot. De man zat geknield achter een rubberboom en herlaadde zijn geweer. 'Bolcke is ontsnapt in een kleine boot. Waarschuw Madrid op de Coletta dat ze hem moeten grijpen.'

De man knikte en hij klikte een magazijn aan zijn wapen. Daarna drukte hij op de zendknop van zijn walkietalkie en riep de Coletta op.

Madrid stond aan dek, met een verrekijker voor zijn ogen en hij keek naar een naderend containerschip toen hij de oproep kreeg. Hij draaide zich om en zag de kleine sloep van Bolcke uit de inham komen. 'Boordschutter, los een waarschuwingsschot voor de boeg van die sloep. Vuur!'

Het boordkanon vuurde een 20 mm-patroon af en het water spoot in een fontein omhoog voor de boeg van de sloep. De vluchtende sloep minderde vaart, maar bleef dezelfde koers houden, voor de boeg van de Coletta langs. Omdat hij zijn aandacht op de sloep gericht hield vergat Madrid het containerschip dat achter hem naderde. 'Boordschutter, richt nu op de motor. Vuur!'

De man achter het kanon richtte de loop, maar voordat hij kon vuren viel hij op het dek en sloeg met beide armen wild om zich heen, alsof hij door een zwerm bijen werd aangevallen. Schreeuwend rolde hij naar de reling en liet zich in het water vallen om afkoeling te vinden.

In het stuurhuis voelde Madrid opeens een verzengende pijn in zijn hele lichaam. Hij danste weg van het stuurwiel, niet in staat de instrumenten te bedienen. Krijsend van pijn keek hij naar buiten en zag het containerschip recht op hem af komen. Het vrachtschip ramde de Coletta traag en verbrijzelde met zijn grote massa de boeg van de veel kleinere patrouilleboot, die achteruit werd geduwd en vol water liep. Even later kwam de achtersteven omhoog en het kleine schip verdween onder water.

Bolcke zag de patrouilleboot zinken en de sloep kwam langszij het containerschip. Hij klauterde haastig langs de touwladder omhoog, gevolgd door zijn lijfwacht, en rende over het dek naar de brug. Hijgend kwam hij bij het roer, waar Pablo vol bewondering naar het aangepaste ADS-apparaat op de voorsteven keek.

'We zijn mooi op tijd,' zei Pablo.

'Ze... ze hebben mijn bedrijf... aangevallen...' hijgde Bolcke.

'Wie?'

'Een van de arbeiders. Die kerel is gisteren ontsnapt.'

'Ik denk eerder dat het mensen van de Canal Authority waren. Dat was toch een van hun patrouilleboten? Johansson weet wel raad met hen als ze aan land gaan.'

'Nee. Johansson is gedood. Door die ontsnapte man.'

'Kunnen ze iets weten over de deal?'

Bolcke schudde zijn hoofd.

'Vijfhonderd miljoen is genoeg om nieuwe bedrijven op te zetten.'

'Is de scheepsmotor en alle documentatie veilig aan boord?' vroeg Bolcke, en hij bekeek het veranderde uiterlijk van de Salzburg.

'Ja.'

'De Chinezen wachten op ons op het Mirafloresmeer.'

339

Pablo keek naar Bolcke als een kind dat een verjaardagscadeau verwacht. 'Dan zie ik geen reden om nog langer te wachten met het uitbetalen van onze beloning.' Hij stuurde het schip naar de vaargeul en de Salzburg voer snel verder.

69

De commando's van de Canal Authority visten Alvarez en wie er over waren van zijn team uit het water van de inham. Sommigen hadden dekking gezocht bij de pijlers onder de kade. De commandant leek een verzopen kat, maar hij vermande zich en ondanks het verlies aan manschappen nam hij meteen weer de leiding over de verzamelde teams. Hij wees naar een breed pad aan het einde van de kade dat naar de jungle leidde. 'Zijn de gevangenen daar ergens?' vroeg hij.

'Ja,' beaamde Pitt. 'Dat pad gaat naar een ertsmolen, en het verblijf van de dwangarbeiders is iets verder.'

Alvarez verdeelde zijn mannen in twee groepen en ging met de voorste groep naar het pad. Pitt en Dirk volgden. Ze liepen voorzichtig verder, beducht voor een hinderlaag, maar er waren nergens bewakers te zien. Het pad werd breder toen ze bij de ertsmolen kwamen. Alvarez stuurde drie verkenners naar de zijingang van het hoge open gebouw, maar daar konden ze niet komen.

Sluipschutters openden het vuur uit elk raam en elke deur van het grote gebouw. De overgebleven bewakers van Bolcke, in totaal twaalf man, hadden zich verschanst in de ertsmolen voor een tegenaanval en laatste verzet. Door het onverwachte spervuur raakte de helft van Alvarez' mannen gewond.

Alvarez zelf werd in zijn been geraakt en Pitt sleepte hem naar een veiliger plek. De leider van de actie riep snel zijn reservetroepen op, en onder een regen van kogels wist hij zijn gewonde mannen naar de dekking van de jungle te krijgen, al veranderde het gevecht in een patstelling. Alvarez vroeg via zijn radio assistentie aan de Coletta, maar er klonk alleen statisch gekraak als antwoord. 'Ik krijg geen reactie,' zei hij tegen Pitt. 'Zonder hulp zullen we ons moeten terugtrekken.'

'Maar wel met de gevangenen,' zei Pitt. Hij greep het geweer van een gewonde commando die bewusteloos was geraakt. 'Hou ze hier bezig. Wij proberen via een omweg bij dat slaapverblijf te komen.' Hij wenkte Dirk.

De twee mannen verdwenen in de jungle en liepen in een wijde boog om de ertsmolen. Pitt ging voorop en met een omtrekkende beweging kwamen ze bij de andere kant van de molen. Vanuit de struiken konden ze het verblijf van de gevangenen zien, schuin achter de ertsmolen.

Het gebouw stond in het midden van een grote open plek, in het schootsveld van de sluipschutters in de ertsmolen. Pitt zag dat enkele dwangarbeiders bij de toegangspoort probeerden iets te zien van het vuurgevecht.

Hij zag een ertswagentje staan, halverwege zijn positie en de poort. 'Ik ren naar dat wagentje. Als ik dat ongezien bereik, dan lukt het ook om bij de poort te komen.' Dirk schatte de afstand tot de ertsmolen. 'Het is te ver om jou goed dekking te geven. Ik ga met je mee.' Voordat Pitt kon protesteren sprintte Dirk al naar het wagentje. Pitt volgde hem, al kon hij minder lang rennen door zijn verzwakte benen.

Ze werden gezien door een sluipschutter op de verdieping van de ertsmolen. Kogels sloegen naast ze in de grond bij het karretje, en Dirk dook erachter weg. Een paar passen achter hem moest Pitt naar de grond duiken en hij rolde verder tot hij naast Dirk lag. Dirk vuurde twee keer met zijn SIG, maar dat trok de aandacht van nog meer tegenstanders in de ertsmolen. Patronen sloegen tegen het ijzeren wagentje.

'Dit is dus niet de ongeziene benadering waar ik op hoopte,' zei Pitt.

'Er zitten kennelijk overal in dat gebouw gewapende kerels.' Dirk keek voorzichtig over de rand van het ertswagentje, vuurde weer twee keer en dook weg. 'Er staat een kerel met een granaatwerper op de bovenverdieping.' Pitt stak zijn wapen om de zijkant van het wagentje en vuurde een korte salvo af op een half open raam. Het kozijn werd geraakt en het glas werd aan scherven geschoten. Toen hij het geweer terugtrok zag hij een bewaker uit de schaduw naar voren komen met een buisvormig groen ding op zijn schouder. Pitt begreep dat een goed gericht schot met de granaatwerper hen allebei zou verpulveren.

Hij zwaaide het geweer over de bovenkant van het ertswagentje en wilde weer vuren, toen opeens een daverende explosie weerklonk. Het schieten verstomde overal en iedereen keek naar een zwarte rookwolk die achter het verblijf van de gevangenen oprees.

Pitt keek op zijn horloge en grinnikte. Zhou had toch woord gehouden. 'Je bent wel tien minuten te laat,' mompelde hij.

Een seconde later veranderde de hele ertsmolen in een enorme vuurbal. Weer daverden explosies waardoor de afscheidingsinstallaties en andere werkplaatsen met de grond gelijk werden gemaakt. Overal was rook en vuur en het verborgen bedrijf van Bolcke werd totaal verwoest. Zhou had zowel het verblijf van de gevangenen gespaard, als de villa van Bolcke en een gebouw waar een tiental laboranten tijdens het gevecht bij elkaar zat.

Brokstukken van het dak van de ertsmolen regenden neer rond Pitt en Dirk, die bescherming zochten achter het wagentje. Door de enorme explosie werd de grote cilinder in de ertsmolen losgeslagen en het gevaarte rolde weg naar de jungle. De meeste bewakers in het gebouw van de ertsmolen werden op slag gedood, maar enkelen werden door de kracht van de ontploffing naar buiten geblazen en belandden ongedeerd op het gras. Door commando's van de Canal Authority werden de mannen meteen buiten gevecht gesteld.

Pitt en zijn zoon renden snel naar het verblijf van de gevangenen. Met een enkel schot vernielde Pitt het hangslot en hij trapte de poort open. De groep gevangenen kwam meteen in beweging.

'Jongen, wat ben ik blij je hier te zien,' zei Plugard, die zich door het gedrang werkte om Pitt op zijn schouder te slaan.

Maguire en de andere mannen kwamen hem dankbaar de hand schudden. Maar Pitt duwde zich door de opdringende mannen en telde de koppen, op zoek naar zijn vriend. Toen hij bij de laatste man was miste hij nog steeds iemand. Giordino.

Met een akelig voorgevoel liep Pitt door de kantine en de slaapvertrekken. Er was niemand aanwezig. Hij keerde weer terug naar de poort en zag een hangmat tussen twee palen in de open keuken. Giordino lag bewegingloos in de hangmat. Pitt kwam dichterbij en keek zorgelijk naar zijn vriend. Maar toen hoorde hij het vertrouwde gesnurk.

Pitt grijnsde van oor tot oor. 'Uit de veren, maat!'

Giordino opende slaperig zijn ogen. 'Jij bent snel terug gekomen.'

'Ik wist wel dat je me zou missen.'

Giordino geeuwde en ging rechtop zitten. 'Heb je Bolcke gepakt?'

'Nee, hij wist weg te komen voor de show begon.' Pitt zag een primitieve kruk, uit een tak gemaakt, en gaf die aan Giordino. 'Hoe voel je je?' vroeg hij.

'Als een deelnemer aan de nationale kampioenschappen hinkelen.' Giordino ging op een been staan en steunde op de kruk. Zijn gewonde been was zo dik verbonden dat het wel een boomstam leek. Pitt hielp hem naar de poort te strompelen, waar de andere gevangenen bij elkaar stonden.

Een commando kwam langs de smeulende ruïne van de ertsmolen aanrennen en liep naar Pitt. 'Alvarez heeft me gestuurd. Zijn deze mannen allemaal gevangenen?'

'Ja, iedereen is bekend.'

'Wie heeft die explosies veroorzaakt?'

'De springladingen zijn al een tijd geleden aangebracht. Het is wel onze redding.'

'Zeg dat wel,' beaamde de man. 'Alvarez zegt dat iedereen naar de kade moet komen.'

Hij draaide zich om en begon terug te draven naar waar hij vandaan kwam. 'We hebben veel gewonden die verzorgd moeten worden.'

Pitt leidde de groep gevangenen uit de poort, en Giordino greep opeens zijn arm. Hij wees naar de hemel.

'Vertrekt daar iemand zonder ons?'

Pitt keek op en zag een zwarte rooksliert oprijzen boven de kade: de walm van een grote dieselmotor. 'Dat is de Adelaide,' begreep Pitt meteen. De strijd was nog niet voorbij.

70

'Al! Zet de mannen in beweging!' schreeuwde Pitt, terwijl hij al
rende. 'Dirk! Kom mee!'

In de haast om de gevangenen te bevrijden was Alvarez vergeten
iemand naar de Adelaide te sturen om het schip onder controle te houden. Bij het begin van de aanval had Gomez zich op de brug verborgen
en de scheepsmotor gestart. Toen hij zag dat Bolcke ontsnapte en na
de explosies op het bedrijfscomplex wilde hij niet langer wachten.

Pitt en Dirk doken op uit de jungle en ze zagen dat de Adelaide nog
langs de kade lag. De landvasten bij de achtersteven waren al los en
Pitt zag dat Gomez het touw aan dek trok, om daarna in het dekhuis
te verdwijnen. Op het voordek was een matroos bezig de landvast in te
halen.

Pitt en zijn zoon renden verder. De loopplank bij het voordek was
nog niet weggehaald dus hadden ze nog een kans om aan boord te
komen, of de landvast bij de voorsteven te zekeren. Maar die kans
verdween toen de matroos de tros inhaalde. Het geluid van een kleine
buitenboordmotor was te horen boven het dreunen van de warm lopende scheepsmotor van de Adelaide. Terwijl Pitt en Dirk zich langs
het grote schip haastten zagen ze hun kans. Het was Summer die de
derde boot bestuurde. Er lagen een paar doorweekte en bemodderde
mannen op de bodem van de boot.

De walmatroos op de kade keek even naar wat er gebeurde en gooide toen de tros los. De man keek naar de naderende rubberboot en
trok kalm zijn pistool om het op Summer te richten. Een salvo geweer-
kogels werd afgevuurd en de matroos werd in zijn rug getroffen. Min-

stens twee patronen waren afgevuurd met de SIG van Dirk en de andere kogels met het geweer dat Pitt bij zich droeg. De matroos tolde rond en vuurde in het wilde weg op zijn belagers om vervolgens dood in elkaar te zakken.

Een seconde later klonk een schrapend geluid.

'Ze vaart!' schreeuwde Dirk.

Gomez had de scheepsmotor ingeschakeld en de Adelaide dreef weg van de kade. Het schrapende geluid kwam van de loopplank die van de kade werd getrokken en tegen de romp van het schip bungelde.

Summer stuurde de rubberboot langs de kade toen het vrachtschip wegvoer. 'Een containerschip heeft de Coletta geramd!' riep ze naar Dirk en Pitt. Ze was op volle snelheid met de rubberboot naar de plek van de botsing gevaren en had de drenkelingen opgepikt, terwijl het containerschip wegvoer. 'Ik weet bijna zeker dat ze Bolcke aan boord hebben genomen. Misschien was het de Salzburg.'

In Pitts hoofd rolden de gedachten over elkaar heen. Als Summer gelijk had, dan waren de scheepsmotor van de Sea Arrow en alle documentatie daar aan boord. En Ann misschien ook. Hoe dan ook moest het schip tegengehouden worden voordat het uit het Panamakanaal verdween.

Pitt sprak gejaagd tegen zijn kinderen, terwijl hij de wegvarende Adelaide nakeek. 'Dirk, ren naar het eind van de kade. Summer, laat de motor draaien. Ik kom aan boord.' Hij schoof het geweer op zijn rug en dook in het water. Hij plonsde een paar meter naast de rubberboot maar zwom toen mee met het wegvarende vrachtschip. Hij kon het schip niet bijhouden maar zag een tweede kans: de landvast die door het water sleepte. Hij greep het touw en trok zich omhoog tot de lus. Daaraan was een dunnere lijn bevestigd en die gooide hij naar de rubberboot. 'Blijf bij het schip!' riep hij naar Summer, en hij greep zich vast aan de zijkant van de rubberboot, terwijl ze het vrachtschip volgde. Verzwakt als hij was leunde Madrid over de zijkant en hielp Pitt aan boord. Op de kade draafde Dirk naar de laatste bolder. Gomez begreep wat hij van plan was en stuurde de Adelaide zo ver mogelijk naar de inham. Dirk zag het schip verdwijnen en hij spoorde Summer aan op te schieten. Pitt en Madrids armen verkrampten pijnlijk terwijl ze het zware touw bleven vasthouden. Summer gaf meer gas en stuurde naar haar broer. Dirk ging op zijn buik liggen en schoof een stukje over de rand van de kade toen de rubberboot langszij kwam en Summer de buitenboordmotor uitschakelde. Pitt tilde de lus omhoog en Dirk greep het touw, net voordat het strak getrokken werd. Hij zette zich schrap en kon de lus nog om de bolder op de kade leggen. 'Wegwezen, voor het geval die kabel breekt!' waarschuwde Pitt. Dirk sprintte over de kade en Summer keerde de rubberboot om hem te volgen. Opeens zwenkte de rubberboot naar de Adelaide en Dirk zag meteen waarom. Summer stuurde de kleine boot langszij de romp waar de loopplank naar beneden bungelde. Pitt zette zich af uit de rubberboot en greep de loopplank. Hij klauterde langs de romp omhoog en verdween aan dek van het vrachtschip.

De tros aan de boeg werd strak getrokken, zodat de voorkant van het schip niet verder kon. Omdat de scheepsschroef nog steeds door het water maalde begon de achtersteven naar stuurboord te bewegen, waardoor het schip haaks op de inham dreigde te drijven. Op de kade werden de bouten waarmee de bolder was vastgeschroefd bijna krom getrokken door de kabel naar het schip. Tijdens dit touwtrekken stuurde Summer de rubberboot naar een ladder bij de kade. Dirk hielp Madrid en de andere gewonde mannen aan wal te komen.

Toen Jorge als laatste van boord was sprong Dirk in de rubberboot. 'Breng me naar het schip, ik ga pa helpen!' riep hij.

Summer gaf meteen vol gas en de kleine boot stoof naar de Adelaide, waar Dirk met een sprong bij de bungelende loopplank was.

'Wees voorzichtig!' riep Summer hem na.

Dirk knikte. 'Maak dat je weg komt bij die kabel.'

Summer voer snel terug naar de kade en ze hoorde dat de strak gespannen kabel kraakte en elk moment kon breken. Gomez had bijgestuurd en liet de scheepsmotor op volle kracht draaien. De lus in de kabel naar de boeg brak bij de bolder op de kade en kabel zwiepte als een enorme zweep naar de Adelaide. Dirk klampte zich vast aan de hangende loopplank en dook ineen toen de kabel tegen de romp sloeg en hem bijna onthoofdde. Hij klauterde verder en trok zich op het dek. Nu de kabel het schip niet meer tegenhield schoot de Adelaide vooruit naar het meer. Dirk keek om zich heen of hij zijn vader ergens zag, maar afgezien van de twee dode matrozen op de voorplecht leek het dek verlaten. Hij keek omhoog naar de brug en rende over het dek naar het achterschip. Hij kwam bij een deur en stormde de eerste traptreden op toen boven hem geweervuur losbarstte.

Korte salvo's werden bijna een halve minuut lang afgevuurd, terwijl

Dirk naar boven liep. Toen hij op de vierde verdieping kwam werd er niet meer geschoten en hij sloop behoedzaam verder naar de brug. Hij hield de SIG paraat en wilde weer een stap in de richting van de brug zetten toen hij opeens de warme loop van een wapen in zijn hals voelde. Hij bleef als versteend staan, maar de loop werd meteen weggehaald.

'Ik kan me niet herinneren dat ik jou toestemming heb gegeven aan boord te komen.'

Dirk keek om en zag het opgeluchte gezicht van zijn vader.

'En ik wist niet dat jij de kapitein van deze schuit was,' zei Dirk.

'Kennelijk ben ik dat nu wel.' Pitt wees naar de brug. De ramen waren kapotgeschoten, en de navigatiemonitoren en de radar waren door kogels vernield. Scherpe en stinkende rook uit de elektronische apparatuur dreef door de ruimte. In een hoek lag het bebloede lijk van Gomez. 'Ik gaf hem een kans, maar hij weigerde.'

Dirk knikte en keek door het kapotte raam naar voren. Het stuurloze schip was bijna uit de inham, maar een muur van rotsen en mangrove doemde recht voor de boeg op. 'Rotsen vooruit!' riep Dirk en hij sprong naar het roer.

'Die zijn niet echt,' zei Pitt. 'Het is camouflagemateriaal om de inham te verbergen.'

Een paar tellen later kliefde het schip dwars door de imitatierotswand. Dirk zag een stuk piepschuim rots wegdrijven op het water. Even later voer de Adelaide op het wijde meer van Gatun. Een grote hijsbok voer naar het noorden over het kanaal en een paar olietankers en een containerschip koersten naar het zuiden. Pitt ging achter het stuurwiel staan en schoof de telegraaf naar volle kracht vooruit.

'Gaan we niet terug om de anderen te halen?' vroeg Dirk.

Pitt bleef strak naar het containerschip in de verte turen. 'Nee,' zei hij. 'We moeten dat schip inhalen.'

71

Bolcke stond op de brug en tuurde door een raam naar achteren. Zwarte rookwolken boven zijn bedrijf verduisterden de horizon. Het complex was verwoest door de ontsnapte gevangene, door de man die een rookgranaat op het bordes van zijn huis had gegooid.

Maar Pablo had gelijk. Het geld dat werd verdiend met de verkoop van de Sea Arrow-technologie was meer dan genoeg om een nieuw bedrijf op te zetten voor de winning van zeldzame mineralen. Bolcke had al een begin gemaakt in Madagaskar en daar kon hij veilig uitbreiden. Maar hij zou wel kostbare maanden verliezen en niet kunnen handelen op de wereldmarkt. Als hij weer in Colombia was zou hij Pablo opdracht geven de gevangene die hem dit had aangedaan op te sporen en zijn afgehakte hoofd op een schaal aan hem te presenteren. Bolcke keek naar voren toen de Salzburg de Gamboa Reach naderde, een smal gedeelte van het Gatun meer. 'Hoe ver is het nog naar de sluizen?'

Pablo keek op de instrumenten. 'Het is nog twaalf mijl naar Pedro Miguel.' Hij zag de spanning op het gezicht van Bolcke en voegde eraan toe: 'Ik heb via de marifoon al contact met de sluismeester. Hij verwacht ons en we kunnen zonder problemen meteen geschut worden.'

Uit de marifoon klonk de boze stem van een loods op een olietanker. De man schold naar een ander schip dat de weg afsneed. Bolcke en Pablo luisterden niet maar keken naar de plek waar de motor van de Sea Arrow stond, midden op het dek onder een zeil en afgeschermd door muren van opgestapelde containers. Twee mijl achter hen tierde de loods van de olietanker nog steeds tegen de roerganger van de grote bulkcarrier die hem afgesneden had. 'De maximumsnelheid is acht knopen op dit deel van het kanaal, hufter!' kraakte zijn stem uit de marifoon.

Op de brug van de Adelaide kon Pitt al die verwensingen niet horen omdat de marifoon vernield was tijdens de schotenwisseling met Gomez. Hij wist ook niet wat de snelheid was, omdat de navigatie-instrumenten ook kapot geschoten waren. Maar hij kon wel raden dat het schip veel sneller voer dan acht zeemijl per uur. Omdat de Adelaide niet geladen was en de brandstoftanks bijna leeg waren had het schip weinig diepgang. Pitt probeerde zo veel mogelijk vaart te maken en al spoedig was de snelheid bijna twintig knopen. De olietanker met de boze loods bleef achter in het kielzog en Pitt richtte zijn aandacht op een ander schip voor hem. Het was een grote Nederlandse Panamax-tanker, ontworpen voor de maten van de sluizen in het Panamakanaal en bijna driehonderd meter lang.

Het kanaal werd nog smaller toen Pitt de tanker inhaalde en aan bakboord wilde passeren. De Adelaide voer net naast de tanker toen een groot, blauw containerschip opdoemde. Dirk schatte de afstand die nodig was om de tanker in te halen en hij schudde zijn hoofd. 'We kunnen nooit voor dat containerschip passeren.' Hij verwachtte dat zijn vader vaart zou minderen en achter de tanker zou blijven tot er ruimte was om te passeren. Maar Pitt bleef kalm aan het roer staan, zonder gas terug te nemen. Dirk grinnikte hoofdschuddend naar zijn vader. 'Op de brug van die containerschuit zullen ze niet blij zijn.'

De loods van het tegemoet varende containerschip had al gezien dat de Adelaide in zijn vaarwater kwam en begon via de marifoon woedend te roepen dat de ertstanker opzij moest gaan. Maar de steeds dringender vragen werden niet beantwoord en de schepen kwamen steeds dichter bij elkaar. Pitt bleef de tanker inhalen, maar door de enorme lengte duurde dat heel lang. De voorstevens van de tanker en het containerschip hadden elkaar al dwars, dus er was geen uitwijken meer mogelijk. Pitt schatte dat de vaargeul breed genoeg was voor drie schepen naast elkaar. En omdat hij in het midden voer kon het hem ook weinig schelen. De loods op de tanker deed wat hij kon om af te remmen en stuurde zo veel mogelijk naar de rechterkant van de smalle vaargeul. Maar omdat zijn schip de meeste diepgang had weigerde hij nog verder naar de oever uit te wijken. Pitt stuurde zo dicht mogelijk langs de tanker, en de tussenruimte was zo minimaal dat iemand gemakkelijk van het ene schip op het andere schip kon springen. Toch leek een frontale aanvaring onvermijdelijk. Het container-schip koerste recht op de Adelaide af en Dirk en Pitt zetten zich al schrap voor de botsing. Het naderende schip was hoog geladen met containers en werd steeds groter naarmate het naderde. Maar de loods op de brug besloot dat vastlopen naast de vaargeul minder ernstig was dan een frontale botsing en hij stuurde op het laatste moment opzij om Pitt ruimte te geven.

De schepen passeerden elkaar met amper een meter tussenruimte. De onderkant van de romp schuurde over de bodem en de scheeps-schroef maalde door de modder op de bodem van het kanaal. Vanaf de brug werd hevig gescholden door de loods en de officieren van het containerschip toen beide schepen langs elkaar schoven. Pitt grijnsde alleen en zwaaide naar de woedende mannen op de brug van het an-dere schip.

'Ze zullen eisen dat jouw loodsbevoegdheid wordt ingetrokken,' zei Dirk.

'Ja, en ze worden nog kwader als blijkt dat ik helemaal geen loods ben,' antwoordde Pitt.

Er was een bocht in de vaargeul die nog smaller werd en waardoor het silhouet van de Salzburg deels aan het zicht werd ontrokken. Bolcke en Pablo hoorden de laatste stortvloed van verwensingen op de mari-foon.

Toen het blauwe containerschip de Adelaide was gepasseerd en de loods de overgeschilderde naam op de achtersteven zag, uitte hij nog meer dreigementen. 'Labrador, ik zal een officiële klacht indienen bij de Canal Authority in Colón.'

Bolcke verstijfde toen hij de naam hoorde. 'Labrador, dat is de nieuwe naam van dat gekaapte schip.' Hij pakte snel een verrekijker en liep naar het raam van de brug. Geen twijfel mogelijk, de grote bulkcarrier die hen achtervolgde en op een mijl afstand rakelings de Nederlandse tanker passeerde was de Adelaide.

Bolcke's gezicht werd lijkbleek. 'Ze achtervolgen ons,' zei hij tegen Pablo.

Pablo keek bedaard naar het navigatiescherm. 'We zijn heus wel op tijd in de sluis. En als dat niet lukt...' Hij zweeg even en er verscheen een kille trek op zijn gezicht. 'Dan zullen ze veel spijt krijgen van deze achtervolging.'

72

De beide schepen kwamen in Gaillard Cut, het gevaarlijkste gedeelte van het Panamakanaal. Negen mijl lang doorsneed het kanaal daar de grens van twee continenten en tijdens de aanleg moesten er de grootste moeilijkheden worden overwonnen. Het uitgraven van de kloof, op sommige plaatsen meer dan tachtig meter diep, was een gigantisch karwei omdat het met handkracht en primitieve stoommachines moest gebeuren. Vele duizenden arbeiders verloren het leven door ongelukken en aardverschuivingen, maar vooral door gele koorts en longontsteking.

De enorme omvang van het graafwerk verdween uit het zicht toen in 1914 het water de diepe kloof vulde. Maar het kalme oppervlak was misleidend, omdat er gevaarlijke stromingen optraden die de vaart door dit smalle deel bemoeilijkten.

Pitt voer met grote snelheid de engte in en hij negeerde een bord waarop vermeld stond dat grote schepen niet sneller dan zes knopen mochten varen. Af en toe voelde hij de invloed van de verraderlijke stromingen als de achtersteven naar links of rechts zwaaide. Maar hij zette de achtervolging zo snel mogelijk voort en had de Salzburg nu goed in zicht op minder dan een kilometer voor hem. Pablo had opdracht gegeven sneller te varen, maar het duurde enige tijd voor de Salzburg meer vaart maakte. Toen hij omkeek naar de naderende Adelaide besefte Pablo dat hij in de aanval moest gaan.

Toen Pitt zag dat enkele mannen op het voordek van de Salzburg verschenen gaf hij het roer over aan Dirk.

'Even voor de goede orde,' zei Dirk, 'ik heb nooit eerder zo'n groot vrachtschip bestuurd.'

'Ze laat zich gemakkelijker op koers houden dan een Duesenberg,' stelde Pitt hem gerust. 'Je moet alleen niet tegen de kant varen. Ik kom zo weer terug.'

Tóen ze dichter bij de Salzburg kwamen zag Dirk drie mannen bij de boeg bezig met een groot ding dat op een radarschotel leek. De mannen rolden de schotel langs enkele zeecontainers naar de zijkant en richtten het gevaarte schuin op de Adelaide.

Pitt verscheen een ogenblik later op de brug. Dirk zag met verbazing dat zijn vader een reflecterende, beschermende overall had aangetrokken. 'Waarom dat Buck Rogers-kostuum?'

'Die beschermende kleding hadden we meegenomen toen we aan boord kwamen,' zei Pitt. 'Bolcke's schepen zijn uitgerust met een ADS microgolvenzender zoals die ook gebruikt worden om een mensenmenigte in bedwang te houden. Alleen zenden de apparaten van Bolcke dodelijke straling uit. Waarschijnlijk staat er ook zo'n apparaat op de Salzburg.'

Dirk wees naar voren. 'Bedoel je die grote schotel op het voordek?'

Pitt zag de ADS-schotel die recht op hen gericht was en gooide een overall naar Dirk. 'Vlug, trek aan.'

Dirk begon de overall aan te trekken en voelde opeens een branderige pijn in zijn schouder. 'Ze hebben dat ding kennelijk al aangezet.'

Pitt voelde ook de prikkeling op zijn gezicht en hij zette snel de kap met het gezichtsmasker op, voordat hij het stuur weer overnam. 'Blijf zo veel mogelijk uit het zicht,' zei hij tegen Dirk, en zijn stem klonk gesmoord door het masker.

Hij stuurde scherp naar rechts en kreeg een vreemd verhit gevoel in zijn borst en armen. Achter een kapotgeschoten raam stond hij recht in de straling van de ADS-schotel. De reflecterende overall bood wel enige bescherming, maar de straling werd niet totaal geblokkeerd.

Omdat het toestel op de boeg van de Salzburg stond moest de straling langs bakboord op de Adelaide gericht worden. Pitt kon de straal van het wapen ontwijken door zo ver mogelijk rechts langs de oever te varen en schuin achter het andere schip te blijven.

Bolcke zag dat de Adelaide opeens van koers veranderde. 'Die boot vaart schuin weg. Ik denk dat je ze de volle laag kunt geven.'

'De operator meldt dat hij goed op de brug kon richten,' zei Pablo. Toen zagen ze de Adelaide weer rechtuit varen en langzaam de achtersteven van de Salzburg naderen.

'Ik denk dat ze ons willen rammen,' zei Bolcke.

Pablo zag op de navigatiemonitor dat ze spoedig bij de eerste sluizen van Pedro Miguel zouden arriveren. 'We moeten ze kwijt zijn voordat we in het zicht van de sluizen komen.' Hij wisselde enkele woorden met de kapitein en verdween van de brug.

Bolcke bleef staan en tuurde strak door het raam naar het achtervolgende schip.

Pitt bleef op veilige afstand van het voorste schip. Hij had langszij willen komen om de Salzburg naar de oever te drijven, maar toen het ADS-wapen werd opgesteld kon hij dat plan niet uitvoeren. Hij dacht na over wat hij nu moest doen en zag opeens dat de Salzburg overhelde. Op bevel van Pablo stuurde de roerganger scherp naar rechts en de matrozen die het ADS-systeem bedienden richtten de straal meteen op de brug van de Adelaide. Pitt voelde weer een tinteling op zijn huid, maar zijn haren gingen van schrik overeind staan toen hij zag dat Pablo en een andere kerel bij de reling verschenen met granaatwerpers op hun schouder. Een seconde later werden de wapens afgevuurd.

'Weg van de brug!' schreeuwde Pitt. De granaten vlogen recht op hun doel af. Er was geen tijd om te vluchten en Pitt liet zich op de vloer vallen, nadat hij het roer een trap naar bakboord had gegeven. Dirk dook weg aan de andere kant van de brug. De eerste granaat raakte de stalen wand van het dekhuis net onder de brug. Het projectiel ketste af en rolde over het dek, waar het op een dekluik explodeerde, zonder schade aan te richten.

Pablo had de tweede granaat afgevuurd en dat werd een voltreffer. De granaat vloog door het kapotte raam rakelings boven Pitts hoofd naar binnen. Het ding ketste tegen het plafond en sloeg tegen een wand, waar het ontplofte. De hele brug sidderde door de explosie die meteen brand veroorzaakte en een dikke rookwolk werd door de kapotte ramen van de brug naar buiten geblazen.

Pablo zag het vanaf het achterdek en grijnsde voldaan. Niemand kon dat inferno overleven.

73

Twee dingen redden Pitts leven. Het eerste was de afketsende granaat die pas explodeerde achter een console van de radiohoek. De scherven vlogen rond maar drongen niet door de console. Pitt lag aan de andere kant op de vloer en werd gespaard voor een dodelijke regen van staalsplinters. De tweede factor was de beschermende overall, die de vurige flits van de explosie weerstond. De hevige knal schudde hem door elkaar en hij had moeite met ademhalen, maar hij krabbelde snel overeind toen Dirk hem wegtrok uit de chaos.

'Gaat het?' vroeg Dirk.

Pitts oren gonsden en hij kon de woorden amper verstaan. 'Ja, dankzij mijn Buck Rogers-pak.'

Hij wankelde naar een raam. 'We gaan ze zo rammen!' Hij moest schreeuwen om zijn eigen woorden te verstaan. Amper had hij de zin uitgesproken of een zware dreun klonk bij de boeg. Pitt en Dirk zochten steun bij de wand toen het hele schip sidderend door de klap van de botsing tot stilstand kwam.

Pitt had het roer naar rechts getrapt toen hij zich op de grond liet vallen en daardoor was de Adelaide op een ramkoers met de Salzburg gekomen. In het smalle kanaal moest de Salzburg zo scherp mogelijk keren, om langs de Adelaide te komen, maar door de actie van Pitt werd dat verhinderd.

Vol ongeloof zag Bolcke hoe de Adelaide met haar vernielde brug naar hem toe draaide, als geleid door een onzichtbare hand. De Salzburg was halverwege de draai naar bakboord toen de boeg van de Adelaide de romp midscheeps ramde. Met een ijselijk kabaal van schurend metaal sneed de bulkcarrier wel zeven meter dwars door de romp van de Salzburg. Als het schip geladen was zou de romp in tweeën gebroken zijn. Nu werden delen van de romp naar binnen gebogen en het water stroomde kolkend naar binnen. De opgestapelde containers aan dek tuimelden om en enkele vielen dwars door de reling in het water. Aan bakboord stortten twee lege containers op de ADS-schotel en het apparaat werd met de twee mannen die het bedienden verpletterd. Pablo zag dat een andere container kantelde en het been van de kerel met de granaatwerper beklemde. De man schreeuwde om hulp, maar Pablo kon niets doen en liep zwijgend weg.

Beide schepen waren zwaar beschadigd, maar de Salzburg was er duidelijk slechter aan toe. Het schip maakte slagzij naar stuurboord, waardoor nog meer containers omvielen en in het water plonsden. Het water stroomde al over het dek en het schip zonk steeds sneller.

Pablo rende naar de brug, waar Bolcke verdwaasd naar de chaos keek. Pablo liep langs hem en trapte een afgesloten kastje open. Daarin stond de plastic emmer met Heilbrons ontwerptekeningen van de Sea Arrow. 'Waar is de kapitein?' vroeg Pablo. 'We moeten het schip verlaten.'

'Hij ging op zoek naar de hoofdmachinist.'

'We mogen geen tijd verliezen. We moeten naar de reddingssloep. Volg mij!' Pablo pakte de emmer en verliet de brug, gevolgd door Bolcke. Op het dek liepen ze snel naar de reling aan stuurboord, waar de sloep van Bolcke hing. Pablo gooide de emmer in de sloep en beet Bolcke toe: 'Stap in. Ik laat de sloep te water en dan spring ik aan boord.'

Bolcke gehoorzaamde en Pablo bediende de lier om de sloep te laten zakken. Bolcke waarschuwde hem: 'Pas op! Daar, op dat andere schip!'

Voor het dekhuis van de Adelaide verschenen twee gestalten in zilverglanzende overalls, besmeurd met zwarte roetstrepen. Pablo zag dat een wapen op hem werd gericht 'Ik weet wel hoe ik ze kan tegenhouden.' Hij liet de sloep met een klap op het water vallen en maakte de voorste lijn los. Bolcke haakte de lierkabel los. Pablo rende naar het huttendek en opende het slot van Anns hutdeur.

Deze keer was Ann wel blij dat ze Pablo zag. Hoewel ze niet goed begreep wat er gebeurde voelde ze wel dat het schip zonk en ze vreesde dat ze opgesloten zou verdrinken.

'Meekomen!' Pablo greep de handboeien tussen haar polsen en trok haar naar de gang. Zodra ze aan dek kwamen zag Ann geschrokken hoe de boeg van de Adelaide als een mes tot diep in de romp van de

Salzburg was doorgedrongen. De Salzburg maakte veel slagzij en Pablo leidde Ann over het hellende dek naar de reling aan bakboord, waar het water al rond hun enkels klotste. Hij bleef staan voor een lege container die opzij gegleden was en deels door de reling was gebroken en een eind overboord hing. Pablo viste een sleuteltje uit zijn zak en maakte een van Anns handboeien los. Ann deed alsof ze gehoorzaam mee zou lopen toen Pablo haar naar de container trok. Met een snelle beweging gaf ze Pablo een knietje, maar zonder succes. Hij reageerde meteen en trok haar ruw achterover tegen de container. Hij greep de pols met de handboei en klikte de andere boei vast aan een stalen oog onder aan de container. 'Jammer dat het niets is geworden tussen ons,' zei hij. 'Vergeet niet naar je vrienden te zwaaien.'

Pablo draaide zich om en liep over het hellende dek. Snel dook hij weg toen er een korte, metalige tik klonk bij de container achter hem. Hij begon te rennen en toen hij even omkeek zag hij een man bij de reling van de Adelaide staan die met een pistool in zijn richting schoot. Pablo verdween tussen de rij containers en de twee volgende schoten konden hem niet meer raken.

Dirk liet teleurgesteld zijn SIG zakken en zijn vader kwam naast hem bij de reling staan. Ze hadden de beschermende overalls uitgetrokken, omdat ze in de benauwde kleding doornat bezweet raakten.

'Er is een vrouw vastgebonden aan die zeecontainer,' zei Dirk. 'Ik schoot op de kerel die haar vastmaakte, maar ik miste hem.'

Pitt zag een vrouw met kort blond haar naast de container liggen. 'Dat is Ann!'

De opluchting dat Ann nog leefde ebde snel weg door de gevaarlijke situatie van de Salzburg. Het schip zonk snel. Door de diepe scheur die de Adelaide midscheeps had veroorzaakt kolkte het water inmiddels naar binnen en Pitt zag dat het schip zou kapseizen voordat het onder water verdween.

'We moeten naar haar toe.' Hij rende naar de boeg van de Adelaide. Het hele voorschip was in elkaar gedrukt en nog verstrengeld met de Salzburg. De verwrongen spanten van het zinkende containerschip kreunden en schuurden tegen het metaal van de Adelaide.

Pitt werkte zich tussen het verwrongen staal naar voren tot hij op het dek van de Salzburg kon springen. Hij draafde tussen de omgevallen en verschoven zeecontainers naar Ann. Ze keek hem verbijsterd aan toen hij bij haar kwam. 'Wat doe jij hier?'

Hij grinnikte en zei: 'Ik hoorde dat je zonder mij een cruise wilde maken.'

Ann was te bang om te glimlachen. 'Kun je me losmaken?'

Pitt waadde door het water om van dichterbij te kijken. Ann zat op het dek en haar geboeide hand was al onder water verdwenen. Het water spoelde inmiddels ter hoogte van haar elleboog. De container kraakte en gleed een paar centimeter verder over de reling, waarbij Ann meegetrokken werd.

'Is dat een handboei?' vroeg Pitt.

Ze knikte.

Dirk kwam erbij en samen zochten naar iets om de handboei los te krijgen. Aan boord was wel gereedschap, maar er was geen tijd om daar naar te zoeken, want het schip was al half onder water verdwenen, evenals de container. 'Die bak kan elk moment overboord glijden,' zei Dirk gedempt.

'Ik zou niet weten hoe we haar loskrijgen van dat ding.'

Pitt knikte en keek even naar de Adelaide. 'Je hebt gelijk.' Er verscheen een schittering in zijn ogen. 'We moeten ze allebei redden.'

74

De Adelaide was evenals de Tasmanian Star uitgerust met een eigen transportband voor het laden en lossen van de vracht. Het systeem was bij de Adelaide aan stuurboord gemonteerd, recht boven de plek waar Pitt stond.

Hij klauterde door de vernielde boeg omhoog naar de Adelaide en rende naar het bedieningspaneel naast de transportband. Ondanks de aanvaring was de energievoorziening nog intact en onder het dek bromde een generator. Pitt testte de hendels van het bedieningspaneel. Het transportsysteem bestond uit een lopende band die bij elk dekluik geplaatst kon worden. Aan de andere kant van het dek waren kranen waarmee het erts uit het ruim gehesen kon worden en op de lopende band gestort.

Pitt zette de lopende band in beweging en manoeuvreerde de installatie naar het eerste ruim. Hij experimenteerde met de bediening tot duidelijk was hoe alles werkte.

De lopende band zwaaide naar de zeecontainer waar Ann aan vastgeketend was. Met een hendel kon hij de band laten zakken tot onder de reling.

Naast de container stond Dirk en hij gaf aanwijzingen. Opeens klonk er een onheilspellend gerommel in de Salzburg. Containers verschoven naarmate het schip meer slagzij maakte. Met een trage beweging zakte de bakboordkant van het schip steeds dieper weg en de stuurboordkant rees op. Daardoor tuimelden de containers chaotisch in het water.

Pitt liet het uiteinde van de lopende band zo ver mogelijk zakken.

Hij zag hoe een berg containers als een lawine in het water gleed. Bij de achtersteven zag hij de kapitein en enkele bemanningsleden wegspringen om het vege lijf te redden. Naarmate het schip verder kantelde kwam alles aan boord in beweging en gleed naar de laagste kant. Opeens raakte het schip los van de Adelaide en kapseisde meteen. De Salzburg dreef nog enkele minuten ondersteboven, om vervolgens gorgelend onder water te zakken.

Het uiteinde van de lopende band zakte onder water en Pitt vreesde dat zijn plan zou mislukken. Maar de band haperde even en schudde heftig heen en weer. Toen verscheen er een beige vlak onder water en even later werd de zeecontainer door de lopende band omhoog gebracht. Pitt keek over de reling en zag Ann en Dirk onder aan de container boven het water bungelen.

Het water stroomde van de lopende band en de container schoof aan boord. Pitt schakelde het mechaniek uit.

'Mooie vangst,' zei Dirk, 'al had ik niet verwacht dat ik kopje onder zou gaan.' Zijn voeten raakten het dek en Ann kwam naast hem neer.

'Alles oké?' vroeg Pitt aan Ann.

'Ik dacht dat mijn arm uit de kom werd getrokken, maar verder is alles in orde.' Ze schudde het water uit haar haren.

'Geef me dat pistool,' zei Pitt tegen zijn zoon.

Dirk haalde de SIG Sauer tevoorschijn en gaf het wapen aan zijn vader. Pitt schudde het water eruit en richtte op de handboeien. Met een schot brak de ketting tussen de handboeien en Ann was bevrijd van de container.

'Dat wilde ik al eerder doen, maar jullie waren te diep onder water.'

'Dan had ik deze kermisattractie gemist.' Voor het eerst sinds dagen glimlachte Ann. Ze stond op en keek naar de plek waar de Salzburg onder water was verdwenen. 'De motor van de Sea Arrow was aan boord.'

'Die zijn ze dan kwijt,' zei Pitt.

'Maar ze hebben de ontwerpen nog wel,' zei Ann. 'Ik zag dat Pablo die meenam in de sloep.'

Pitt knikte. Hij had Bolcke en Pablo zien vluchten toen hij Ann probeerde te redden. 'Er is maar één plek waar ze naartoe kunnen.' Op de brug van de Adelaide had hij de zeekaart bestudeerd en hij wist dat de volgende sluis niet ver was.

Dirk liep al over het dek naar een rubberboot aan een davit. Na een paar minuten had hij de rubberboot met een lier naar beneden laten zakken met Pitt en Ann aan boord. Omdat hij zelf al doorweekt was sprong hij over de reling in het water en zwom naar de rubberboot. Zodra hij aan boord was startte Pitt de kleine buitenboordmotor en even later scheerden ze over het kanaal.

Het kanaal boog langs Gold Hill, een kleine landtong waar de beide continenten elkaar raakten bij het diepst uitgegraven deel van het kanaal. Even verder werd het kanaal weer breder, en op twee mijl afstand lagen de sluizen van Pedro Miguel.

Bolcke en Pablo waren al bij de sluizen, die inmiddels open stonden voor de Salzburg.

Pablo meerde af bij het midden van de twee sluiskolken. Hij hielp een paar sluiswachters met de landvasten en sprong toen aan wal. Bolcke bleef aan boord en de sluiswachters trokken de boot verder door de sluiskolk, omdat voor een kleine boot de locomotieven niet nodig waren.

Pablo liep naar het sluiskantoor, een gebouw met meer verdiepingen tussen beide sluiskolken waar de bediening van het complex gevestigd was.

Een norse opzichter met een notitieblok keek Pablo aan. 'Dat is geen grote bulkcarrier.'

'We hadden pech met ons schip en we moeten snel door de sluis. Meneer Bolcke zal u drie keer het gebruikelijke tarief betalen als het buiten de boeken blijft.'

'Is hij aan boord?'

Pablo knikte.

'Ik heb hem al een tijd niet gezien.' De sluiswachter pakte een walkietalkie en riep de controlekamer op. Even later kwamen de sluisdeuren langzaam in beweging. Als de kolk gesloten was zou het waterpeil dalen tot dat van het volgende deel van het kanaal.

'Over tien minuten kunt u doorvaren,' zei de opzichter.

Pablo keek naar de traag sluitende deuren en zag een kleine rubberboot met aan boord drie personen met grote snelheid naderen. Er waren twee mannen en een vrouw met kort blond haar aan boord. Dat was Ann Bennett.

'Wacht even.' Pablo wees naar de rubberboot. 'De drie mensen in die rubberboot hebben ons schip tot zinken gebracht. Behandel ze als terroristen en zorg dat ze minstens een uur oponthoud hebben.'

De opzichter keek naar de rubberboot. 'Ze zien er niet bepaald uit als terroristen.'

'Je kunt tienduizend extra krijgen.'

De opzichter straalde. 'Ach, ik vergiste me kennelijk. Doe vooral de groeten aan meneer Bolcke.'

Maar Pablo had zich al omgedraaid en liep terug naar zijn boot.

75

De sluisdeuren van de noordelijke kolk werden gesloten achter Bolcke's boot en de deuren van de zuidelijke sluiskolk schoven open zodat een groot vrachtschip in de tegenovergestelde richting door kon varen. Pitt stuurde de rubberboot achter het brede vrachtschip en voer de sluiskolk in. Hij koerste naar het bedieningsgebouw en meerde af langs de kade waar de sluismeester stond, in gezelschap van twee gewapende bewakers. Het waterpeil in de andere kolk was al bijna een meter gezakt, zodat de man de sloep niet kon zien.

Dirk sprong aan wal met de lijn van de rubberboot in zijn hand en Ann stapte van boord. Dirk wendde zich naar de sluismeester.

'Die sloep daar, met twee mannen aan boord. U moet ze tegenhouden.'

'Nee hoor, wij moeten u tegenhouden,' antwoordde de sluismeester. 'Bewakers, arresteer deze mensen.'

Pitt keek langs het sluisgebouw en hij zag Pablo op de kade lopen. Hij hoorde dat de bewakers Dirk en Ann vastgrepen en gaf meteen gas. Dirk liet de landvast los en de kleine boot schoot naar voren.

De afstand van het sluisgebouw naar de voorste deuren was honderdvijftig meter en Pablo was daar bijna toen hij de buitenboordmotor hoorde. Hij keek om en zag tot zijn verbijstering dat Pitt de boot met een hand bestuurde en in zijn andere hand een SIG Sauer had.

Pablo was ongewapend en hij keek naar de bewakers. Die waren bezig Ann en Dirk te arresteren en gingen niet achter Pitt aan.

De sloep was nog een paar meter voor Pablo, maar Pitt probeerde hem de pas af te snijden. Pablo zag dat er onderhoudsmonteurs aan het spoor voor de locomotieven hadden gewerkt en een stuk beschadigde rail hadden achtergelaten. Hij raapte de twee meter lange dunne staaf op en liep verder.

Pitt voer voorbij Pablo en stuurde naar de kade. Hij zag het geïmproviseerde wapen van Pablo niet toen hij uit de boot op de kant sprong en zijn wapen op de Colombiaan richtte. Zijn reflexen waren verzwakt door vermoeidheid en toen Pablo met het stuk rails zwaaide reageerde hij te laat. Pitt richtte en haalde de trekker over, maar de rail sloeg al tegen zijn uitgestrekte hand. Het pistool vloog door de lucht en viel in het water.

Pitt dook weg toen Pablo opnieuw met de rail naar hem uithaalde, maar hij werd in zijn ribben geraakt en verloor bijna zijn evenwicht. Hij wist net overeind te blijven en deinsde achteruit toen Pablo hem weer aanviel. De stalen staaf zoefde door de lucht toen Pablo er mee zwaaide alsof het een zwaard was. 'Jij hebt wel een verre reis gemaakt om hier te sterven.'

'Nog niet ver genoeg,' zei Pitt.

Achteruit wankelend om een klap met de staaf te ontwijken was Pitt bijna bij de sluisdeuren waar de sloep lag afgemeerd. Het water in de kolk daalde snel en de sloep was al bijna zeven meter gezakt. Pitt keek naar de boot, maar de afstand was te groot om een sprong te wagen.

Pablo zag dat Pitt aarzelde en hij kwam dichterbij om zwaaiend met de staaf de genadeslag te geven.

Pitt zag dat Pablo trager bewoog omdat de staaf zo zwaar was en hij besloot in de aanval te gaan. Hij deed een stap achteruit toen Pablo met het stuk rail uithaalde, om meteen daarna opeens naar voren te springen. Pablo reageerde door de staaf verdedigend voor zijn borst te houden toen Pitt op hem af stormde. Dit bracht Pablo uit balans en hij wankelde opzij. Pitt greep de rail en duwde uit alle macht.

Pablo had geen keus en moest achteruit stappen om zijn evenwicht te hervinden. Hij was bij de rand van de sluiskolk gekomen en zijn voet vond geen steun maar bewoog in de lucht. Pablo tuimelde achterover in de sluiskolk en trok Pitt met zich mee. Dirk en Ann hadden het tweegevecht gezien, terwijl ze door de bewakers onder schot werden gehouden. Dirk zag de beide mannen in het water vallen en hij wachtte tot ze weer aan de oppervlakte verschenen. Het water werd weer kalm en Dirk telde de seconden. Maar na meer dan een minuut voelde hij een kille huivering.

Geen van beiden verscheen weer boven water.

76

Pablo viel het meest ongelukkig in de sluiskolk. Hij belandde plat op zijn rug en Pitt viel boven op hem. Het was alsof hij op een betonnen plaat terechtkwam. Door de klap stokte zijn adem en er schoot een felle pijn door zijn rug. Hij verkrampte en kon even niets meer doen. Pitt drukte met de stalen staaf Pablo verder onder water. Met zijn duikervaring kon hij het langer onder water uithouden dan Pablo. Omdat al zijn aandacht op zijn tegenstander was gericht, merkte Pitt de sterke zuiging in de sluiskolk niet op. Hij voelde wel dat de druk op zijn oren groter werd en hij bewoog zijn onderkaak snel om het evenwicht te herstellen.

Pablo herstelde zich langzaam van de harde klap op het water en probeerde weg te komen onder de stalen staaf. Maar Pitt hield stevig vast en drukte Pablo nog verder onder water. Pablo besefte dat hij naar lucht moest happen. Hij duwde de spoorstaaf van zich af en watertrapte opzij om weg te komen. Maar er gebeurde iets vreemds. Hij steeg niet naar de oppervlakte, maar werd door een onzichtbare kracht naar de diepte getrokken. Pablo greep de staaf weer vast en trapte als bezeten met zijn benen.

Aan de andere kant van de staaf voelde Pitt dat de druk op zijn oren weer toenam en hij besefte dat ze naar bodem werden gezogen.

De twee mannen waren op een plek in de sluiskolk gevallen waar een van de afvoergaten in de bodem zat. Als de kleppen in de sluiskolk werden geopend, stroomde het water door een buis die weer in verbinding stond met een veel grotere buis in de wand, met een doorsnee van zes meter, en stroomde uiteindelijk in het Mirafloresmeer.

Aan de oppervlakte was de draaikolk in het water amper zichtbaar, maar dicht bij de bodem van de sluis werd de zuiging onweerstaanbaar sterk. Ook Pitt liet de stalen staaf even los en probeerde watertrappend naar boven te komen. Maar de zuiging van het water was te groot. Terwijl hij door de draaikolk werd meegezogen, stootte Pitt tegen Pablo en greep de staaf weer vast. Het wegstromende water zoog nog harder en de stroom trok beide mannen naar de afvoerbuis met een doorsnee van ruim een meter. De staaf zou ook in de buis verdwijnen, maar op het laatste moment kon Pitt de staaf dwars voor de ingang van de betonnen buis houden. Met een ruk bleven de twee mannen stil hangen in de waterstroom. Geen van beiden hadden ze beseft hoe sterk de stroming was en ze werden bijna losgerukt van de staaf door de kracht van het water.

Door de schok raakte Pitt uit balans en zijn benen werden in de buis gezogen. Even later hing zijn lijf in de sterke stroom naast Pablo en ze hielden zich wanhopig vast aan de staaf die dwars over de opening lag. Duizenden liters water kolkten langs de twee mannen. Ze streden niet meer tegen elkaar: ze vochten allebei voor hun eigen leven.

De afdaling naar de bodem van de sluis had slechts een halve minuut geduurd, maar nu moesten ze echt snel ademhalen. Pablo had zijn adem ingehouden sinds hij het water raakte en hij kreeg het steeds benauwder. Zijn hart bonsde snel en hij voelde een stekende hoofdpijn. De angst om te verdrinken beheerste zijn gedachten en hij raakte in paniek.

Dicht naast hem, hangend aan de stalen staaf, zag Pitt dat Pablo's ogen uit hun kassen puilden en zijn gezicht was vertrokken in een huiveringwekkende grimas. Uit wanhoop liet Pablo de staaf los en probeerde uit alle macht naar de oppervlakte te zwemmen.

Hij had geen schijn van kans.

Hij verdween langs Pitt in de afvoerbuis en werd meegevoerd door de sterke waterstroom.

Dat Pablo had opgegeven maakte Pitt nog vastberadener. Hij bleef de stalen staaf stevig vasthouden en probeerde het bonken in zijn hoofd en de drang naar adem te happen te negeren. Hij wist dat de sluiskolk snel vol water kon lopen en ook snel weer leeg. En omdat het water al meer dan zeven meter was gezakt toen ze in de kolk vielen, hield Pitt zichzelf voor dat het snel voorbij zou zijn. Zijn vingers raakten gevoelloos en hij hoorde een rommelend geluid in de diepte onder hem. Even leek de stroom nog aan te zwellen, maar de kleppen werden gesloten. Pitt hoorde een dreunend geluid en opeens hield de waterstroom op.

Eerst kon hij het amper geloven, maar toen hij zich optrok aan de spoorstaaf kon hij naar boven zwemmen. Watertrappend bewoog hij omhoog en hij ademde langzaam uit. De oppervlakte was nog tien meter boven hem, maar die afstand kon hij snel afleggen en eenmaal boven water ademde hij gretig de tropische, klamme lucht in.

Terwijl hij op adem kwam hoorde hij op de kade van de sluis hoog boven hem geschreeuw en een motor die toeren maakte. De sluisdeuren waren geopend en Bolcke was bezig met de sloep uit de kolk te varen. Twee sluiswachters die de landvasten losmaakten zagen Pitt in het water en ze waarschuwden een van de bewakers.

Bolcke zag Pitt ook. Hij negeerde de losgemaakte landvasten en gaf gas. De sloep schoot naar voren in de richting van de open sluisdeuren, met het meegesleepte landvast achteraan. Pitt reageerde meteen en met een paar snelle slagen was hij bij het touw. Hij greep het vast en zodra het strak getrokken werd voelde hij dat hij door het water werd gesleept. De bewaker kwam aanrennen en schreeuwde naar Bolcke dat hij moest stoppen. Maar Bolcke negeerde het bevel en duwde de gashendel nog verder naar voren.

Zodra hij uit de sluis was keek Bolcke om en vloekte hartgrondig toen hij zag dat Pitt zich liet meeslepen aan een touw. Hij liet het roer los en was met een stap bij de bolder om het touw los te maken. De lijn verdween over de achtersteven en de verbinding tussen de boot van Bolcke en de man die hem koppig achtervolgde, was verbroken.

77

'Rudi, kom zo snel mogelijk hierheen.'
'Oké, Hiram, ik ben onderweg.' Gunn legde de hoorn neer en liep met snelle passen zijn werkkamer uit. Hij wachtte niet op de lift maar rende de trappen af en stoof even later de computerruimte van NUMA binnen.

Yaeger zat op zijn stoel voor het grote videoscherm. Op het scherm was een vrachtschip te zien dat traag in een sluis voer.

'Waar is dat?' vroeg Gunn, terwijl hij naar het scherm tuurde.

'Panamakanaal, bij de Pedro Miguel-sluizen. We zien live-beelden vanuit de bedieningskamer van het complex. Ik hou die beelden in de gaten, omdat ik op een bericht van Dirk en Summer wacht over de aanval op dat ertsbedrijf.'

'Ja, ik wacht ook op hun telefoontje.'

'Bekijk dit eens. Ik heb het een paar minuten geleden opgenomen.'

Yaeger spoelde de opname terug, tot te zien was hoe een kleine boot de sluis was in gevaren. Een paar minuten later volgde een rubberboot in de parallelsluis en meerde af bij het sluisgebouw.

Gunn tuurde naar de gestalten die uit de boot stapten. 'Dat lijken Ann en Dirk wel.'

'Dus dat is inderdaad Ann. Dirk had ik al herkend, maar ik wist niet precies hoe Ann eruitziet.'

Ze keken naar het verloop van de gebeurtenissen, ook naar de schermutseling met Pablo en ze zagen hoe Pitt aan een touw de sluis uit werd getrokken. Ze keken vol ongeloof naar de videobeelden.

'Zou dat Bolcke zijn, in die sloep?' vroeg Yaeger.

'Ja,' zei Gunn. 'Dan voert hij nog steeds iets in zijn schild, want anders zou Pitt hem niet achtervolgen.'

'Wat moeten we doen?'

Gunn schudde verdwaasd zijn hoofd. 'Sandecker,' zei hij uiteindelijk. 'We moeten Sandecker bellen.'

78

De lijn werd slap in Pitts hand, na zijn korte sleeptocht door het water achter Bolcke's boot. Hijgend keek hij de sloep na over het meer.

Pitt was een klein eindje op het Mirafloresmeer getrokken. Bij de oever was op enkele meters afstand een steiger met een afgemeerde boot. Pitt zwom naar de boot en zag dat het een kleine sleepboot van de Canal Authority was, bestemd voor het manoeuvreren met grote schepen bij de sluizen. Pitt hees zichzelf aan boord en maakte de landvasten los. Daarna liep hij de stuurhut in en startte de motor. Hij voer weg van de steiger, onopgemerkt door het sluispersoneel dat bezig was met het schutten van schepen. Zodra hij vrij was van de steiger gaf hij vol gas en hij voer langs een drijvend lijk in het water. Pitt herkende Pablo, verminkt en gemangeld door de dodelijke tocht door de afvoerbuis van de sluizen. De sleepboot was niet zo snel als Bolcke's boot, maar dat was geen probleem. Het Mirafloresmeer was niet groot: minder dan twee kilometer lang. Bolcke bleef in zicht en als hij met de sloep wilde vluchten, moest hij nog een aantal sluizen passeren. Pitt voer een kilometer achter Bolcke en besefte dat de Oostenrijker een ander plan had.

De sloep kwam langszij een vrachtschip dat stil lag op het meer. Bolcke wachtte tot een touwladder werd neergelaten langs de romp. Twee gewapende mannen met een Aziatisch uiterlijk daalden de ladder af en trokken de sloep dichterbij. Bolcke gaf een van de mannen de emmer met daarin de ontwerptekeningen van de Sea Arrow. Daarna stapte Bolcke aan boord. Pitt naderde de achtersteven van het vrachtschip en hij las de naam: Santa Rita, met als thuishaven Guam. De mannen waren al halverwege de touwladder toen Pitt voorbij tufte met sleepboot.

Bolcke herkende Pitt in de stuurhut en keek hem aan alsof hij een geestverschijning zag. Snel wisselde hij enkele woorden met de gewapende kerels.

De man met de emmer klauterde haastig omhoog, maar zijn maat richtte langzaam zijn wapen op de sleepboot. Even later vuurde hij een waarschuwingsschot af voor de boeg en richtte de loop van zijn wapen daarna op Pitt in de stuurhut. Pitt begreep de boodschap en zwenkte weg van het vrachtschip om verder te varen.

Zhou verscheen bij de reling toen Bolcke daar naar boven klom.

'Welkom,' zei Zhou effen.

Bolcke stond hijgend, met verwilderde ogen aan dek en probeerde weer op adem te komen na de klimpartij langs de touwladder. 'Mijn schip werd geramd en tot zinken gebracht. Mijn bedrijf werd aangevallen en verwoest. We zijn de scheepsmotor kwijt en mijn assistent Pablo is gedood. Maar ik ben ontsnapt met de ontwerptekeningen voor de supercavitatiemotor. En die tekeningen zijn meer waard dan de motor.'

Zhou keek strak naar de Oostenrijker en was opgelucht dat hij niet verdacht werd van de verwoesting van Bolcke's bedrijf. Maar het verlies van de motor van de Sea Arrow was wel een zware tegenslag, ook al waren de ontwerptekeningen gered. 'Dit verandert onze overeenkomst.'

'Uiteraard, maar dat kunnen we later bespreken. We moeten zo snel mogelijk voorbij de Mirafloressluizen.'

Zhou knikte. 'Wij zijn als eerstvolgend schip aan de beurt. Wie was dat in die sleepboot?'

Bolcke keek de sleepboot in de verte na. 'Ach, een hinderlijk persoon. Maar hij kan ons niet meer tegenhouden.'

79

Pitt stoomde met de sleepboot voor de Santa Rita en probeerde iets te verzinnen om het schip tegen te houden en de ontwerptekeningen terug te krijgen. Hij was alleen in de sleepboot en had maar weinig mogelijkheden. Hij keek voor zich naar het meer en zag dat het water zich in de verte splitste; een zuidelijke tak leidde naar een dam en een overstort waar het niveau van het meer geregeld kon worden. En meer noordelijk waren de dubbele sluizen bij Miraflores. De deuren van een kolk waren juist geopend en een groot, wit cruiseschip voer uit de sluis. Pitt besefte dat de sluizen geen optie waren, want Bolcke had bij Miraflores ongetwijfeld evenveel invloed met smeergeld als bij de sluizen van Pedro Miguel. Als hij aan het sluispersoneel zou vragen het vrachtschip tegen te houden, zou hij waarschijnlijk zelf worden vastgehouden, zoals Dirk en Ann was overkomen, tot de Santa Rita ongehinderd naar open zee was verdwenen. Hij moest iets anders bedenken. Varend langs de oever zag hij een oude schuit geladen met modder afgemeerd liggen bij de dam. Hij voer langs de schuit en keerde voor de sluizen. Toen hij het cruiseschip passeerde kwam het hem bekend voor. Hij stuurde naar de achtersteven die licht beschadigd was en glimlachte toen hij een slim idee kreeg.

'Schitterend,' mompelde hij voor zich uit. 'Echt schitterend.'

80

'Kapitein, een radiobericht van die havensleepboot daar aan bak-boord.'

Kapitein Franco beende naar de marifoon en nam de hoorn over van een officier.

'Hier de Sea Splendour, met kapitein Franco.'

'Goedemorgen kapitein. Dit is Dirk Pitt.' Pitt stak zijn hoofd uit de stuurhut en zwaaide naar het cruiseschip.

'Mijn vriend Pitt!' riep Franco uit. 'Wat is de wereld toch klein! Wat doe je hier? Werk gevonden bij de havendienst?'

'Nee, dat niet. Maar de situatie is kritiek en ik heb uw hulp nodig.'

'Maar al te graag. Ik heb mijn schip en mijn reputatie aan jou te danken. Wat kan ik voor je doen?' De kapitein overlegde even met Pitt en beëindigde hoofdschuddend het gesprek. Hij liep naar de loods die aan het roer stond en de koers in de gaten hield.

'Roberto,' begon de kapitein met een gemaakte glimlach, 'zo te zien heb jij best trek. Ga naar de kombuis en vraag maar wat te eten. We roepen je naar de brug zodra de sluizen van Pedro Miguel in zicht komen.'

De loods had een kater van te veel rum de vorige avond en hij keek op naar de kapitein. 'Dank u wel. De vaargeul is breed, dus navigeren is hier geen probleem.' De loods verdween van de brug.

De eerste officier keek vragend naar Franco. 'Dit is heel ongebruike-lijk, kapitein. Wat is de bedoeling?'

Franco ging achter het stuurwiel staan en keek afwezig in de verte. 'Ik beëindig mijn carrière zoals ik dat in Valparaiso al had moeten doen,' zei hij kalm en gaf daarna instructies om het schip te keren. Pitt stuurde de sleepboot weg van het cruiseschip en voer zo snel mogelijk naar de oever. Zijn doel was de roestige schuit die bij de baggerwerkzaamheden in het kanaal werd gebruikt. De schuit was geladen met modder en lag diep in het water, wachtend op een sleep naar de oceaan om daar gelost te worden.

Pitt meerde af langs de baggerschuit en rende over het gangboord. Bij de boeg vond hij de landvast, een dik touw, en hij maakte het los van de bolder op het voordek. Hij liet het touw in het water vallen en rende terug naar de sleepboot. Langszij duwde hij de grote schuit naar dieper water. De diepliggende boot dreef naar de vaargeul en Pitt manoeuvreerde de sleepboot naar de achtersteven om de boot naar de sluizen te duwen.

Een paar honderd meter verder lag het Chinese vrachtschip Santa Rita recht voor de sluizen, te wachten tot de deuren geopend werden. Pitt keek over zijn schouder en zag hoe de Sea Splendour hem volgde. Door de boegschroeven te gebruiken was het cruiseschip snel gekeerd. Toen Pitt de Sea Splendour, die hij bij Chili gered had, herkende, wilde hij het cruiseschip eerst gebruiken om de ingang naar de sluizen te blokkeren. Maar de Santa Rita lag daar al en er was geen ruimte om het cruiseschip ervoor te manoeuvreren. Zijn andere plan was nog gewaagder, en zelfs roekeloos. Als hij niet kon verhinderen dat de Santa Rita de sluis binnenvoer, dan moest hij verhinderen dat het schip verder zou varen. En er was maar een mogelijk om dat te doen. Pitt duwde de modderschuit vooruit in de richting van de sluizen, maar hij zwenkte naar het zuiden en volgde de splitsing in het water. Hij koerste niet naar het sluizencomplex maar naar de dam in het meer. Pitt zag dat de slagschaduw van het cruiseschip over de sleepboot schoof toen het grote vaartuig voorbij kwam.

'Hier de Sea Splendour. Wij zijn er klaar voor,' kraakte een stem uit de marifoon.

'Begrepen, Sea Splendour. Ik wijs de weg.'

Pitt stuurde de sleepboot weg van de modderschuit en ging voor het cruiseschip varen. Het cruiseschip duwde met de boeg de modderschuit vooruit.

'Dat ziet er goed uit, Sea Splendour,' zei Pitt. 'Geef maar een flinke zet!'

Duwend tegen de modderschuit werden de motoren van de Sea

Splendour even op volle kracht vooruit gezet. Even later werd de modderschuit met grote snelheid voortgedreven.

Pitt probeerde het grote schip bij te houden en hij zag de dam op honderd meter afstand opdoemen. 'Volle kracht achteruit!' riep Pitt via de marifoon. 'Bedankt, Sea Splendour. Ik neem het hier weer over.'

'Veel succes, Pitt!' zei Franco vanaf de brug.

Pitt gaf vol gas en kwam weer bij de achterkant van de modderschuit, terwijl het cruiseschip achteruit begon te varen. De zware modderschuit leek op hol geslagen en de sleepboot bleef alleen duwen om de vaart erin te houden. Pitt bonkte telkens tegen de achterkant, terwijl de modderschuit steeds dichter bij de dam kwam. Pitt zette zich schrap voor de klap en die kwam harder aan dan hij verwacht had. De platte voorkant van de modderschuit sloeg met een geweldige dreun tegen de betonnen dam en het vaartuig lag meteen stil. De sleepboot schampte de achtersteven en Pitt vloog over het stuurwiel. Hij wankelde terug en draaide de sleepboot weg en besefte dat zijn plan om de dam te breken mislukt was. Hij was er alleen in geslaagd de zware modderschuit tegen de dam tot stilstand te brengen. Maar toen klonk er een rommelend geluid in de diepte. Onder het wateroppervlak had de modderschuit een barst veroorzaakt in het beton. En die breuk werd groter onder de druk van het water in het meer. Met donderend geraas bezweek het eerste, twintig meter brede gedeelte van de dam, en even later spoelde de hele dam weg.

Pitt zag met verbijstering hoe de modderschuit naar voren gleed en over de rand verdween, om met krakend geweld vijftien meter lager te belanden. De sleepboot werd meegetrokken door het kolkende water en Pitt moest snel wegsturen om uit de stroming te komen. De Sea Splendour was al achteruit gevaren en kapitein Franco stuurde het grote schip naar het diepe deel van het meer. Pitt keek weer naar de Santa Rita. Het vrachtschip lag nog voor de sluizen te wachtend op de passage naar de Pacific. Terwijl Pitt de sleepboot van de vernielde dam wegdraaide, zag hij de deuren van de noordelijke sluis langzaam open zwaaien. Hij had gedaan wat hij kon. Nu was het alleen een kwestie van tijd en de natuur.

81

Bolcke begreep als eerste wat Pitt van plan was. Hij zag de modder-schuit door de bres in de dam schuiven en hij wendde zich naar Zhou die ook op de brug van de Santa Rita stond.

'Hij probeert het waterniveau te verlagen, zodat we niet verder kunnen. We moeten nu meteen die sluizen in!'

Zhou gaf geen antwoord. Hij had geen controle over de sluizen, maar zag met verbazing dat de deuren even later geopend werden. De Chinese vrachtboot voer langzaam de sluiskolk in en sleeptrossen werden vastgemaakt aan de kleine locomotieven op de kade. Bolcke was vaak geschut in deze sluis en hij merkte meteen dat er iets niet klopte. Het dek van de vrachtboot lag al veel lager dan de kade naast de sluiskolk. En dat zou pas het geval moeten zijn als het water uit de kolk was geloosd. Het waterpeil stond al meer dan een meter lager dan normaal het geval was.

Bolcke was met enkele snelle passen bij de marifoon en hij riep nerveus de controlekamer op. 'Transit, hier de Santa Rita! Sluit de deuren achter ons onmiddellijk! Ik herhaal: sluit de deuren nu meteen!'

In de controlekamer van de Mirafloressluizen werd de eis van Bolcke genegeerd. Het personeel probeerde te begrijpen wat er bij het complex gebeurde. De Sea Splendour en een kleine sleepboot waren wel opgemerkt, maar er werd pas alarm geslagen toen de modderschuit over de dam werd geduwd. Meteen kwam de beveiligingsdienst in actie en boten werden uitgestuurd om de situatie aan beide kanten van de dam te bekijken.

Een zwart-witte speedboot sneed Pitt de weg af voor de sluizen.

Nog voordat de bewakers hem konden praaien stopte Pitt de sleepboot. 'Een kleine boot is door de dam gebroken. Er waren veel mensen aan boord. Jullie moeten naar overlevenden zoeken!' schreeuwde hij naar de speedboot.

De leider van het team bewakers geloofde wat Pitt beweerde en gaf meteen opdracht een reddingsactie te beginnen. Pas later zou de man zich afvragen waarom Pitt een sleepboot van de Canal Authority bestuurde.

Pitt voer weer verder met de sleepboot en zag een grauw vaartuig wachten om vanaf de andere kant de zuidelijke sluiskolk in te varen. Hij stuurde naar de noordelijke sluis, achter de Santa Rita aan, en zag dat het waterniveau van het kleine meer veel sneller zakte dan hij verwacht had. Een inlaatbuis waardoor het water uit het meer in de sluiskolk werd gevoerd was al zichtbaar boven het oppervlak.

Pitt zag tot zijn opluchting dat de deuren van de kolk waar de Santa Rita naar binnen voer nog geopend waren en hij stuurde de sleepboot naar binnen. Daar was nog duidelijker dat het waterpeil van het meer aanmerkelijk gezakt was. De Santa Rita lag laag in de kolk en het dek lag wel zeven meter lager dan de kade.

Maar dat was nog niet genoeg. De Santa Rita was op weg naar de Pacific en zou negen meter dalen in de sluiskolk. Het waterpeil moest nog verder dalen om te voorkomen dat het schip door kon varen.

'Transit centrale aan Hulpsleepboot 16. Meld ons wat uw taak is.'

Pitt pakte de hoorn van de marifoon. 'Transit, wij inspecteren de noordelijke sluiskolk op mogelijke schade aan de deuren.'

Het duurde niet lang voordat Bolcke zich met het gesprek bemoeide. 'Transit centrale, de kerel op die sleepboot is een crimineel. Hij is verantwoordelijk voor de schade aan de dam. Arresteer hem onmiddellijk!'

Pitt schakelde de marifoon uit, in de wetenschap dat hij ontmaskerd was. Het enige wat hij nog kon doen was de sluisdeuren blokkeren, al kon dat zijn leven kosten. Op het dek van de Santa Rita verschenen gewapende mannen die posities innamen bij de reling en op het achterdek. Buiten zicht van Pitt stormde een groep bewakers van de Canal Authority uit het sluisgebouw in de richting van de sleepboot.

Een paar honderd meter verder bezweek het laatste deel van de Mirafloresdam, waardoor de watervloed nog meer aanzwol. Langs de oever van het meer was het waterpeil dramatisch gedaald, zodat modderige vlakten zichtbaar werden, bijna tot aan de vaargeul. De stroming in het resterende water werd sterker en Pitt voelde dat de sleepboot achteruit werd gezogen als hij gas minderde. Hij waagde zich even buiten de sluiskolk en zag dat het waterbassin nu helemaal zichtbaar was. Het niveau was bijna vier meter gezakt sinds Pitt bij de sluis arriveerde en het water bleef wegstromen.

Pitt zag dat de deuren langzaam gesloten werden en hij voer weer snel de sluis in. De sluismeester hield geen rekening met de veiligheid van de sleepboot en gaf opdracht de deuren helemaal te sluiten. Hij overwoog even om de deuren met de sleepboot te blokkeren, maar hij wist dat het vaartuig vermorzeld zou worden tussen de gigantische deuren. Een blik op de Santa Rita maakte duidelijk dat het ook niet meer nodig was. Het vrachtschip helde naar stuurboord en leunde tegen de kade van de sluiskolk. Kennelijk was het waterpeil al zo ver gezakt dat de kiel de bodem raakte. Pitt gaf vol gas om voorbij de sluitende deuren te komen en hij manoeuvreerde aan bakboord langszij de Santa Rita.

Meteen verschenen er gewapende bewakers en ze richtten op Pitt, die de sleepboot vastlegde. Met zijn handen omhoog kwam Pitt naar de reling en hij stapte aan boord van het vrachtschip. Een van de mannen drukte de loop van een AK-47 tegen zijn hals en blafte hem af in het Chinees. Pitt keek zijn belager met een kille glimlach aan. 'Waar is je baas?' Hij hoefde niet te wachten op een tolk. Bolcke en Zhou kwamen aan dek, nadat ze gezien hadden dat Pitt langszij afmeerde. Zhou keek nieuwsgierig naar Pitt, verbaasd dat hij de Amerikaan hier weer trof, na hun ontmoeting in de jungle. Bolcke daarentegen keek woedend naar Pitt.

'Jij hebt militaire ontwerptekeningen die eigendom zijn van mijn land,' zei Pitt.

'Ben je krankzinnig?' schreeuwde Bolcke terug.

'Helemaal niet. Het spel is uit, Bolcke. Je hebt verloren. Geef me die ontwerptekeningen.'

'Je bent gek. We varen zo de sluis uit. En we varen over jouw lijk.'

'Je gaat nergens heen,' zei Pitt kalm. 'Jouw schip is aan de grond gelopen en er is geen water in het bassin om de kolk te vullen.'

In de controlekamer was de sluismeester tot dezelfde conclusie gekomen. Het waterpeil bij de Santa Rita was nu aanmerkelijk lager dan in de volgende sluiskolk en het was onmogelijk de sluisdeuren te openen als het niveau aan weerszijden niet gelijk was.

379

'Ze laten water vanuit het Gatun meer hierheen vloeien, en dan varen we verder,' zei Bolcke.

'Maar niet met die ontwerptekeningen.'

'Maak hem af, Zhou,' zei Bolcke tegen de Chinees. 'Doe het nu.'

Zhou zweeg en overwoog intussen wat hij zou doen.

'Ik had niet verwacht dat je hem gratis vervoer zou aanbieden,' zei Pitt tegen Zhou. 'Maar ik neem aan dat je hem niet verteld hebt wie zijn bedrijf met explosieven heeft vernield? Dan hebben jullie toch iets met elkaar te bespreken.'

Een achterdochtige trek verscheen op Bolcke's gezicht. 'Dat zijn leugens!' brieste hij. Maar aan de wanhopige blik in zijn ogen was te zien dat hij begreep dat zijn wereld ineen stortte. Hij kon niets anders doen dan de brenger van het slechte nieuws doden. Met een snelle beweging wendde Bolcke zich naar een bewaker en rukte de AK-47 uit zijn handen. Richtend op Pitt zocht hij naar de trekker, maar op dat moment klonk de knal van een schot. Een helderrode kring verscheen op Bolcke's slaap en zijn woedende ogen draaiden weg.

Pitt zag dat Zhou een Chinees 9 mm-pistool met zijn gestrekte arm richtte en er kringelde rook uit de loop. Langzaam draaide Zhou zich naar Pitt en het wapen was op zijn borst gericht. 'Wat gebeurt er als ik doe wat Bolcke vroeg en jou nu dood schiet?'

Pitt zag vanuit zijn ooghoeken een schim bewegen en hij keek grijnzend naar de Chinees. 'Dan volg je mij een seconde later in de dood.'

Zhou voelde meer dan hij zag dat er iets bewoog boven hem. Hij keek op en zag een tiental gewapende mannen die M4-karabijnen op hem richtten. Het waren mariniers van de Navy, afkomstig van de Spruance, die in de andere sluiskolk geschut werd.

Op Zhou's gezicht was geen paniek te lezen. 'Dit kan een onaangenaam conflict tussen onze naties veroorzaken,' zei hij.

'Is dat zo?' vroeg Pitt. 'Gewapende Chinese rebellen aan boord van een schip dat geregistreerd is in Guam en bezig een moordlustige slavendrijver in veiligheid te brengen? Ja, dat zal wel. Het zal in elk geval onplezierig voor een van beide landen zijn.'

Zhou reageerde onzeker. 'En als we de ontwerptekeningen teruggeven?'

'Dan kunnen we elkaar de hand schudden en ieders zijns weegs gaan.'

Zhou keek in Pitts groene ogen en herkende de laconieke houding in zijn blik. Hij wendde zich naar een van de gewapende mannen en sprak kort met hem. De man liet zijn wapen langzaam zakken en liep naar de brug. Even later kwam hij terug met de verzegelde bak met daarin de ontwerptekeningen van de Sea Arrow. Hij gaf de bak met duidelijke tegenzin aan Pitt, die hem aanpakte en naar de reling liep. Maar toen bedacht hij zich en keerde terug naar Zhou, met uitgestoken hand. Zhou keek even strak naar Pitt, pakte toen zijn hand en schudde die heftig.

'Bedankt, dat je mijn leven gered hebt,' zei Pitt.

Zhou knikte. 'Daar kan ik wel eens spijt van krijgen,' zei hij met een vage glimlach.

Pitt liep weer naar de reling en klom via een ladder naar boven, de bak tegen zich vastgeklemd. Zodra hij boven was wuifde hij naar de mariniers op de kade. En meteen werd hij gearresteerd door de bewakers die in dienst waren bij de Canal Authority.

EPILOOG

Rode Dood

82

'Ik geloof dat we gezelschap krijgen.'
Al Giordino zat op een ligstoel onder een parasol. Met zijn voet schopte hij een koelbox open en gooide er een leeg bierflesje in. Hij sloot het deksel weer en legde zijn verbonden been op de koelbox. Hij keek naar de naderende speedboot. Giordino was gekleed voor het strand: shorts en een Hawaï-shirt, hoewel hij aan dek zat op een boot, varend door het Panamakanaal.

'Ik hoop niet dat het weer een ambtenaar van de Canal Authority is,' zei Pitt, die geknield op het dek zat en zijn duikuitrusting inspecteerde. 'Het lijkt eerder onze man uit Washington.'

De speedboot kwam langszij en Rudi Gunn sprong aan boord. Met een reistas over zijn schouder en in kakibroek en een shirt was hij doorweekt van het zweet. 'Gegroet, kanaalpiraten,' zei hij en hij omhelsde zijn oude vrienden. 'Niemand heeft mij gewaarschuwd dat het hier nog benauwder en heter is dan in Washington in augustus.'

'Hierheen vliegen om ons te zien was toch niet nodig?' zei Pitt.

'Ik ben maar al te blij dat ik weg ben uit de stad. Je hebt de persvoorlichters een nachtmerrie bezorgd met die doorgebroken dam en overal gezonken schepen.' Gunn keek over het kanaal naar een groot, groen schip dat was vastgelopen op de oever. Een groep mannen zwermde bij de beschadigde boeg en deed noodreparaties, zodat het schip weggesleept kon worden. 'Is dat de Adelaide?'

'Ja,' zei Pitt. 'En wij zijn boven de Salzburg geparkeerd.'

Gunn schudde zijn hoofd. 'De Panamezen schreeuwen moord en brand. Voor het repareren van die doorgebroken dam, het lichten van de Salzburg en compensatie voor misgelopen inkomsten door de stremming van het kanaal zal Uncle Sam een flinke cheque moeten uitschrijven ten gunste van Panama.'

'Toch is dat nog een koopje, vergeleken bij wat we bijna kwijtgeraakt waren.'

'Dat ben ik met je eens. Sandecker is in zijn nopjes en de president is ook heel dankbaar. Maar vanwege de nationale veiligheid kan niet bekendgemaakt worden wat er op het spel stond. Hij krijgt het zwaar te verduren met de verwijten van Panama dat de Verenigde Staten zich als roekeloze avonturiers hebben gedragen.'

Giordino pakte nog een flesje bier uit de koelbox en wipte de dop eraf. 'Roekeloze avonturiers? Daar drink ik op.'

'Uiteraard zal de president nog veel gelukkiger zijn als we die motor van de Sea Arrow terugbrengen.'

'Mijn beste team werkt daar nu aan,' zei Pitt.

Gunn keek in de andere richting over het kanaal en zag een grijze marineboot afgemeerd liggen.

'Dat is de Spruance,' verduidelijkte Pitt, 'onze beveiligingsdienst, en als we geluk hebben krijgen we een lift.' Pitt keek Gunn strak aan. 'Het was mijn redding dat je die marineboot door de sluis stuurde. Zonder hun wapensteun zou ik hier waarschijnlijk niet zijn.'

'Hiram en ik zagen op de camerabeelden van de sluis wat er gebeurde. De Spruance zou toch al door het kanaal varen, en daar hebben we een beetje haast achter gezet. Of beter gezegd, dat deed vicepresident Sandecker.' Hij keek over de reling en zag luchtbellen naar de oppervlakte borrelen. 'Wat is er met dat cruiseschip gebeurd?'

'Je bedoelt de Sea Splendour? Haar kapitein dacht al dat het afgelopen was voor hem, maar er gebeurde iets grappigs. De Italiaanse media maakten een held van hem, vanwege zijn rol bij het tegenhouden van Bolcke en de bevrijding van dat slavenkamp. Toen de cruiserederij besefte dat onze regering alle schade zou vergoeden, gaven ze hem een medaille en promotie. De havenloods kwam er slechter af, die werd ontslagen. Maar ik heb begrepen dat kapitein Madrid voor de arme man een baan bij de cruiserederij heeft geregeld.'

Gunn glimlachte. 'Misschien kan hij voor mij ook een nieuwe baan regelen.'

De bellen die naar boven kwamen werden groter en twee duikers kwamen aan de oppervlakte.

'Hallo, Rudi,' zei Dirk. 'Kom je met ons duiken? Het water is warm.'

'Nee, dank je.' Gunn keek misprijzend naar het troebele water. 'Heb je de motor gezien?'

'Die troffen we onbeschadigd aan op de bodem, nog vastgesjord op de truck,' zei Summer. 'Op de een of andere manier is het gevaarte langs de containers geschoven en naast de Salzburg beland.'

'De truck is behoorlijk beschadigd, maar ik zag geen schade aan de motor,' voegde Dirk er aan toe. 'De Spruance zal de motor gemakkelijk naar boven kunnen takelen.'

Gunn slaakte een zucht. 'Dat is heel goed nieuws. NUMA hoeft dan niet te betalen voor de schade aan die dam,' zei hij met een schuine blik naar Pitt.

'Dat is niet ons vakgebied,' lachte Pitt. 'De Canal Authority is akkoord dat wij de supervisie hebben bij het weghalen van de Salzburg uit de vaargeul. Dus kunnen we waarschijnlijk nog een tijdje genieten van het warme weer.'

Gunn wiste zijn voorhoofd af met zijn hemdsmouw. 'Ik doe niet mee. Maar ik zou Dirk en Summer graag meenemen, om me te helpen bij het rapporteren over wat hier allemaal gebeurd is.' Gunn pakte zijn reistas. 'Dat is waar ook. Ik heb een pakje voor jullie.'

Hij zocht in zijn tas en haalde een doosje tevoorschijn dat hij aan Summer gaf. Ze maakte het open en zag een lange, met de hand geschreven brief die met een paperclip aan een in leer gebonden logboek was bevestigd.

Ze las de brief snel door, terwijl Dirk naar de afzender op het doosje keek. 'Dit komt van Perlmutter. Wat schrijft St. Julien?'

'Hij schrijft dat we niet met Rudi terug naar Washington gaan.' Ze keek haar vader vragend aan. 'Maar we gaan op reis naar Terra del Fuego.'

83

De Mount Vernon Trail was ten zuiden van Alexandria een toonbeeld van vredige rust. Alleen het gedempte verkeersgeluid van de snelweg in de verte verstoorde de stilte. Enkele vroege joggers en fietsers op de route langs de rivieroever deden hun dagelijkse training voordat de werkdag begon.

Dan Fowler versnelde tot een sprint bij de laatste meters van zijn vijfkilometerloop, passeerde een denkbeeldige finishlijn en vertraagde toen zijn tempo tot wandelpas. Hij liep naar een drinkwaterfontein en nam enkele slokken van het koel stromende water.

'Goedemorgen, Dan. Hoe ging het hardlopen?'

Fowler verslikte zich en draaide zich snel om. Er droop water van zijn kin. Dat hij schrok was duidelijk toen hij de bekende stem hoorde en Ann Bennett zag staan. Ze droeg haar gebruikelijke kantoorkleding.

'Ann... Hoe is het met je?' stamelde Fowler.

'Prima.'

'Waar ben je geweest? We waren allemaal vreselijk ongerust.'

'Ik moest kort op reis.'

'Maar je hebt niemand iets gezegd. We hebben de politie naar je laten zoeken. Is alles echt in orde?'

'Ja. Er deed zich nogal onverwacht een probleem voor in de privésfeer.'

Fowler keek nerveus om zich heen, maar hij zag alleen enkele joggers en een man die de lekke band van zijn fiets repareerde. 'Ben je alleen? Ik dacht dat je in gevaar was.'

'Maak je geen zorgen. Ik wil even onder vier ogen met je praten.'

'Tuurlijk.' Fowler wees naar de bomen bij de Potomac, die enige privacy boden. 'Zullen we daarheen lopen?' Hij leidde haar van het pad af.

'Ik had veel tijd om na te denken over de zaak toen ik op reis was,' zei Ann.

'Maar je bent waarschijnlijk niet op de hoogte van de laatste ontwikkelingen,' zei Fowler aftastend. 'Iemand heeft een voortstuwingsmotor van de Sea Arrow gekaapt toen dat ding naar Groton werd vervoerd.'

'Ja, dat heb ik ook gehoord. Zijn er al mogelijke daders bekend?'

'Nee, het onderzoek van de FBI heeft niets opgeleverd.'

'Dat verbaast me niks. Zeg, wat weet jij eigenlijk van het ADS-systeem?'

'ADS? Dat is toch door het leger bekokstoofd, om met een soort straling mensenmassa's in bedwang te houden? Ik weet er verder weinig van.'

'Bekokstoofd is een goede term,' zei Ann, terwijl ze terug dacht aan haar eerste ervaring met de hittestraling in New Orleans. 'Jij hebt toch gewerkt bij het Army Research lab?'

'Ja, ik heb daar een tijdje stage gelopen. Hoezo?'

'Volgens de personeelsdirecteur was jij daar verantwoordelijk voor de beveiliging bij de ontwikkeling van het Active Denial System. En in die functie had je toegang tot alle informatie. Misschien vind je het wel interessant om te horen dat het leger niet als enige over die technologie beschikt. We weten inmiddels dat Edward Bolcke ook een dergelijk stralingswapen op een van zijn schepen heeft geïnstalleerd.'

'Wat wil je daarmee zeggen, Ann?'

'Dan, hoe lang sta jij al op de loonlijst bij Bolcke?'

Ze waren bijna bij de bomen op de oever. Fowler glimlachte naar Ann. 'Dat is belachelijk! We weten allebei dat Tom Cerny in het Witte Huis waarschijnlijk dubbelspel speelt. Ann, je moet pas in het water springen als je kunt zwemmen.'

Ann negeerde de opmerking. 'Cerny was even verdacht, tot ik zijn gedetailleerde staat van dienst bekeek. Ondanks jouw verdachtmakingen heeft hij niets te maken met militaire geheimen die uitgelekt zijn. Hij is de laatste twintig jaar ook niet meer in Centraal-Amerika geweest. Hij wordt niet meer verdacht van betrokkenheid.'

Fowler bleef zwijgen toen ze bij de rand van de bomen kwamen.

'Maar ik heb wel ontdekt dat jij medeoprichter bent van Secure Tek, het beveiligingsbedrijf dat later aan Edward Bolcke is verkocht.'

'Je insinueert maar wat.'

'Is dat zo? We hebben financiële transacties nagetrokken van Bolcke's bedrijf naar een bankrekening die op jouw naam staat, hier in Washington.' Ann blufte, maar ze was er zeker van dat nader onderzoek het bewijs zou leveren.'

Fowler bleef lopen en voerde haar verder tussen de bomen. Na een lange stilte zei hij: 'En veronderstel dat het waar is? Wat dan?'

'Dan word je berecht wegens spionage en daarna kun je de rest van je leven in de gevangenis doorbrengen.'

Ze waren tussen de bomen niet meer zichtbaar en Fowler besprong Ann. Hij greep haar bij de hals en duwde haar ruw tegen een boomstam.

'Nee,' zei hij. 'Ik denk dat het hier afgelopen is.'

Ann stond als versteend tegen de boom, terwijl Fowler een bandana uit zijn zak haalde en oprolde. Hij sloeg de bandana om haar keel en trok aan de uiteinden om haar te wurgen.

Ze probeerde hem weg te duwen, maar hij was te sterk en drukte haar met zijn benen tegen de boom. Ze werd duizelig en stikte bijna, tot opeens een schorre stem achter Fowler klonk.

'Laat haar los!'

Fowler draaide zich om en zag twee mannen in joggingtenue met getrokken Glocks staan.

De man die eerder een lekke fietsband repareerde kwam aanrennen, zwaaiend met een H&K-geweer. 'FBI!' schreeuwde hij. 'U bent gearresteerd!'

Fowler liet zijn greep om Anns hals verslappen en de opgerolde bandana viel op de grond. Een van de FBI-agenten trok hem weg en de andere agent klikte zijn handen met handboeien vast op zijn rug.

Voordat hij naar een gereedstaande auto werd weggevoerd, ging Ann voor hem staan en keek hem recht in de ogen. 'Dan, geloof mij maar: ik kan zwemmen.'

84

De zee bij Vuurland deed haar bijnaam Furious Fifties, afgeleid van de breedtegraad, alle eer aan. Een harde westenwind joeg de golven op met brekende schuimkoppen. De zeestromingen versterkten het effect en voerden enkele verdwaalde ijsbergen aan, afkomstig van Antarctica. In de loop der eeuwen hadden deze natuurkrachten menig schip doen vergaan in het koude water bij Kaap Hoorn. Alleen de verraderlijke stormvlagen die de kaap zonder waarschuwingen konden geselen bleven uit.

Een kleine trawler ploegde dapper door de woeste zee en de opvarenden werden heen en weer geslingerd als in een kermisattractie. In de stuurhut hield Summer zich vast aan de kaartentafel toen de boot van een vijf meter hoge golf gleed. 'Kon je geen groter schip vinden?' vroeg ze verwijtend.

Dirk schudde grijnzend zijn hoofd. De keus aan boten op korte termijn was beperkt in de Argentijnse havenstad Ushuaia. Hij prees zich gelukkig dat hij deze trawler had kunnen charteren. Vanuit Ushuaia was de tocht door het Beagle Kanaal betrekkelijk kalm geweest, maar dat veranderde dramatisch toen ze op open zee kwamen.

'Kijk, dat is Isla Nueva, daar recht vooruit,' zei de kapitein, een tanige man met wit haar.

Summer tuurde door een raampje in de stuurhut naar een heuvelachtig groen eiland, op bijna twee kilometer afstand. 'Het ziet er verlaten maar ook wel idyllisch uit. Hoe groot is dat eiland?'

'Ongeveer vijftien kilometer lang,' zei Dirk. 'In vier, vijf uur kunnen we er helemaal omheen varen.

'Dan is ze wel ver van huis geraakt.'

"Ze" was de Barbarigo, De zoektocht was een gevolg van het pakketje dat Perlmutter hen in Panama had gestuurd: het logboek van de zeeman Leigh Hunt, met het verslag van zijn reis om de wereld. Perlmutters interesse was gewekt door de ontdekking van Summer op Madagaskar, en hij had de nazaten van Hunt opgespoord. En een van de afstammelingen had na een speurtocht op de zolder van het familiehuis het oude logboek gevonden. Er was nauwkeurig genoteerd wat de positie was van Hunt toen hij de Wraak van de Oceaan zag.

Summer pakte het logboek op en herlas de aantekeningen van Hunt, terwijl de trawler hevig rolde op de hoge golven. 'Hunt schrijft dat hij ten noorden van de eilanden Nueva en Lennox voer toen hij de Wraak naar Nueva zag drijven. Dan is de boot waarschijnlijk op de westelijke kust van het eiland gestrand.'

De trawler naderde de oostkust van Isla Nueva, waar hoge en donkere kliffen oprezen. De golven braken op de rotsige kust, met hoog opspattend schuim.

'Hopelijk is de westkust wat minder ruw,' zei Dirk. 'Als de Barbarigo hier op de rotsen is gelopen, dan zullen we het wrak deze keer niet vinden.'

Hij gaf de kapitein opdracht zo dicht mogelijk langs de kust te varen, en ze begonnen de kustlijn tegen de klok in te volgen. Ze zochten alleen naar zichtbare resten van de onderzeeboot, en als dat niets opleverde zou later met sonar onder water verder gezocht worden vanuit een researchschip van NUMA.

Ze hadden de tientallen satellietfoto's bekeken die Yeager had gestuurd, en enkele opmerkelijke plekken gezien waar mogelijk de resten van de Barbarigo lagen. Maar de enige manier om zekerheid te krijgen was die plaatsen te inspecteren, als de situatie op zee dat mogelijk maakte.

Ze voeren langs de noordkant van het eiland, en twee opvallende plekken op de satellietfoto's bleken rotsformaties die vaag de vorm van een onderzeeboot hadden. Verder naar het westen werd het kustgebied minder hoog en veranderde in ruwe stranden bezaaid met rotsblokken.

'We komen bij de derde plek,' kondigde Dirk aan, nadat hij een luchtfoto had vergeleken met het navigatiescherm van de trawler.

Summer hield een verrekijker voor haar ogen, en het kostte haar moeite goed te kijken op de hevig deinende boot. 'Waarschuw me als we die plek precies dwars hebben.'

Dirk keek naar de snelheid van de boot. 'Dat is nu ongeveer.'

Summer tuurde naar de kust en ze zag een grindstrand tussen twee rotsige uitstulpingen. Ze herkende een gladde vorm, maar wankelde door een heftige beweging van de trawler meteen tegen de wand van de stuurhut.

'Vaar dichter naar de kust.' Ze speurde door de verrekijker weer naar het object en zag iets glads en ronds tussen de rotsen geklemd.

'Daar is wel iets, maar het lijkt niet erg groot.' Ze gaf haar broer de verrekijker. 'Kijk jij ook eens.'

'Ja, daar ligt wel een ding dat door mensen is gemaakt.' Dirk liet de verrekijker zakken en keek zijn zus aan. 'We moeten daar gaan kijken.' De kapitein moest nog een eind doorvaren voordat hij een kleine inham zag die beschutting tegen de hoge golven bood. Een kleine rubberboot werd gereed gemaakt en te water gelaten. Dirk en Summer peddelden naar het strand. Terwijl ze de rubberboot op het droge trokken, barstte er een hevige regenbui los.

'De laatste keer dat we op een eiland waren,' zei Dirk, 'had ik een moord gepleegd voor zo'n buitje.'

Ze sjokten in de regen langs de kust, tegen de snijdende wind in. Ondanks de barre omstandigheden zag Summer ook de woeste schoonheid van het eiland bij de punt van Zuid-Amerika. Maar de kust werd eentonig in de stromende regen en na een halfuur lopen wisten ze allebei niet meer precies waar ze het opvallende object hadden gezien vanaf zee.

Summer stond bij de vloedlijn en tuurde naar de rotsen in de omgeving. Uiteindelijk zag ze het gladde object een eind verder langs het strand. Het was een roestig gebogen stuk plaatijzer, ongeveer twee meter lang en het zat stevig tussen de rotsblokken geklemd.

'Ik kan me natuurlijk vergissen.' zei Dirk, 'maar dat kan best een stuk plaatijzer van een onderzeeboot zijn.'

Summer knikte en keek naar de zee. 'Waarschijnlijk is de boot op de rotsen gelopen en later gezonken. Of weggedreven naar zee.'

'Nee,' zei Dirk en er klonk verbazing in zijn stem. 'Ik denk dat we in de verkeerde richting hebben gezocht.' Hij tikte op Summers arm en wees naar het binnenland. Ze zag alleen een smal grindstrand. Daarachter was een met struiken begroeide holte onder de oprijzende rotsen. Het strand was verlaten en ze keek naar de holte. Toen viel haar mond open van verbazing.

Twintig meter verder naar het land zagen ze de resten van de commandotoren. Ze liepen snel over het grind naar de struiken en zagen daar de hele romp van de onderzeeboot. Het vaartuig was voor driekwart begraven, maar Dirk zag dat ze bij de achtersteven waren. Waar ooit de schroef had gezeten, was nu alleen een verbogen as zichtbaar. Ze liepen om de romp heen tot ze bij de commandotoren kwamen, die oprees als de ruïne van een verlaten kasteel. Summer haalde een zwart-witfoto uit haar zak en vergeleek de afbeelding met de roestige scheepsromp. De vorm en de afmetingen klopten.

Ze lachte naar haar broer. 'Ja, het is echt de Barbarigo.'

Ze klauterden op de romp naar de gehavende restanten van de toren en konden toen de imposante romp overzien, grotendeels begroeid met struiken.

'Hoe kan zo'n groot ding hier terecht zijn gekomen?' vroeg Summer.

'Waarschijnlijk door een monstergolf. Kaap Hoorn is berucht vanwege de enorm grote golven. En alleen een echt reusachtige golf was in staat de boot zo ver op het land te werpen.'

Summer keek naar de voorsteven. 'Denk jij dat de lading nog aan boord is?'

Dat was de hamvraag en de reden voor hun overhaaste vertrek naar Vuurland. Want Perlmutter had nog meer ontdekt dan alleen het logboek van een zeeman. Hij had de bekende puzzelstukjes van de laatste reis van de Barbarigo met elkaar in verband gebracht. Het was begonnen met de Duitse geleerde Oswald Steiner, die in Maleisië aan boord van de onderzeeboot was gekomen. Perlmutter had ontdekt dat Steiner een briljante natuurkundige was en veel onderzoek had gedaan naar elektromagnetisme. Door de nazi's werd Steiner gedwongen mee te werken aan militaire research naar kernwapens, voordat hij zich op een ander geheim project kon concentreren: een magnetisch kanon.

Steiner werkte met de theorie dat een extreem snel afgeschoten projectiel een afstand van tachtig kilometer kon afleggen, wat het voor de Duitsers mogelijk maakte vanaf Normandië de zuidoostkust van Engeland te bombarderen. Om dat geschut werkend te krijgen moest hij over de sterkste magneten beschikken, en die werden gemaakte met zeldzame metalen.

In 1942 was er weinig vraag naar zeldzame mineralen, omdat het materiaal moeilijk te winnen en te zuiveren was. Duitsland en de bezette gebieden hadden een aantal mineralen, maar Steiner vond een bron die hem van het juiste materiaal kon voorzien: bij een kleine mijn in Maleisië, onder gezag van de Japanners, werd als bijproduct samarskiet gewonnen. En samarskiet bevatte hoge concentraties van het zeldzame element samarium, dat essentieel is bij het maken van uiterst krachtige magneten.

Steiner reisde naar Maleisië en vond tot zijn verbazing een grote voorraad van het mineraal, in de loop der jaren gevormd bij de mijnactiviteiten. De mijnwerkers noemden de stof Rode Dood, vanwege de rossige kleur. Maar Steiner ontdekte dat het samarskiet licht radioactief was, waardoor sommige mijnwerkers ziek werden.

Opgetogen over zijn vondst verzocht Steiner de voorraad naar Duitsland te vervoeren. De Italiaanse onderzeeboot Tazzoli zou de lading ophalen, maar werd onderweg tot zinken gebracht. Toen de Barbarigo in Singapore arriveerde voor een lading rubber en zink, liet Steiner dat wijzigen en de onderzeeboot werd vol geladen met samarskiet. Steiner reisde mee met de Italiaanse boot en stierf toen de bemanning de beschadigde onderzeeboot moest verlaten.

Dirk keek naar het overwoekerde voordek van de Barbarigo en zag bij de boeg een deel van het stalen dek. Hij daalde de commandotoren af en liep naar het voordek, dat bedekt was met modder en keien, afkomstig van de helling. Summer volgde hem naar een ingedeukt gedeelte bij de boeg. Dirk schopte de modder opzij en het roestige dek werd zichtbaar. Hij maakte een vastgelaste beugel vrij. Het was een handgreep van het voorste dekluik. Summer hielp mee de aangekoekte laag weg te schrapen tot het luik helemaal te zien was, compleet met het wiel om het te vergrendelen.

'Zou het opengaan?' vroeg Summer.

Dirk schopte een paar keer tegen het wiel. 'Help me een handje, dan weten we het zo.'

Ze grepen allebei het wiel vast en probeerden het in beweging te krijgen. Na enkele pogingen kon het wiel na al die jaren gedraaid worden. Dirk knipoogde optimistisch naar zijn zus en hij trok het luik open.

Een muffe walm steeg op door de opening. Er was weinig te zien en het interieur was bijna tot bovenaan gevuld met zand, mineralen en modder. Dirk tastte naar binnen en haalde een klomp materiaal naar boven. Hij hield zijn gevulde hand voor Summer. Het was een klomp steen, donker maar ook glanzend. In het grauwe daglicht zag Summer dat de steen een rossige tint had. 'Is dat Rode Dood?'

Dirk keek naar het brokstuk en grinnikte. 'Nee, ik zou het eerder Paars Goud noemen.'

85

Een menigte hoogwaardigheidsbekleders en marineveteranen, bijna drieduizend man, stroomde langs de ingang van de New London Basis, onder een koele en bewolkte hemel. De bezoekers werden naar een kade geleid waar rijen klapstoelen waren opgesteld met zicht op de Thames River in Connecticut.

Voor de kade lag de nieuwste snelle onderzeeboot, de USS North Dakota. Nadat het vaartuig de proefvaarten op zee had gemaakt was het hier voor de officiële overdracht aan de marine, om aan haar taken voor de natie te beginnen.

Pitt en Loren baanden zich een weg door de menigte om hun plaatsen op de tweede rij in te nemen, achter een groep admiraals in vol ornaat. Pitt keek naar de gala-uniformen en vroeg zich af of ze plaatsen vooraan hadden gekregen vanwege zijn redding van de Sea Arrow of omdat Loren de weg wist op Capitol Hill. Toen de Chef Marinestaf bewonderend naar zijn vrouw keek, besloot hij dat laatste.

Even later arriveerde vicepresident Sandecker, voorafgegaan door een groep hoge functionarissen van het Pentagon. Hij had een sigaar tussen zijn lippen toen hij naar een stoel voor het podium werd geleid. Zodra hij Pitt en Loren zag kwam hij meteen naar ze toe.

'Je ziet er zoals altijd geweldig uit, Loren,' zei hij. 'Ondanks de ruwe zeebonk die je vergezelt.'

Loren lachte. 'Het is fijn u weer te zien.'

'Waar zijn Summer en Dirk? Ik dacht dat ze hier ook zouden zijn.' Loren trok vragend haar wenkbrauwen op.

'Ze zijn allebei in Rome,' zei Pitt. 'De Italiaanse regering organiseerde een herdenking voor de bemanning van de Barbarigo. Mijn kinderen zijn daarbij uitgenodigd als eregasten.'

'Zonder hen zouden we nu in zak en as zitten,' zei Sandecker. 'Doordat zij de stoffelijke overschotten van de bemanning vonden hebben wij de Italiaanse overheid ervan weten te overtuigen de lading aan zeldzame mineralen in de onderzeeboot aan ons te geven. Daardoor kunnen we nu meer motoren bouwen.' Hij knipoogde naar Pitt.

'Over zeldzame mineralen gesproken,' zei Loren, 'ik hoorde een gerucht op Capitol Hill dat de Chinezen hun exportembargo opheffen.'

'Dat is ons inderdaad gezegd. Toen de Australiërs de Mount Weldertsmijn van Edward Bolcke overnamen, beseften de Chinezen dat ze geen marktmonopolie konden verwerven. En de herbouw van Mountain Pass ligt voor op schema. Gelukkig kunnen we met de aanwezige voorraden van Bolcke's bedrijven in Panama en op Madagaskar een tijd vooruit.'

Een adjudant verscheen naast Sandecker met de mededeling dat de ceremonie spoedig zou beginnen.

'De plicht roept,' zei Sandecker. Hij maakte een elegante buiging voor Loren en schudde Pitt de hand, om daarna terug te keren naar zijn plaats.

Even later werkte Ann Becker zich door het gangpad en ze ging naast Loren zitten. 'Hallo,' zei ze, 'ik wist niet zeker of ik wel op tijd hier zou zijn.'

'Kom je net van de luchthaven?' vroeg Loren.

'Ja. Vanochtend werd het vonnis over Dan Fowler uitgesproken en daar wilde ik bij aanwezig zijn.'

'En? Welke straf heeft hij gekregen?' vroeg Pitt.

Ann glimlachte voldaan. 'Dertig jaar celstraf, zoals de officier van justitie ook had geëist.'

Een admiraal verscheen op het podium en introduceerde de vicepresident, die een gloedvolle toespraak hield over de veiligheid op zee en de bescherming tegen elke vijand. Een reeks hoge functionarissen van de marine volgde met de gebruikelijke toespraken.

Tijdens de speeches boog Ann zich voor Loren langs en fluisterde tegen Pitt: 'Is ze in het water?'

Pitt knikte. 'Twee dagen geleden, tijdens een stortbui, waar op gewacht werd.'

'En klaar voor de proefvaarten?'

'Alles werkt prima, hebben ze me gezegd.'

'Ik dacht dat de North Dakota al getest was op zee?' zei Loren.

'Dat klopt, liefste,' zei Pitt en hij moest zich beheersen.

Op het podium werd de eresponsor voorgesteld en hij mocht het traditionele eerste commando geven. 'Beman het schip en aan het werk!'

De bemanning en de officieren van de North Dakota gingen onder gejuich van het publiek aan boord van de onderzeeboot. Pitt keek langs het vaartuig en richtte zijn aandacht op een dekschuit die omringd werd door een aantal roodwitte waarschuwingsboeien.

'Waar is ze?' fluisterde Ann.

'Bij die dekschuit, aan de andere kant.'

Loren zag ook dat sommige marinefunctionarissen meer belangstelling hadden voor de dekschuit dan voor de nieuwe North Dakota.

'Wat is er toch? Het lijkt wel alsof er iets belangrijker is dan de doop van de North Dakota. En waarom kijkt iedereen naar de boeien bij die dekschuit?'

Pitt lachte naar zijn vrouw en kneep in haar hand. 'De zee geeft niet altijd alle geheimen prijs,' zei hij. 'Zelfs niet als er met een roestig botermes wordt gedreigd.'

EINDE